文春文庫

十万分の一の偶然

松本清張

文藝春秋

十万分の一の偶然　目次

十万分の一の偶然

年間最高賞

A新聞一月二十七日朝刊は、「読者のニュース写真年間賞」を発表した。

A新聞にかぎらず、B新聞でもC新聞でも同じような企画を行なっている。この懸賞募集の規定は、三社とも似たりよったりだが、A新聞はこう掲げている。

《**月間賞**　その月の投稿写真を対象にして東京、大阪、西部、名古屋の各本社で個別に審査し、その結果を発表し、賞を贈ります。▽金賞（一点）＝五万円（とくにすぐれた作品には十万円の特別賞）▽銀賞（一点）＝三万円　▽佳作（数点）一万円。

年間賞　一月一日から一年間、四本社に集まった全応募写真を報道写真家の権威に依嘱して審査（審査員は原則として三年ごとに交替）、その結果を紙上に発表、賞杯、賞状と次の副賞を贈って表彰します。▽最高賞（一点）＝賞杯、賞状、副賞百万円　▽優秀賞（三点）＝賞杯、賞状、副賞各三十万円　▽入選（五点）＝賞状、副賞各五万円》

さて、二十七日付朝刊は、昨年度の年間賞である最高賞の作品「激突」と、優秀賞「緊急着陸十分前の機内」「マンションの火災」「沈没」とを一ページ全面に出した。当然ながら最高賞の

「激突」の写真が最も大きく、派手な扱いだった。

――写真は、夜間の東名高速道路で発生した車の玉突き衝突事故である。受賞者の藤沢市南仲通り五七、山鹿恭介《やまがきょうすけ》の言葉に、昨年十月三日午後十一時ごろ、東名高速道路の静岡県御殿場・沼津間の下り路上とある。三台の車から燃え上がる火で、あたりが真昼のように明るい。先頭の十二トン車のアルミバン・トラックは転倒し、高い屋根が横倒しとなっている。それに追突した中型乗用車は炎を上げ、つづいて追突した中型乗用車も火に包まれている。そのあとにきて衝突したライトバンも火を発している。五番目は二トンくらいの幌《ほろ》付きトラックだが、これは追突をまぬがれるためにハンドルを右に切ったが間に合わずに四台目に接触し、さらに中央分離帯のグリーンベルトを突破して上り線に入り、折からさしかかった対向車の中型乗用車と衝突、両車とも大破している。

事故直後の撮影らしく、事故車から這い出している人影は見えない。すさまじいのは三台の車の火焔で、渦を巻いて空へ噴き上がっている。カラーではないが、白黒がかえって迫力をもち、凄惨《せいさん》な光景を再現させている。真白い炎を中に、切通しの崖が左右に黒々とつづき、それが遠近感の効果を添えていた。

撮影者は切通しの左側の斜面上に位置しているので、カメラの角度が五メートル下への俯瞰《ふかん》となっている。そのために炎上・破壊された事故車六台の位置が見取図のようにはっきりと分る。見る者に息を呑ませるような写真であった。

優秀賞の写真三点とくらべると、その迫力、効果ともずば抜けていた。

同ページに載った審査委員長、写真家古家庫之助《ふるやくらのすけ》の選評。

《今回の応募総数は四千二百三十二点で、昨年よりも八十点多く、紙面への掲載（月間賞）の率も七・二パーセントと、この企画はじまっていらいの高率となった。読者の紙面参加の熱意がうかがわれ、とくに今回は粒ぞろいであった。

「激突」は、すでに当時報道されたように死者六名を出した東名高速道路の大衝突事故の写真である。月間賞でも金賞だったが、ここに年間賞の最高賞を得た。カメラの迫真力をこれだけ発揮した作品は少ない。交通事故の現場写真といえば、発生後かなり時間が経っていて、車の残骸や、現場検証の警官や、これを遠まきにする群衆などが写っている写真が多いのに、これは発生の瞬間の写真といっていい。火焔の光に人影が一人も浮んでいないのはそのためで、無気味さに慄然とする。いや、この写真の瞬間にも犠牲者が車内に閉じこめられていると思うと、なんともいたましい場面で、正視に堪えないくらいだ。けれども交通事故の惨事はあとを絶たない。死者の数も多い。このリアルな臨場感溢《あふ》るる一枚の写真がドライバーの自戒となり、交通事故減少の一助ともなればと思って、暗い写真ながらあえて年間最高賞に選んでここに発表した。それにしてもこういう決定的瞬間の場面に撮影者が遭遇するとは、一万に一つか、十万に一つの偶然というほかはない。

優秀賞の「緊急着陸十分前の機内」は、撮影者の説明によると、アメリカ旅行中に乗った米旅客機がエンジンの故障を起し、デンヴァー空港に緊急着陸する十分前の機内風景とある。枕で頭の上を押えて座席にしゃがみこんでいる乗客たちの不安な表情が、画面によく出ている。なおこの機は無事に同空港に着陸したそうである。同じく優秀賞の「マンションの火災」は、二、三階の窓から外に流れる火焰と五階の窓から消防の梯子車で次々に救い出される住人の姿が緊迫した場面となっている。これは昼火事で、幸い犠牲者はなかった由。もう一枚の優秀賞「沈没」は、瀬戸内海の丸亀市沖にある本島と牛島の間で漁船が貨物船と衝突して沈没した事故。いまや漁船の船首が海面から一本の木のようになって空をむいている。貨物船が下ろした数隻のボートに乗る漁船員、貨物船の舷側にならんでこれを見つめる船員の列など、やはり緊迫した画面だ。

以上が優秀作品についての審査評だが、われわれの周辺には、いつなんどき、どんなことが起るか分らない。それはなんの予告もなしに突然に発生する。いやしくも報道写真を志す者は、どこに行くにも常にカメラを携帯して、そのときに備えておかなければならない。カメラこそ時代の厳正な証言者であり、これほど主観を交えないリアリズムの記録はないからである》

年間最高賞を受賞した山鹿恭介の喜びの言葉が出ている。

《昨年十月三日の午後九時ごろから私は静岡県駿東《すんとう》郡長泉町字《あざ》向田のあたりをカメラを持って歩いていました。ここは富士山麓東南側の池の平（八四六メートル）の麓《ふもと》にあたり、その高原からははるか南側の眼下に沼津市の灯が夜光虫の塊のように輝いています。私は近景の高原の林をシルエットにして遠景の街の灯を対照させ、夜空にオーロラのように反映する沼津方面の灯の光をとらえて、そこに夢幻的な雰囲気のある写真をねらって県道や村道をさまよっていました。しかし、なかなか思うような構図が得られず、二時間ばかり歩き回って十一時ごろ、東名高速道路の切通しの上にかかる陸橋を渡って東側崖上から村道に下って、なおも歩いていたときです。突然天地をゆるがすような大音響が聞えたかと思うと、数秒も経たないうちに、うしろの高速道路のあたりから火柱が立ちのぼるのを見ました。私は肝をつぶしましたが、急いで村道からふたたび崖上に引返してみますと、下の高速道路上では何台ものトラックや乗用車が衝突で横転していて、そのうち三台の車からはいましも火焔が上がっているではありませんか。私は夢中でシャッターを押しました。炎の明るさでストロボは要りませんでした。かなり長い私のカメラ歴でも初めての経験です。それがまさか年間最高賞になろうとは、これまた夢のようです。三二歳。住所、藤沢市南仲通り五七。会社員。前全国報道写真家連盟会員。現在写真家団体に所属せず》

これに受賞者の小さな顔写真が付いている。まる顔で、濃い眉と厚い唇、精力的な印象である。

別掲には、優秀賞受賞者三人、入選者五人の住所氏名が出ていた。

《優秀賞　▽「緊急着陸十分前の機内」川口市栄町、亀井治夫　▽「マンションの火災」仙台市青葉町二三、沢田隆　▽「沈没」香川県多度津町平岩三五、矢野孝一。入選　▽「球場騒動」広島市海田市町五八、木村信市　▽「暴走の末」藤沢市遊行寺通り三ノ六七、西田栄三　▽「避難」北九州市小倉南区曾根一〇八、山岸彰　▽「豪雪異変」新潟県中頸城郡柿崎町九一、満田太一　▽「UFO横断？」秋田県山本郡目名潟、赤松則助。（作品は紙上発表せず）》

こうした氏名列記の活字が小さいだけに、年間最高賞受賞者の顔写真が一段と栄光に輝いて見える。

読者のなかには、A新聞縮刷版を繰って、去年十月三日夜に起った御殿場・沼津間の東名高速道路の玉突き衝突事故の記事をもう一度読んで、悲惨な思いを新たにした人もいたことであろう。

まず、その紙面は、活字よりもさきに、大きなスペースで載った事故現場の写真が眼につく。四日付の朝刊だが、「四日午前零時二十分撮影」と説明にあるから、沼津支局員が事故発生から一時間二十分後に現場に駆けつけて撮ったものだろう。この写真では車の火は消え、燃え尽きた乗用車の残骸がフラッシュの中に写し出されている。検証する警察の係員多数が六台の被災車のまわりに集まり、交通整理の警官、土地の消防団員、それと弥次馬などが見える。

これと、最高賞作品の、三台の車から燃え上がる猛火、人影一つない情景などを比べると、その迫力の差は格段である。新聞写真のほうは気の抜けたビールのようなもので、なんとも情なかった。

その六段抜きの見出し。

《東名高速で玉突き衝突の大惨事。死者六、重傷者三、炎上の車三、大破の車三。昨夜、御殿場・沼津間で》

記事の概要。

《昨夜十一時ごろ、東名高速道路御殿場・沼津間の下り線で玉突き衝突の大事故が発生した。まず時速百二十キロのスピードで走っていた十二トン車のアルミバン・トラックが急ブレーキをかけ、同時にハンドルを右に切ったために横倒しとなり、同じく高速で走っていた後続の中型乗用車が二台ともこれに次々と追突して発火炎上、そのあとのライトバン一台も追突して火に包まれた。さらにそのあとの小型トラックはとっさに追突を避けようとして右へハンドルを切ったが間に合わず、前の車に接触し、さらに中央分離帯を乗りこえて上り線に突入、折から上り線を疾走中の乗用車がこれに衝突して、両方とも大破した。

このため、アルミバン・トラック（横浜市桜木町二ノ一、栄大運輸株式会社所有）に乗っていた運転手の島田敏夫さん（二八）と助手の野田俊樹さん（二三）は首の骨を折って即死、次の中型乗用車を運転していた静岡市井ノ宮町三丁目七八、会社員菅原春雄さん（四二）はフロントガラスに顔を突込み、割れたガラスの破片で頸動脈を切って即死、妻和枝さん（三五）はガラス破片の創傷と火傷で入院後に死亡、次の中型乗用車を運転していた東京都文京区茗荷谷《みょうがだに》四ノ一〇七、会社員山内明子さん（二三）は骨折と全身火傷で即死、ライトバンを運転していた浜松市明神町六ノ三、食料品店主米津英吉さん（四二）は焼死、同乗の実弟安吉さん（三五）は脱出したものの重傷、さらに上り線に飛び出した小型トラックを運転していた静岡県舞阪町馬郡町三八、鮮魚商大久保正雄さん（三九）は全身打撲で重傷、これに衝突して大破した対向車の中型乗用車を運転の東京都練馬区立野町四ノ六八、化粧品店主牧内敏幸さん（三六）も同じく重傷を負った。事故の場所は前方がゆるいカーブとなっていて、見通しはあまりよくない。現場は、焼けた車の残骸と飛び散った部品や砕けた窓ガラスの破片にうずまり、焦げくさい煙の中に、路面は血の海となって、眼をおおうばかりの惨状である。

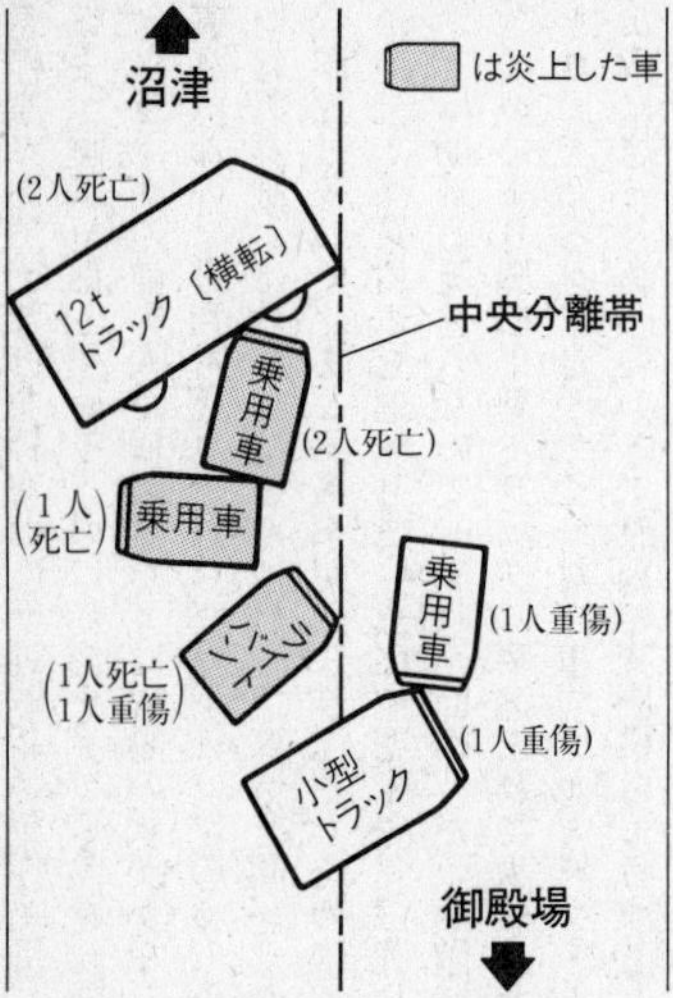

沼津署で事故の原因を調査中だが、前を走っていたアルミバン・トラックがなぜ急ブレーキをかけたか、島田運転手も野田助手も死亡しているので事情がよくわからない。なお、同トラックの横転した前方の路上や付近を調べたが異状のあとは見られなかった。ちなみに、下り線の同場所は下り勾配《こうばい》で、時速百キロ以上のスピードでは、かなりな車間距離を保っていても追突は不可避だったとみられる》

同日の夕刊は、遺族の悲しみや、犠牲者の生前の面影などを伝えるが、事故の原因はなお不明とあり、沼津署長の談話を載せている。

《沼津署長の話　追突事故の原因はあきらかに先行のアルミバン・トラック

の急停車にある。なぜ急停車したか運転手も助手も死亡しているのでよくわからない。あるいは、運転手が睡気を催しているうちに幻影を見て危険を錯覚し、急ブレーキをかけたかとも想像される。トラックの前を人が横断したとは現場の状況からして考えられないし、また路上にそのような痕跡はない。異物も発見されない。トラックのうしろを走っていて追突した乗用車の助手席にいた菅原春雄さんの妻和枝さんに病院で事情を聞いたが、前方には何も見えなかったと言っていた。同人はそのすぐあと意識不明となり死亡したので、それ以上詳しくは聞けなかった。そのあとに追突した乗用車を運転していた山内明子さんは死亡、次のライトバンに同乗していた米津安吉さんは助かる見込みなので、病状が回復しだい病院で事情を聞くつもりである。また上り線を走っていて下り線の小型トラックに突込まれて大破した車の牧内敏幸さんは、重傷でも意識がはっきりしているが、走ってくる対向車のアルミバン・トラックの前面路上に異状は見られなかったように思うと語っている。原因の究明にはもうすこし時間がかかろう》

二週間後の新聞記事。

《去る十月三日夜、御殿場・沼津間の東名高速路上で発生した玉突き衝突の大事故の原因が、先行のアルミバン・トラックの急停止とその転倒にあることはたしかだが、問題はやはり、なぜ同トラックの島田運転手が現場にさしかかって急ブレーキを踏み、ハンドルを右に切ったかである。前面に障害物を急に発見してあわててその処置をとったとするなら、上り車線通行車の急報で現場に事故発生から四十分後に到着した沼津署員が、その障害物なり、またはその痕跡なりを検証のときに発見していなければならない。しかし、そのようなものはなく、夜が明けてからの現場精査でも見つかっていない。

そうなると一部で説があるように、島田運転手が疲労して睡気を催す頭の中で一種の幻覚症状を起し、その幻の影を前面に見てとっさに障害物と思い、本能的に急ブレーキをかけたという推測もできる。右側の中央分離帯にむかってハンドルを切った状況がその推測と一致する。十二トンのアルミバン・トラックが時速百二十キロで走っていて急にブレーキをかければ、転倒するのは当然だ。それを知らぬ島田運転手ではなかったろう。それなのにあえて本能的に急停車したのは、右のようによほど危険な障害物の幻影を見たとしなければならない。

もう一つの想定は、深夜の運転にとかく起りがちな恐怖感である。人家から離れた深夜の高速道路を走っていると孤独感から理由のない恐怖感に襲われることがあり、これが運転者に錯覚を起させる。しかし、これについては同トラックの所有者栄大運輸会社の運輸部主任勝股庄治さん(三八)は、島田運転手はベテランで、深夜の東名高速の現場を一週間に二回は往復して馴れており、そのようなことは絶対に考えられないといっている。また、運転手が居睡りしていて、はっと気がついてブレーキをかけたのではないかと一部でいわれているが、夜の十一時ごろでは昼間十分に睡眠をとった同運転手が居睡りする時間ではない、と言っている。

また、三台目に追突したライトバンに乗っていて助かった米津安吉さんは、追突直前に、前方に赤い火の玉のようなものを見たような気がすると言っていたが、警察で調べた結果、転倒したアルミバン・トラックに追突した先行二台の乗用車の発火を見誤ったものと判った》

反響

A新聞に「読者のニュース写真年間最高賞」が発表されたのが一月二十七日付の朝刊であったが、四日置いた同紙二月一日付朝刊の「響き」（投書）欄に次のような投書が載った。

《読者のニュース写真年間最高賞「激突」の発表を見ました。応募総数約四千二百点の中から選ばれただけに素晴らしく迫力のある作品だと思いました。しかし、率直にいって、後味の悪い写真でした。これは去年十月三日に御殿場・沼津間の東名高速道路で起った大追突事故です。死者六名、重傷者三名という大惨事でした。横倒しになっている大型のアルミバン・トラック、追突して火焔を上げている二台の乗用車とライトバン、中央分離帯を突破した小型トラックと衝突大破した上り線の乗用車。すさまじい光景です。選者の古家先生の言葉のように、撮影者がまさに一万に一つか十万に一つの偶然にめぐまれた決定的瞬間です。報道写真の白眉です。……しかし、胸の痛む写真です。

私が後味の悪い思いをしているのは、この写真がアマチュア・カメラマンによって撮られ、しかも年間最高賞を獲得していることです。もしこれが新聞社のカメラマンの撮影によるものだったら、私もそんな思いにはならなかったでしょう。新聞社のカメラマンは事故現場や事件現場を撮るのが任務だからです。そうではなく、これがアマチュア写真だからやりきれないのです。

こう書くと、新聞社のカメラマンは事故発生にいつも間に合うわけではないから、ちょうど現場近くに居合せたアマチュア・カメラマンの写真に新聞社は期待するのだといわれるかもしれません。それだったら、報道時の紙面に出すだけで目的は達するのであって、とくにこのような暗い、眼をそむけたくなるような悲惨な写真を、懸賞募集の対象にすべきではないと思います。

悲しい事故現場に居合せて写真を撮って世間の一部からアマチュア・カメラマンが非難をうけた例は過去にもあります。かつて昭和三十年に四国の高松沖で衝突して沈没した紫雲丸の写真がそうでした。カメラをむけるくらいの余裕があるなら、なぜ水に溺れる乗客の一人でも救おうとしなかったのか、というのでした。

撮影者は、人を救うよりも、この「千載一遇」の機会を得て、カメラの決定的瞬間に心を躍らせていなかったとはいえません。もしそうだとしたら、それはエゴというものです。もしその「功名心」の背後に貴社の年間賞の栄誉と賞金、紙面発表という誇らしさへの願望が動いていたとすれば、なおさらのことです。（千葉市　印刷業　藤原喜六）》

この投書に対して新聞社側では、「写真部長のお答え」を掲載した。

《投書の趣旨は、要するに「悲惨な」報道写真は新聞社の写真部員のものに限定すべきで、一般の、いわゆるアマチュア・カメラマンの撮った写真は紙面に出すべきではないというようにうけとられます。一理あるお言葉とは思いますが、それではあまりに一方的ではないでしょうか。社会生活が複雑となり、機械文明の日常化がますます進みますと、それだけ予測できない事故の発生が増加します。これを防ぐには各人の自覚と自戒にまつほかはありません。自動車事故の「悲惨な」現場写真は、じかに読者の視覚に訴えるだけに、活字の持たない訴求力があり、車の運転者、車利用の人々に慎重と警戒心とをいやが上にも与えると思います。また一般の人も写真を見て「これは、ひどい」と思われるならば、それだけ災厄予防への関心が深くなるわけであります。これは交通事故にかぎらず、ビル、ホテル、マンションなどの高層建築物の火災、汽船の沈没、旅客機の事故などの写真についてもいえることで、「明日はわが身かも」という想いになる人も少なくないと思います。報道写真には報道性のほかにこうした「警鐘」の効果のあることを見落すことはできません。

ところで、新聞社のカメラマンは限られた人員ですし、常に仕事を持って各方面に出ております。事故発生の通報が入っても即刻にこれに対応するには限界があります。また通報を受けてすぐに出動したとしても、距離その他の条件で現場に到着するのが遅れます。それゆえ、撮った写真は、かならずしもなまなましい雰囲気を伝えるとはいえません。そこで、本社では広く一般からアマチュア・カメラマンの報道写真を募集して、「決定的瞬間」の作品を期待しているのです。そこには新聞社の写真部員の果せないものがあります。それは偶然という要素です。審査委員長の古家庫之助氏が年間最高賞の「激突」評でいっておられるように、この写真などは撮影者にとって「一万に一つか十万に一つの偶然」という、きわめて稀有《けう》なチャンスの助けによるもので、これぱかりはいかなるプロカメラマンをも超えるものです。それでこそ、投書者の藤原氏もお認めのように、迫力のある写真が得られたのであります。すでにその写真に迫真力、そくそくとした臨場感があるならば、前述のように運転者の自戒を増させ、一般の人々に自動車交通に対する関心と警戒心を深めさせるのではないでしょうか。さすれば、新聞社のカメラマンもアマチュア・カメラマンもなく、広い意味からすれば同一の「任務」についているといっても過言ではないと思います。

最後に報道写真の懸賞募集の点についてお答えいたします。できるだけよい作品を公募するからには、応募者に意欲を起していただかなくてはなりません。入選をきめることも、入選作に等級をつけることも、それに従って賞杯、賞状、賞金をお渡しすることも、応募者の意欲に関連して当然のことであり、紙面発表もこれまた目的からいって当然であります。応募者の心理に、ご指摘の点がないとはいえませんが、それがかりに「野心」とよぶものであっても、それがよい作品を撮る意欲の発動力に結びつくなら、べつにとがめるにはあたらないと思います。以上お答えして、ご理解をおねがいする次第です。――写真部長》

それから六日後の同紙「響き」欄に出た投書。

《先般、本欄に載った年間最高賞「激突」に関する千葉市の藤原氏の意見と、本社写真部長からの「お答え」とをあわせ読みました。

私も「激突」の写真を紙上で見たときは、息をのみました。これほど惨事発生の瞬間をなまなましく再現させた写真もないでしょう。その迫力に圧倒されました。報道写真の真価を十分に発揮した作品で、記録として後世に残るものと信じます。藤原氏のご意見は、いささか感傷的で、筋違いのものと思います。それがニュースである以上、プロもアマもないと考えます。とくに偶然のチャンスに左右されることの多い報道写真においては、なおさらです。

写真部長の「お答え」の中にもあるように、新聞社のカメラマンの数はそれほど多くなく、それに、それぞれが任務を持って各方面に散っているということです。たとえ通報を受けた直後にかれらが現場へ急行したとしても、距離の長さや途中の交通渋滞などで、発生後、相当に時間が経っています。その鮮度においては、現場で決定的瞬間をとらえたアマチュア・カメラマンの比ではありません。報道写真はプロでなければならないという藤原氏の意見は、現実から遊離した偏狭な考えではないでしょうか。

また藤原氏は、それが懸賞募集であることを批判されているようですが、およそ「励み」があるからこそお互いに技術の向上をめざすのであり、それがまた相互の切磋琢磨《せっさたくま》にもなるのです。いい作品に栄誉や報酬があるのは当然です。それに、アマチュア・カメラマンもそれを第一の目的にしているのではないでしょう。私は、写真部長の見解を全面的に支持するものです。（浦和市　会社員　小峰和雄）》

同様趣旨の投書がほかに数十通あったと「響き」欄の係は末尾に書き添えていた。

しかし、この新聞は公平だった。すくなくとも「公平」にみえた。というのは、それから四日のちに、読者からの反論を「響き」欄に載せたからである。

《先日、本欄に出たニュース写真年間最高賞「激突」について千葉市の藤原氏の批判意見と写真部長の見解、ならびに浦和市の小峰氏の賛成意見を読みました。私の考えをここに書きますが、結論からいうと、私は藤原氏の批判意見に同感するものです。

「激突」はたしかに美事な作品です。交通事故の悲惨さをこれほどの迫力をもって伝えた報道写真もそう数多くないと思います。それは万人が認めるところでしょう。年間最高賞に選ばれたことや、それに値することにはだれしも異議がないと思われます。

しかし、この写真が力作であることと、読者からの懸賞募集によることとは、別な問題だと考えます。事故発生現場に偶然居合せた者でなければこのような「なまなましい写真」が撮れないことは、いうまでもありません。新聞社の写真部員のみではそれに限界があること、よって一般のアマチュア・カメラマンの協力を得なければならないこともよくわかります。だが、はたして

「なまなましい写真」のみが新聞に載せる報道写真の唯一の条件でしょうか。新聞は何百万という人が読むものです。毎日毎日、暗いニュースが報道されています。せめて写真だけは明るいものを見たいという気持は私だけでしょうか。じっさい、ほほえましい風景やあたたかい人間関係の写真を見たとき、夕刊だと一家だんらんの夕食にそれが明るい話題となって愉しさを与え、朝刊のばあいだと人生の希望が起って職場に向かうことができます。写真は眼にすぐとびこんでくる映像だけに、活字よりも直接的な印象になります。

世界や国内の出来事を連日伝える新聞ですから、暗いニュースがあるのはあたりまえです。けれどもそれは活字だけで十分です。暗い、悲惨な写真は避けてもらいたいのです。とくに「激突」のような、あまりにも刺戟的な、眼をおおう写真は紙面からはずすべきだと思います。「記録」としてどうしても残したいならば、たとえば報道写真年鑑といったたぐいの刊行物に入れるだけでよいと思います。新聞に出すなら、現場検証時の「事故の跡」程度の落ちついた画面にしてもらいたいものです。

それに、「激突」のような写真が新聞社の写真部員によるのではなく、アマチュア写真家の撮影であるということに、藤原氏と同じく私も抵抗があります。写真部員だったら、それは仕事として当然という受けとり方にもなりますが、アマチュア写真は、いわば趣味であり道楽です。道楽で撮ったこんな残酷な写真を懸賞に応募されてはたまりません。審査委員長の古家庫之助氏は、この撮影者が「一万に一つか十万に一つの偶然」に遭遇した幸運と言われ、写真部長は、それが報道写真であるかぎり新聞社の写真部員もアマチュア・カメラマンもひとしく「任務」についているとの意味を言っておられますが、これはいささか言いすぎと思います。

アマチュア・カメラマンがどこへ行くにも常にカメラを持っていることが、古家審査委員長のいわれるような「いざというときに備えるアマチュア・カメラマンの心得」だとすれば、それは紫雲丸の海難写真（これも救助の第三宇高丸に偶然乗っていたアマチュア・カメラマンの撮ったものでした）に対してあがった批判に通じるものがあります。すなわち人命救助の手伝いよりも、「いい写真を撮りたい、そうして人から称讃されたい」というひどいエゴです。古家氏と写真部長とが、「激突」のような写真は、それを紙上に発表することによって、「運転者の自戒となり、さらに一般の人々には自動車交通に対する関心と警戒心を深める」と「警鐘」の効果をひとしく言われているのは、あまりに教訓めかした強弁だと思います。

最後に、アマチュア・カメラマンが「いい写真を撮りたい、そうして人々から称讃されたい」という心理は、これを懸賞に応募して「あわよくば年間最高賞か優秀賞に当選したい、賞杯、賞状、賞金を三つとも手にしたい」という意識に通じるものと思います。小峰和雄氏の投書の中にあるように、懸賞がアマチュア・カメラマンたちの「励み」であり、それが「技術の切磋琢磨」になるというのは道理あるように聞えますが、その「手柄」志向がまさにかれらのエゴとなり、傍観主義を助長させるものと思います。また、「読者のニュース写真」懸賞募集が、新聞社の人気とり政策でなければ幸いです。（大阪市　団体役員　吉村健吉）》

三日置いて、審査委員長古家庫之助が、こんどは「文化欄」に一文を出した。

《本紙の昨年度のニュース写真年間最高賞「激突」に対しては予想以上の反響があった。これが優れた写真であるのを認めながらも、作品を新聞紙上に掲載することの適否、撮影者がアマチュア・カメラマンであった点、さらには懸賞募集という手段への疑問をめぐって、「響き」欄に出たような賛否両論となった。おそらくこうした声は一般の人々や写真関係者に多いと思われるし、ことは報道写真の根本問題にもふれると考えられるので、審査をした一員として、ここに一言述べたい。

千葉市の藤原氏、大阪市の吉村氏の批判的な意見は、報道写真を志すカメラマンにとって反省を促す点が少なくなかった。災害の場を前にして、人命救助を第一とするか、ファインダーをのぞきカメラのシャッターを切るのに専心するか、という問いには、前者が優先するのはいうまでもない。これは多言を要しない。だが、新聞に掲載された現場写真を見て、誤解されるうけとり方があるのも否めない。藤原氏、吉村氏の意見にもそれがある。

写真では、いかにもカメラマンがすぐに救助できそうに見えるが、じっさいは困難または不可能なのである。高松沖の紫雲丸の海難事故でも、撮影者はこれと衝突した第三宇高丸に乗船していた乗客だったが、紫雲丸は衝突後わずか五分で沈没した。遭難者の救助には、第三宇高丸の船員があたったが、これでは海に馴れない乗客はどうすることもできない。げんに画面の手前には、沈みゆく船と遭難者の姿とをただ息を呑んで見まもっている第三宇高丸の乗客らの影がならんでいるのである。またこの写真では両船がひどく接近しているように見えるが、じっさいは相当な距離があったのである。このことも一般の誤解を受ける原因となった。

問題の写真「激突」も、東名高速道路上で玉突き衝突が起った直後のことで、このような激烈な自動車事故に一人の人間が瞬時に救助に向かうというのは実際上不可能なことである。撮影者の山鹿恭介氏は、静岡県長泉町の高原から沼津あたりの夜景を撮るために歩いていたおり、高速道路上に音響が起り、同時に火柱が上がるのをみて現場付近に引返したところ、大きな玉突き衝突の事故が発生していた。そこで思わずシャッターを押したといっている。第一の人命救助が不可能である以上、携えていたカメラをむけるのは報道写真を志す山鹿氏にとっては当然の行動であった。これを何びとも非難することはできないであろう。撮影者が報道関係者なら許せるが、アマチュアだったから許せない、という藤原氏の批判は少しく感情論のように私には思える。また、こうした迫力ある報道写真は「一万に一つか十万に一つの偶然」に遭遇してこそ得られるのであって、その意味で山鹿氏は報道写真家として絶好のチャンスをつかんだのである。

吉村氏の批判は殊にきびしいものだった。もちろん氏が指摘するような「功名心」が報道写真に従うアマチュア・カメラマンに片鱗《へんりん》も存在してはならない。報道写真家は、時代の記録者である前に、どこまでも人間そのものであり、他に親切であり、人類愛に満ちた者でなければならない。そうでないと、カメラに支配される非情な人間のように世間の誤解を招くのである。——古家庫之助》

現場弔問

三月三日の午後三時半だった。沼津警察署の受付に、手に花束を持った和服の女性がきた。

受付は、外からドアを入ってきたとっつきの、カウンターの端にある。和服の女が署にくるのも珍しくないにしても、二十六、七くらいの整った顔だちで、背がすらりとしていて、桃の花束を抱いているその女は、カウンターの中にいる署員の眼をひいた。

「あの、交通係の方はどちらでしょうか？」

受付にいる小肥《こぶと》りの婦警がカウンターのならびのまん中あたりを指した。軽くおじぎをしてそっちへ歩く女の後ろ姿を婦警の眼は追った。春着にしては着物が黒っぽかった。

交通係の前は来客で混んでいた。壁ぎわの簡素な長椅子にも数人がかけていた。車の交通違反か何かで呼び出しをうけてきた人たちらしかった。

カウンターを隔てて、トラックの運転手と思われる革ジャンパーの男と話していた若い巡査は話を中断し、そこへ歩みよってきた花束の女性に顔をふりむけた。

「わたくしは東京の山内みよ子と申す者ですが、交通係長さんにちょっとの時間、お眼にかからせていただきたいのですけれど」

彼女は微笑しながら、はきはきと云った。

巡査がふり返るまでもなく、彼女の声はうしろの少し奥まった席に坐っている係長の耳に届いていた。体格のいい係長が自分から出てきた。

「わたしが交通係長です。どういうご用件でしょうか？」

係長は婦人客に云った。長椅子にならんでいる先客たちよりも優先である。

「わたくしは、東京都文京区茗荷谷に住んでおります山内みよ子と申します。じつは、昨年の十月三日にこちらの管内の東名高速道路で起った交通事故で亡くなった山内明子の姉でございます」

低い声だが、語尾がはっきりしていた。

「あ、あの追突事故の……」

係長はもちろんよく憶えている。あんなひどい玉突き衝突事故は管内ではじめてだった。死者六名。——犠牲者の中に若い女がいた。中型の自家用車の中で焼死していた。たしかに山内明子という名であった。

部下の巡査らも、そこにいるトラックの運転手も一斉にこっちへ視線をむけたので、係長は女客をカウンターの中に招じ、自席の横の椅子をすすめた。和服と花束とで、その一角だけがはなやかになった。

「山内明子さんのお姉さんでしたか。妹さんはほんとにお気の毒でした」

係長は悔やみを述べた。

「あのときは、いろいろとお世話さまになったことと存じます。ありがとうございました」

姉は頭をていねいにさげて礼を述べた。

「妹さんは、たしか二十三歳でしたね？」

「はい」

「お若かったのに、まったく残念でした」

現場検証に立会った係長はまる五カ月前の記憶を昨日のことのように呼びもどす。先頭が転倒したアルミバン・トラック。それに追突した中型乗用車二つが火を発した。山内明子はその二台目の乗用車の運転席にいた。全身打撲で即死状態だったところをガソリンの炎が襲った。ハンドルの上にうつ伏せになった遺体は、木炭か何かを思わせた。眼の前に坐っている女性の妹なら、きっと美しかったにちがいない。

姉にあたるその女の膝の上からほのかな匂いが立ちのぼっていた。桃にとり合せた菜の花が包みの端からのぞいていた。

係長は、遺体の確認には父親だけが来て、この姉の姿を見なかったのを思い出した。

「わたくしは去年の九月下旬から仕事でスイスのローザンヌに行っておりました。妹の死はあちらにかかってきた父からの国際電話で知りました。わたくしの仕事と申しますのは、英語の通訳でございます。いつもは、やっておりませんけれど、国際経済会議に出席される或る企業の首脳部の一人が前からわたくしの存じあげている方で、どうしてもと頼まれて同行したのでございます。そのため、妹の死を知っても、どうすることもできませんでした」

和服の似合うこの女性が国際会議の通訳と聞いて係長は意外な気がしたが、彼女のはきはきした言葉づかいもそれで納得できると思った。

「そんなわけで、わたくしは妹の遭難した現場をまだ知らないのでございます。父親は年寄りですので、その地点をはっきりと憶えておりません。いっしょにくれば、まわりの地形を見て思い出すのでしょうけれど、あいにくと風邪で臥《ふ》せております」

山内みよ子はそこで睫毛《まつげ》を揃えて眼を伏せた。

「今日は、妹の命日にあたります。祥月《しょうつき》ではありませんが、三月三日は女の節句でもありますので、妹が生命を失った場所に、この桃の花束を置きたいと思って参りました」

手にした花束のリボンは真紅ではなく、銀色であった。喪服に近い黒っぽい着物でいる理由もそれでわかった。

「……そのような次第で、今日は妹がお世話になりましたお礼を申し上げ、かたがた遭難場所を教えていただきに参りました。略図でも書いていただければありがたいと存じますが」

ご案内しましょう、と交通係長のほうから申し出た。

署の前に、白いボディの中型車が駐《と》まっていた。東京の白ナンバーだった。

「わたくしの乗ってきた車ですけれど、よろしかったら、これにごいっしょしていただけませんでしょうか」

署の車で、と思っていた交通係長は考えを変えた。山内みよ子にすすめられて先に座席に入ったが、運転席には茶色のセーターの背中があった。後頭のちぢれた長い髪毛がセーターに垂れかかっていた。肩幅は広いほうだった。

「こちら、わたくしの知合いの者です。今日の運転をたのみました」

係長の横に坐った山内みよ子は短く紹介した。

「よろしくおねがいします」

運転席から顔を横にむけて男は係長に頭をさげた。サングラスをかけていて、その銀のフレーりと光った。濃い口髭と顎鬚《あごひげ》とがあった。このアラブ風な男のおしゃれも、このごろではすっかり定着している。

「それでは沼津のインターチェンジのほうへむかってください」

東京から東名高速道路できた車だし、そこを下りてきたのだから方向は云わなくてもわかっている。前をむいた運転者は大きくうなずいた。桃の花束は女の膝にある。

運転はスムーズだった。車には馴れている。バックミラーに映る髭の顔は三十前後かと思われた。フロントガラスの横に吊り下がった熊のマスコットが揺れている。流行《はやり》のパンダではなく、真黒な奴である。

係長は、山内みよ子に紹介される前、この運転者《ドライバー》を一瞬見たとき、彼女の夫かと思った。だが、そうではないと云う。「知合い」というなら何だろうか。事故で死亡した山内明子は未婚であった。その姉もまだ独身なのだろうか。通訳の仕事をしているというし、外国に出かけるというのなら、たぶん独身であろう。すると、ハンドルを握っている男は、彼女の恋人だろうか。もしかすると同棲者かもしれない。「知合い」と云っただけで、名前も云わなかったのは、そういう事情ともとれる。はきはきした口調の彼女に似合わず、そこだけが曖昧《あいまい》なのもその推測を助けた。

むろんこれは係長個人の胸の中のことで、警察が立入った質問をすることではなかった。

「お忙しいなかを申しわけございません」

山内みよ子は、花束の上に上体をかがめて、あらためて礼を云った。

「ちょうど手が空いているときでした。どうか気になさらないでください」

「おそれいります」

係長は癖で、ポケットに手を入れて煙草をとり出しかけたが、気がついて思いとどまった。

インターチェンジの近くにきた。

「左の道路を上って、五十メートル先を右へ曲ってください。道は狭くなりますが」

運転者は前を向いたままうなずいた。

まわりにはモーテルの派手な色が多かった。女は眼を逸《そ》らしていた。右に折れて舗装の狭い道を上った。両側は林になっていて急に田舎の景色となった。農家がとびとびにあるだけだった。木立は冬をこした裸の梢のままに群れていたが、それにうっすらと緑の色が乗りかかっていた。ちょっとした峠を越して谷底にくだった。そこから空に架かった橋を見上げた。複雑に組み合せた白い橋桁は二十メートルくらいの高さにあった。橋の上をトラックや乗用車が小さな形で走っていた。

「高速道路は山を割って切通しにしているんですが、こういう谷がところどころにあって、そこがああいう高架橋梁になっているんです」

交通係長は隣りの山内みよ子に説明した。運転者も車を停めて、いっしょに橋を仰いでいた。

「このへんが、遭難現場と沼津インターチェンジの中間というよりも、やや沼津寄りですね。では、この道をつづけて進み、その場所の上に出ましょうか」

車はふたたび動きだした。

いったん谷底に下りた道はまた上りになる。向う側の遠くに新しい住宅の群れがあって、斜面にせり上がっていた。

「住宅地がこういうところまで延びてきましてね。もとは古い農家が十何軒かあった程度ですが」

その新住宅の白い壁が夕日に朱くなっていた。

交通係長は、腕時計をのぞいた。

「ああもう四時半です。だいぶん日が長くなりましたね」

彼は空を見た。鴉《からす》が黒い羽をゆっくりと動かして飛んでいた。

ひと群れの竹林の奥にしゃがんでいる古い農家の前を通って坂道を上ると、車はひろびろとした高原に出た。畑ばかりで、眼を遮る建物とてなかった。畑には大根菜の小さいのがわびしくならんでいた。ビニールハウスの列もあったが、小さな葉が透いて見えるだけだった。

「沼津や三島の町はどのへんになりますか？」

山内みよ子がたずねた。車が停まった。

「あっちの方角です」

係長は反対側の窓をさした。近景に低い松林や雑木林などがならんでいるが、そこにも家は一軒もなかった。遠景の低い位置に、ぼやけた町のようなものがほの白く横たわっていたが、はっきりとは見えなかった。

「ああ、あの山が大仁《おおひと》あたりですのね」

連山の、ジグザグした稜線に特徴を見つけたように女は云った。その山も夕靄《ゆうもや》の中にかすんでいた。

「そうです。伊豆の西海岸の山ですね」

「夜景が美しいでしょうね？　沼津や三島の町の灯が輝いて……」

「ぼくは夜ここまで来たことはありませんが、きっときれいだと思いますよ。ほかの高台から見た町の灯も素晴らしい眺めですから」

「あの、妹が死んだ場所はまだ遠いんですか？」

「いや、もうすぐです。左へ二百メートルくらい行ったところです」

運転者はアクセルを踏んだ。荒れた畑と疎林が再び移動した。

「ちょっと。そこで停めてください」

係長はセーターの背に云った。

「ここから歩きましょう」

いままで走ってきた道は南北だったが、そこで東西の道が交差していた。花束を抱く山内みよ子が先に降りて、係長がつづいた。サングラスの男も運転席から出てきた。風があって、彼のもつれた長い髪がそよいだ。

係長を先頭にして三人は十字路を曲った。この路の前後も建物は何一つなかった。まだ荒涼とした冬景色のままであった。

コンクリートの橋にきた。

「東名高速道路の上にかかっている陸橋です。この辺は陸橋がわりと多いのですが、これもその一つです」

高原の中で気づかなかったが、車で来た道は高速道路と平行していたことが分った。陸橋は、高速道路の上を跨《また》いで東西の村道をつないでいた。

三人は陸橋の中央部にきて立った。

両側は切通しの崖で、黄色い雑草に蔽《おお》われてつづいている。直下が鉛色の高速道路で、中央分離帯の両側上下線をトラックや乗用車が流れていた。片側二車線。大型トラックは八トン級から二十トン級の幌付きのものやアルミバン、それにトレーラーやタンクローリー、冷凍車などあらゆるものが走っていた。いずれも荷台の背が高い。まるで鉄道の貨車一輛ぐらいの小山のようなトラックがあった。その間を小さな、低い乗用車が敏捷に疾駆していた。陸橋と道路面とは十五メートルくらいの標高差があったが、直下を過ぎる車の瞬間速度が轟音《ごうおん》にも似た唸《うな》りを生じ、この陸橋も揺れるかのような錯覚を起させた。たしかに、どの車も百キロ以上のスピードを出していた。

「事故現場は、これから約七百メートル先の沼津寄りです。高速道路がゆるくカーブしていますね。ここからは見えませんが、そのカーブから百メートルぐらい先なんです」

係長は前方を指さした。

「見通しはよくありませんわね」

山内みよ子が、そっちを見つめながら云った。

「はあ、ゆるくてもカーブですからね」

「あのカーブにさしかかると、どの車も速力を少し落すのですか？」

「いや、あの程度のカーブでは落しませんね。車が混んでいるときは別ですが。そうでなかったら百キロ以上のスピードのままです」

「夜の十一時ごろの状態は、どうなんですか？」

「ずっと車の数が少なくなっています。それに、トラックが大半です。深夜便の長距離トラックがね」

午後十一時は、五カ月前の玉突き衝突事故の起った時間だった。

「ここから事故現場へ行けますでしょうか？」

「道路はありませんが、この崖の上に小径《こみち》がついています。そこを歩いて行くしかありませんね。いまはまだ草が枯れているので、わりと歩きやすいです」

交通係長が先に立って陸橋を渡り、切通しの崖の上にさしかかった。高速道路の下り線が眼下だった。

小径は崖ぶちについていた。道路側の斜面はほとんど垂直に近かった。地肌は見えず、長く伸びた萱《かや》が立ち枯れて縺《もつ》れ、崖下一面を蔽っていた。間に小松の群れも生えていた。崖ぶちには有刺鉄線の柵があるところもあり、ないところもあった。

先頭の係長の足がとまって、山内みよ子をふり返った。

「事故現場は、この辺です」

係長は下を指した。そこにはトラックや乗用車がエンジンの響きを強風の唸り声のように立てて疾走していた。

「下り勾配ですね」

サングラスに髭の男が係長にはじめて口をきいた。

「そうです」

係長も彼にはじめて答えた。

「勾配の率は、どのくらいでしょうか?」

「さあ。……あ、その下の標識に出ていますね。百分の三です」

男は腕組みして首だけを動かし、高速道路の上下を眺めていた。

「照明灯が一つもない」

彼は呟《つぶや》いた。

花束と雛《ひな》

「東名高速道路でも道路照明灯のあるところは少ないですね。御殿場のインターチェンジから沼津までの間の本線には一本もありません」

交通係長は、髭の男の呟きを聞いて言葉を出した。

「それだと、夜は真暗ですわね？」

山内みよ子が云った。

「周囲はそうです。けど、流れる車のヘッドライトの光のため運転に不自由はありません」

「係長さん。さっきわれわれが渡ってきた陸橋と、次の沼津寄りの陸橋との間隔ですが、どれくらいの距離になっていますか？」

男が訊《き》いた。その陸橋は遠くに見えている。

「さあ。千五百メートルくらいじゃないですか」

「すると、この場所からは七、八百メートルですか」

「陸橋はたいてい村道にかかっていますから、村道の間が遠いと、陸橋の間隔もはなれています」

高速道路のカーブの形は、この崖の上からよく見下ろせた。

「やはり見通しはよくないですね」

「道路公団の人の話では、このカーブについていえば度合いはRイコール千二百メートルだそうです。円の半径が千二百メートル、そういう曲率らしいですね。単純にいうと、カーブの手前からの視距、つまり見通しのできる距離は約五百メートルなんだそうです」

しかし、夜はヘッドライトの光芒《こうぼう》内の距離か、先行車の尾灯の距離しか見えない。道路照明灯はない。

「その比率のカーブだと、制限速度はどれくらいですか」

「時速百キロです。しかし、どの車もスピードを落してないでしょう？　とくに車の少ない夜間だと、百キロ以上は出していますよ」

「転倒したトラックは百二十キロを出していたそうですね？　この下り三パーセントという勾配率です」

「そうです。かなりのスピードですね。それに、この下り三パーセントという勾配率です」

陽がうすれ、影の場所に黝《くろ》い夕闇が湧いてきていた。鉛色の道路の上にだけ朱色が射していた。

走るトラックの高い荷台の屋根にも夕日が当っていた。

「ずいぶん大きなトラックが走りますのね」

山内みよ子が怕《こわ》そうな眼をして云った。

「十五トン級のトラックはざらですからね。あの事故で転倒したアルミバン・トラックは十二トン車ですけど、荷を満載していました。横浜から福岡へ行く深夜便でしたが」

「ということは、転倒しやすくなった原因は、満載した荷の重量にあったのですか？」

男が問うた。

「そうです。トラックの運転手が急ブレーキをかけて、ハンドルを右へ切ったんですが、その動揺で高い荷台に満載した荷の重量がバランスを失い、その遠心力によってトラックが横転したのです。われわれの調べたところでは、そういうことでしたね」

係長がネクタイの結び目を締めながら云った。陽が落ちはじめると空気が冷えてきた。

「トラックの運転手は、なぜ急ブレーキをかけたんでしょうか？」

「それがわからないのです。なにしろ運転手も助手も即死でしたからね。われわれが現場検証などしていろいろ調べたけれど、べつに不審なものは発見されず、原因がはっきりしないのです。……交通事故には原因不明というのがたまにあるのです。この前、テレビで見たアメリカの劇映画に、西部のどこかのハイウェイで起きた大きな玉突き衝突事故の実話からとったドラマがありました。これも実話では原因不明として処理されたケースだそうです。あれを見て、事情はどこも同じだなと思いましたよ」

「しかし、トラックの運転手が理由もなしに急ブレーキをかけるわけはないように思われますけどね。彼は、あの見通しの悪いカーブを曲ったとたんに、前方にふいに何か異物を見たんじゃないでしょうか。で、それと衝突するのを避けるために急ブレーキをかけ、ハンドルを右の中央分離帯のほうへ切ったと思われませんか？」

「われわれも一応それを考えて、現場検証は厳重に行ないました。曾《かつ》てない大きな事故ですしね。ですが、おかしな物は何もなかったのですよ」

「現場検証がはじまったのは、事故が発生してからどれくらい経ってからですか？」

男は、眼を下の道路から係長の顔へ移した。

「本格的な現場検証は、あくる日の四日の早朝からです。けど、事故発生時刻の三日夜十一時から四十分経った十一時四十分には、われわれはもう現場に着きました。通りかかった車の電話通報を受けてすぐに出動したから、到着が早かったわけです。そのときも遺体の収容や負傷者救出にあたる一方、現場をよく調べました。また、そのあと六台の事故車の状況調査のときも付近を調べたし、それらの車の除去作業の際にも付近一帯を検証しています。とくに転倒したトラックの前方を重点的に調べています」

「事故トラックの先行車はその地点を無事に通過しているようですから、異物が前方に現れたのは、そのトラックがちょうどそこへさしかかったときでしょうかね」

「われわれも一応はその推測を持ちました」

係長はいくらか不機嫌な声で云った。

「しかし、異物が下り高速道路のまん中に現れたのだったら、それは誰かが陸橋の上に居て、下の道路にむかって何かを投げたことになります。しかし、ごらんのように、ここからあの陸橋までは七百メートル以上はあります。そんなに遠くから物を抛《ほう》っても、とてもここへは届きませんよ。あとは、この切通しの崖の上から、物を投げるしかありませんが、それだったら、現場にその異物が落ちていなければならない。それが、さきほどから何度も申し上げているように、われわれが最初にここへ到着して調べたときも、翌日の現場検証でも、何も発見しなかったのですからね。それにね、トラックの運転手が何かにおどろいて急ブレーキをかけたとすれば、ヘッドライトの光に浮んだその異物はよほど大きなものでなければならない。が、それが現場にはまったく無いのですよ」

「当時の新聞記事に出ていましたが、追突した車に乗っていた人の話で、なんでも前方に火の玉を見たような気がすると云っていますね」

「それは追突車の三台目のライトバンに乗っていた米津安吉さんですね。車に火の手が上がったのを火の玉と錯覚したのですよ。重傷で、意識がもうろうとしていたんですね。げんに、ほかの遭難車に乗っていて助かった人たちの話を聞いてみても、火の玉のようなものを見たというのは一つもありませんでしたよ」

「ああ、そうですか」

男は、下の高速道路を走るトラックを眺めていた。重量のトン数に違いはあるにせよ、どのトラックも箱型のボディの高さが三メートル以上はあった。

彼はズボンの尻に手をやってそこのポケットから、ごそごそと小型カメラをとり出した。

「ちょっと、このへんを写真に撮っておきます」

彼は係長に断わってから、レンズを下にむけた。車が流れる直下の高速道路、上り方面と下り方面、むろんそれにはカーブが入っていた。次に下りの方角の遠方に見える陸橋、崖の斜面、切通しの上にひろがる高原の一部、あらゆる角度に対してレンズをむけた。

シャッターの音がつづけざまに鳴った。

——交通係長は、花束を抱く山内みよ子が下の道路にむかって手を合せているのを見た。

「花束を道路にお供えになりますか?」

ここから花束を道路へ投げ落すことはもちろんできなかった。

「どこか下へ降りるところがございますでしょうか?」

彼女は顔をあげた。

「この先で、小径がだらだら坂になって下っています。危ないですから、十分に気をつけてください」

切通しの崖ぶちに沿った小径は、瘤《こぶ》のような一つの丘陵から裾へ下りている。崖側には、古い有刺鉄線の柵が残っていた。

係長を先に、花束の山内みよ子、髭の男という順に一列になって小径を降りた。

和服の女は、枯れた萱《かや》にまつわられ、革草履も滑りがちで、歩くのに難儀そうだった。男が素早く前に出て、彼女の手をとった。女は身体の重心を彼に遠慮なく預けている。交通係長は、いよいよこの男女を夫婦に近い関係と判断した。

三人は高速道路の端に降りた。そこは下り線の狭い路肩だった。すぐ眼の前をトラックや乗用車が風を捲いて走ってきていた。凶暴な音響が耳を襲い、地ひびきを立てた。大型トラックは、気を失いそうなくらい威圧感を持っていた。

路肩でもなるべく崖下に寄って歩いていた係長が二人をふり返って足をとめた。

「この地点です」

二人はたちどまった。

「こっちの崖の斜面に小松が萱の中に七本生えていて、まん中の大きいのが傘のように枝をひろげていますね。それから向う側の切通しの崖の上にひと群れの雑木林がありますね」

係長は指先で教えた。

「こっち側の小松と、向う側の雑木林とを結んだ線が、十二トントラックの横転していた地点です。ですから、妹さんの乗用車は、もうちょっとうしろになりますね」

彼は十メートルほど歩を移し、

「このあたりです」

と、その足をとめた。

「二カ月ぐらい前までは、ここの崖下に小さな花束が供えてあったんですがね。犠牲者の遺族が置かれたのでしょうが、いまは止めてしまったのか、ありませんね。なにしろこういう危険な場所ですから、長つづきしないのは無理もありません」

花束を持ち直す犠牲者の姉を見て係長はつづけて云った。

「走ってくる車のほうはぼくが見ていますから、どうぞお花を供えてください」

「ありがとうございます」

山内みよ子はそこに蹲《かが》んだ。

交通係長は二人を護るように三歩前に出た。疾走する車にむかって交通整理の馴れた身ぶりで手を振りつづけた。車の流れが遅くなった。

花束が、姉の手で崖下に立てかけるようにして路肩の端に置かれた。桃の赤い色と菜の花の黄色とが、枯草の前に鮮やかに映じた。姉は、うつむいて一心に手を合せて、低く呟いていたが、たちまち嗚咽《おえつ》に変った。ハンカチを顔に押しつけ、肩がとめどもなく波打っていた。

男は彼女の横にならんで合掌していた。これも両肩を震わせていた。ぐ、ぐ、という異様な声がその口から洩れると、激しい慟哭《どうこく》になった。ひざまずいていたのが、前へ倒れ伏す姿勢となり、両手で顔を掩《おお》った。泪《なみだ》が指の間から流れ落ちた。

遠慮しながら見返った交通係長は、男の様子を見て、これはよほど義妹にもあたる山内明子を可愛がっていたのだな、と思った。そうでなければ、あんなに男泣きに泣くはずはない。啜泣《すすりなき》をつづけている山内みよ子も、彼の手を握りしめている。互いに手をとり合って泣いているのは、二人が夫婦と違わないからだ。妹の死を現場にきて両人が悲しんでいる。そうとしか思われなかった。

係長も黙禱《もくとう》した。いままでは気づかなかったが、そのときになって花束の包みの奥に折紙の小さな雛《ひな》がひそんでいるのが眼に入った。桃の枝に結んである。

通りかかるトラックの運転手や乗用車のドライバーらが、係長の手振りで徐行しながら、路肩にうずくまっている黒い着物の女とその傍の髭の男とを、ふしぎそうに窓からのぞいて過ぎた。

男はハンカチで顔を拭いたが、しばらく顔を伏せて、じっとしていた。長いこと動かなかった。

やがて静かにズボンの尻ポケットに手をやって小型カメラを再びとり出した。

彼はしゃがんだまま黙って花束の場所を撮《うつ》した。三度ほど入念にシャッターを切った。それから高速道路へカメラをむけた。これも片膝を突いた姿勢だった。真向いから唸りを立ててくる怪物のような大型トラックに反抗しているように見えた。

「危ないですよ」

係長が思わず叫んだ。

男は次にむきを変えて道路の反対側を撮影した。つまり御殿場方面のカーブと、沼津方面とを撮ったのだった。

さっきは崖の上からの俯瞰《ふかん》撮影だったが、こんどはカメラの視角が高速道路の路面と同じ位置であった。日が沈み、空に残光だけがひろがっている。ストロボを使わない条件では、最後の自然光の中での撮影だった。そのせいで、シャッターの落ちる速度が遅かった。

彼はカメラをもとの尻ポケットに突込むと、立ち上がって、はじめて係長にむかった。泣いたあとの顔は赧《あか》かった。

「どうも失礼しました」

頭を低くさげた。ちぢれ毛が鼻の前まで垂れ下がっていた。失礼しました、と云うのは、彼の花束の前での慟哭、つまり他人の前でとり乱したことを詫びているのだと交通係長はとった。

「どうも」

係長は答える言葉がなかったので、

「なんとも、ご愁傷さまです」

と、もう一度悔やみを述べた。これは、まだハンカチを鼻に当てている山内みよ子にも頭を下げて云ったことだった。

三人は、野辺の送りをしたあとのように、黙々ともとの小径へ向かった。昏《く》れなずむ道路わきに花束の淡い色だけが残った。ヘッドライトの光がかすめ、そのたびにはなやかな桃の色が浮び上がった。

三人はもとの小径を上った。再び陸橋を渡るとき、下には光の糸が流れていた。

「妹は」

山内みよ子が歩きながら係長に云った。

「静岡の田舎にいる叔母の病気見舞に向かっていました。新幹線で行けば災難に遇わなかったでしょうに、静岡で東海道本線に乗り換えて、藤枝からバスという不便なところなので、車で行ったのです」

「そのご事情は、現場にお見えになったお父さまからうかがいました。まったくお気の毒です」

係長は、花束の前にうずくまった黒っぽい和服の女の、かたちのいい姿をまだ眼に残して云った。

「係長さん。あの陸橋も村道をつないでいるのですか？」

いままでずっと黙っていた男が沼津方向をさしてきいた。暗くなってきて、顔の泪のあとはわからなかった。

「いや、向うのは正確にいうと村道じゃありません。ゴルフ場専用の道をつないでいる陸橋です」

「ゴルフ場があるんですか？」

「駿河国際カントリークラブというのがあるんです」

三人は道に置いた車のそばに戻った。

「おや」

運転席に入りかけた男は、南のほうを眺めて立った。

「……沼津や三島の市街に灯がだいぶんつきましたね」

「そうですね。もうすこし夜に入ると、光の溜りが輝いて、きれいになると思いますよ」

係長はいっしょに見ながら答えた。すると、すぐそのあと、大追突事故のニュース写真でA新聞の「年間最高賞」を獲得した山鹿恭介という人の「受賞感想」を、係長は思い出した。

《私は近景の高原の林をシルエットにして遠景の街の灯を対照させ、夜空にオーロラのように反映する沼津方面の灯の光をとらえて、そこに夢幻的な雰囲気のある写真をねらって県道や村道をさまよっていました。しかし、なかなか思うような構図が得られず、二時間ばかり歩き回って十一時ごろ、東名高速道路の切通しの上にかかる陸橋を渡って東側崖上から村道に下って、なおも歩いていたときです。突然天地をゆるがすような大音響が聞えたかと思うと、数秒も経たないうちに、うしろの高速道路のあたりから火柱が立ちのぼるのを見ました……》

初心者の近づき

東京に近い都市はほとんど例外なくそうだが、ここ数年来藤沢市の発展はいちじるしい。東南の鎌倉、西の鵠沼《くげぬま》、辻堂、茅ヶ崎《ちがさき》、南の江の島、湘南海岸とそれぞれ結ぶが、限りなく伸びる東京のベッドタウン化では藤沢がその連帯の中心になった観がある。

たとえば藤沢駅の古い駅舎はいくつかの新しい高層デパートにとり囲まれて、南口などは存在が分らないくらいに小さくうずくまっている。知らない人が見たら、まるで時代おくれの文化財保護建造物か何かが邪魔物扱いに保存されているように映るが、それだけこのあたりの繁華街の成長が急激なのである。

駅前商店街に派手な表飾りのパチンコ店がある。そのパチンコ店内の奥まったところに、土地者の西田栄三が赤いビニール張りのイスに坐って玉を打っていた。彼の首からは紐かけの高級カメラが胸の前に下がっていた。四月七日の天気のいい昼下りで、店内の暖房は早くからとまっていた。大気の温度が湘南地方と東京とでは五度も違うという。

トックリ首の赤い毛糸編みのセーターだけの西田は、すこし汗ばんだ顔で玉の行方を見つめていた。ぼさぼさ髪で、眼鏡をかけた顔面が赤黒い。無精髭が出ているのでよけいにどす黒く見える。肩も胴もまるい。鼻の頭に脂が光って、眼鏡がずり落ちる。それをときどき左手でずり上げながら、右手を電動のまるいつまみにかけ、凝視する玉の流れに微調整を行なっていた。

平日なので、店はそれほど混んでなく、八分どころという入りだった。が、玉を追う眼は満員であろうとなかろうと関係はなく、隣りにいる人間にも関心はなかった。一心不乱であった。

店内には軍歌と流行歌とが交替で絶えず流れていた。その騒々しい曲は、調子のよくない者には苛立《いらだ》ちを与える。音楽の合間には、ときどき、何番の台は玉が予定量に達しました、お客さまはほかの台にお移りになってお時間のゆるすかぎりごゆっくりとお遊びください、などという放送があったりして、それがまた焦燥感をおぼえさせた。

西田栄三は、もう二時間以上もここに粘《ねば》っていた。一時は調子がよくて、前の小箱二つに玉をいっぱい貯蔵したものだが、いまはその箱が二つとも空《から》になり、受け皿の玉も残り少なくなっていた。が、この状態から何度も挽回してきたので、いま一度という気になっていた。ずり落ちる眼鏡を鼻の上へおしあげる回数がふえるが、そのあと手はかならず胸の前のカメラに大事そうに当てた。

西田は、さいぜんから背後にだれかが立っている気配を感じていた。が、自分に伴《つ》れはなく、ここに訪ねてくる約束の人間もなかったので、ふりかえって見るほどの関心もなかった。また玉打ちに忙しくてその余裕もない。うしろの人間は黙って見物しているようだった。

右隣りの台にいるやせた中年男は、絶えずひとり言をいっていた。なんて悪い台だろう、ちっとも出ない、と不満と怒りを呟いていた。玉が出はじめると黙ってしまうが、また調子が悪くなると、悪態の呟きになった。左隣りは五十ぐらいの肥った女だが、小箱三つを玉いっぱいにしたうえ、受け皿にも玉がもり上がっていた。眼を細め、煙草をふかしていた。

　西田は、もうこのへんでやめようと思った。二時間以上もやっていると眼が疲れ、腰が痛くなる。右手の指も痺《しび》れていた。イヤ気がさして十個ばかり残った玉を捨てるつもりで、つまみを乱暴にまわすと、こんどは玉が急に勢いよくはねまわって、どういう加減かこれがチューリップをつづけざまに開かせ、勢いよい金属音を鳴らせた。

　受け皿に玉がまた少しもり上がりかかった。西田はひと息入れるつもりで、煙草を口にくわえ、ライターに指をかけたが、火が容易につかなかった。油が切れている。

　このとき、右肩の上から前に金色のライターがすうっと伸び、さわやかな音とともに炎が現れた。

「どうぞ」

　西田が見返ると、髪の長い髭面がにこやかに笑っていた。知らない顔だったので、その不意の親切にいくらかどぎまぎした。

「どうも」

　彼は煙草の先を炎に寄せて煙を一口吐き、軽く頭をさげた。

　彼は、くわえ煙草で再び玉を弾きはじめたが、火をくれた男はそこから動かず、これまで背後に佇《たたず》んでいたのはこの男と分った。うしろからの見物が相当に長いが、ほかの台に坐りもしないのは、この台にはじめから狙いをつけて、ここが空くのを待っているのかもわからない。そうだとすればプロかもしれなかった。

　プロのパチンコ打ちにうしろから見られていると思うと、西田の手は固くなった。この台は玉がよく入る台なのに、いかにも下手糞のようにプロに見られている気がした。その意識からか、せっかくとりもどした快調がぴたりと止まって、またチューリップが一つも開かなくなり、はずれ玉が下の穴に吸いこまれるばかりだった。

最後の玉を打ち終ると、西田は背中をつかれるような思いでイスから尻を浮かした。

「お疲れさま」

立ち上がった西田に、髭の男はおじぎをして眼を笑わせた。

それに応えて西田が、さあどうぞ、というような身ぶりを見せると、男はそこに坐らずに、

「失礼ですが、カメラをやっていらっしゃる西田さんでしょうか？」

と、上体を少しかがめて訊いた。

「はあ、西田ですが」

西田は胸のカメラを意識して答えた。

「よかった」

男は、ほっとした表情で云った。

「いや、じつはその先にある村井カメラ店へ行って、湘南光影会の西田栄三さんのお宅をおききしたのです。村井カメラ店に湘南光影会の看板が出ていましたのでね。すると、西田さんは二時間前に店を出られたが、もしかするとパチンコ屋に居られるかもしれないので、のぞいてごらんなさい、と店員さんに教えられたのです。この店に来て、カメラを持ってらっしゃるあなたをお見かけしたので、西田さんにちがいないと思い、ゲームが終るのをお待ちしていたのです」

案に相違して西田は相手を眺めた。ちぢれた長髪と、口辺を埋めた髭の顔である。うすよごれて見えるが、眼を凝らすとその髭には手入れが行き届いていた。

プロのパチンコ打ちでないことは分ったが、こんどはこの未知の男の用件に西田は見当がつか

なかった。

「じつはぼくもカメラをやっている者です。いえ、まだはじめたばかりの初心者なんです。それで西田さんのお名前を、新聞の紙上公募展やカメラ雑誌の月例写真などで存じあげていたものですからね。お近づきをねがって、できればいろいろと教えていただきたいと思いまして。こんなところでご挨拶するのも、なんですが」

男は長い髪毛の頭に手をやり、はにかむような表情だった。

西田は急に明るい気分になった。自分の名前は新聞やカメラ専門誌にたびたび出ている。新聞の紙上公募展というのは懸賞募集作品のことで、A新聞、B新聞、C新聞とそれぞれ名前は違うが、報道写真の公募のことである。西田は三紙とも応募して、たいてい入選していた。カメラ専門誌は有力なのが三誌あるが、これまたその月例写真に応募して、半ば入選の常連のようになっていた。その名前を見て、この初心者がわざわざ教えを乞いに訪ねてきたと思うと、もちろん悪い気はしなかった。

「そうですか」

西田は微笑して、

「ま、こんなところでは話もできませんから、どこかそのへんでお茶でものみましょうか」

と誘った。

「おそれ入ります。お忙しいんじゃないですか」

男はよろこんで頭をさげた。

「忙しいといっても、この通りパチンコする時間があるんですからね」

西田は笑い、金属性の騒音に満ちたパチンコ店をあとにした。

道路に出ると、西田は首に吊ったカメラをはずして肩にかけ直した。髭の男はその高級カメラにちらりと視線を投げた。

「パチンコは、よくおやりになるのですか？」

「ときどきね。無心に玉をはじきながら写真の構想を考えているんですよ」

「ほう」

髭の男は、さすがに、というような感心の表情だった。

雑踏する通りを西田は髭の男と肩をならべて歩いた。相手は自分より背が三センチほど高かった。

「あなたはどちらにお住まいですか？」

西田は歩きながら訊いた。

「秦野《はだの》の奥にいます。申しおくれましたが、ぼくは橋本といいます。よろしくおねがいします」

「いや、こちらこそ」

秦野市は藤沢から十五、六キロばかりの西北にあたる。大山《おおやま》の麓にあたるが、その奥というからこの男は山間の農村に居るのだろう。が、見たところ百姓仕事に従っているとは思えないから、そこから東京へ通勤しているサラリーマンかもしれないと西田は思った。秦野も急速に東京のベッドタウン化している。

どっちにしても、この橋本なる男が自分の名前を慕ってきたかと思うと、西田はにわかに有名人になったような気がして、しぜんと背が伸びた。

洋菓子店の二階にある喫茶室に入った。西田のテーブルの前に髭の男は遠慮げにかけた。

「写真は初心者ということでしたが、まさかずぶの素人《しろうと》でもないでしょう。はじめられてから、どのくらいになりますか？」

西田は一応の打診をした。すっかり先輩気どりになっていた。

「カメラをいじりはじめてからそろそろ五年になりますが、すこしもうまくなりません。このへんで立派な先輩のご指導を受けたら、少しは上達するかもしれないという希望を持ちまして」

橋本と名乗る髭面は背をまるめて云った。

「だれでも五年目ぐらいには壁にぶっつかるものです」

西田は大先輩らしく云った。

「これまでカメラ専門誌の月例写真などに応募してみましたか？」

「いくら出してもダメなんです。R誌にもX誌にも、一枚も出たことがありません」

橋本は恥しそうに云った。

「同じ専門誌でも、R誌は伝統的な権威がありますからね。あの雑誌の月例に載るようになれば、たいしたものです」

「そのR誌の月例に西田さんの作品は頻繁に出ていますね。ぼくは拝見していますが、どの作品も素晴らしいです。尊敬しています」

「どうも」

正面から讃められても、西田があまりテレ臭さを感じなかったのは、橋本が写真の道では格段に後輩だったからである。

コーヒーがきたので、西田はカメラを肩からはずしてテーブルの上に置いた。橋本の眼はそれに吸い寄せられていたが、何か云い出しかねていた。

「ごらんになるなら、これを手にとられてもいいですよ」

相手の気持を察して西田はカメラを少し押しやった。

「よろしいでしょうか？」

「いいですよ」

カメラはケースがなく、黒いボディがむき出しのままだった。

「拝見します」

橋本は両手でそのカメラを叮重《ていちょう》にとりあげて、眼を近づけた。

「ははあ。ゴールデンNですね」

高級カメラのNにはゴールデンという機種はない。が、使い古されるとボディの真黒い塗料が手ずれで剝《は》げて、そこから地金《じがね》があらわれる。地金は金色をしている。その金色が多いほど使用経験が多いわけで、それに因《ちな》んで「ゴールデンN」の愛称がつけられていた。一つにはメーカーがこの手造りの製品にコストがかかりすぎ、製造を早くから中止しているため、入手難だからでもある。ほんらいこのカメラは高級すぎて素人にはこなしにくい。世は値段が安く、すべてが自動操作のいわゆるバカチョン・カメラなる大衆時代であった。

つまり「ゴールデンN」は、本来の名品に稀少価値が加わっていると同時に、ボディの塗料が剝落するくらいにそれを使いこなしてきたという「専門家」の閲歴の象徴でもあった。

「これで、西田さんの数々の名作が撮られてきたんですね？」

橋本は感歎の吐息を洩らし、手のカメラをくるくる回して、ためつすがめつ見入っていた。

「いや、名作というほどでもありませんがね」

西田はさすがにテレて苦笑して、

「カメラもこれだけではありませんよ。RもCもPも使っています」

と、高級カメラの名をならべた。

ありがとうございました、と橋本は「ゴールデンN」を西田の前に返し、

「専門家なみになるには、そんなにカメラを揃えておかないといけませんかねえ？」

と、西田に云った。

「そりゃ、いいカメラを多く持つにこしたことはありません。被写体によってカメラの使い分けが必要ですからね」

西田はコーヒーをすって、

「あなたは、どういうカメラを持ってらっしゃるんですか？」

と、ためしに訊いてみた。

橋本は三つのカメラの名を口ごもりながら答えたが、そのどれもが大衆向きのバカチョン・カメラだったので、西田はがっかりした。カメラ歴五年というのに、その程度では専門誌の月例写真に入選しないわけだ。

「これから先輩の方々の教えを受けて勉強したいと思います」

橋本は、いかめしい髭にもかかわらず、少年のようにはにかんで云った。

「ぼくでよかったら、あなたのこれまでの作品を見てあげますよ」

「ぜひ、おねがいします。いろいろと欠点を指摘していただきたいのです」

「ぼくだけでなく、湘南光影会にも仲間がいますからね。紹介してもいいです」

「ありがとうございます。たいへん、うれしいです。ぼくはどちらかというとサロンふうの写真よりも報道写真のほうが好きなんです。できれば、アマチュアながら、そっちのほうに進みたいと思います。そういえば、西田さんは、この前、A新聞の年間賞に、『暴走の末』という作品で

入選なさいましたね」

西田はすぐには返答が出なかった。A新聞の年間賞は仲間の山鹿恭介の「激突」が最高賞で、自分は三人の優秀賞の中にも入らず、ただの入選であった。名前は活字のベタ組みで、作品の紙上発表もなかった。そのことを思って声が詰まったのである。

山鹿恭介という人

「A新聞の年間賞の発表で、西田さんのお名前が入選者の中にあったので、さすがに西田さんだとぼくは思いました」

橋本は、コーヒーにはちょっと髭の口をつけただけで、讃歎の眼をあげた。

西田の眼にもその活字は残っている。入選五名のうち二番目に《「暴走の末」藤沢市遊行寺通り三ノ六七、西田栄三》と出ていた。「最高賞」の派手な紹介にくらべ、屈辱の活字であった。

西田は眉間《みけん》にできた縦皺《たてじわ》を相手に見せないためにコーヒー茶碗に顔をうつむけた。素人の橋本がどうほめようと、内心は苦痛だった。

「新聞には作品の写真が出ていませんでしたが、『暴走の末』はどういう場面で、どういう構図なのですか？」

西田の心中などを考えない橋本は無邪気にたずねた。

「それはね、去年の九月に起った国道一三四号線の交通事故です」

西田は、しぶしぶ答えた。

「あ、鵠沼《くげぬま》から大磯へ行く相模湾の海岸道路ですね？」

「鵠沼海岸から西に松林がつづく。茅ヶ崎の南側に柳島というところがあって、そこへかかると道路がカーブしています。相模《さがみ》川の橋にかかる手前ですがね。九月十五日の夜九時ごろ、その一三四号線に若者二人が乗ったスポーツカーが東から西へ八十キロの速度で走ってきて、前の車を追い抜いたまではよかったが、カーブがまがりきれずに中央線を突破して反対車線からきた乗用車と衝突してしまったのです。その乗用車のあとにもう一台の乗用車が追突した事故です」

「そりゃ、たいへんだ、死者は出たんですか？」

「死者は出てませんな。負傷者五名」

西田の声は細かった。最高賞の「激突」のケースでは六名の犠牲者が出ている。事故の大小を西田は心中で比較したのだった。

「西田さんの『暴走の末』と題された写真は、その衝突の直後ですか？」

「直後というほどでもなかったですな。ラジオの交通情報で一三四号線の事故を聞いたのが十時ごろでした。それからぼくの車で駆けつけたので、現場到着が十時半ごろ、事故が発生して一時間半後でした」

「一時間半経てば、負傷者も救急車で運び去られ、現場検証がはじまっているころですね？」

橋本は何気なくきいたのだろうが、これは西田の弱点にふれた。「激突」との優劣ははっきりしている。警官がうろうろしている現場写真などは、およそ迫力がないのだ。動と静の相違であった。

「そうだけどね、前部の潰《つぶ》れた三台の車の位置はそのままだし、とくに暴走車のドアはもぎとられて投げ出されている。ガラスの破片はあたり一面に散乱しているし、事故のすさまじさは十分に出ていましたよ」

「そうでしょうなァ。凄いでしょうなァ」

橋本は想像するような眼つきをし、髭の口をあんぐりと開けた。

「その写真、ぜひ拝見したかったですね」

彼の素直で感動的な言葉も西田の自尊心を傷つけるものでしかなかった。作品は紙面に発表されていないのである。

「その写真は、ぼくの家にありますよ。いつかお出でになったら、ほかの写真といっしょにお見せします」

「この次にでも、拝見に寄らせていただきます。お撮りになった作品の数もずいぶん多いでしょうね？」

「そうですね。めぼしいものだけを残していますが、それでも千点以上はあるでしょうね。その中には、新聞の報道写真展やカメラ雑誌やフィルム会社のコンクールの賞をもらったのが、五十点以上ありますよ」

「たいしたものですね。西田さんくらいのプロ級になると、カメラの数も多いでしょうし、暗室などの設備も行き届いているでしょうね？」

「まあね。じつは、ぼくの家内が美容院をやってますのでね。その二階の半分をぼくの仕事場にしているんですよ。だから暗室もわりと広い」

「ぼくのように押入れの中の狭い暗室とは違いますね。そうですか、奥さんが美容院を経営してらっしゃるんですか？」

「遊行寺通りでボン美容院というのです。助手を四人使いましてね。男にはあまり用事のない商売ですからね。家内もぼくの好きなようにさせてくれていますよ。だからラジオの交通ニュースを聞けばいつでもすぐにとび出せるし、昼間からパチンコもできるんです。まあ、髪結いの亭主のありがたさですかね」

あとの言葉は自嘲ではなく、むしろ自慢めいていた。助手四人を使っている妻の腕をである。

「自由な時間をカメラにうちこめてうらやましいですね」

橋本はじっさいに羨望の表情だった。

「勤め人よりは拘束がありませんからね。何かがあったと聞くと、すぐにとび出せます」

「ラジオの交通情報は始終聞いてらっしゃるんですか?」

「始終でもないけれど、よく聞いているほうです。われわれの報道写真の対象というと、交通事故や火事などがどうしても主《おも》になる。新聞社のカメラマンと違って政治的な出来事を撮るわけにはいかない。あとは、カメラを持ってぶらぶら歩いているうちに何かの出来事にぶっつかるしかないが、そういう偶然はめったにありませんからね」

「そうですね」

橋本は髭を撫でて、何か思案する顔になった。

「A新聞の年間最高賞に選ばれた山鹿恭介さんの『激突』ですがね。新聞に出た受賞の言葉を読みましたが、沼津市に近い長泉付近から沼津あたりの夜景を撮るために高原を歩いているときに東名高速道路の大事故にぶっつかったということでしたね。ああいう珍しい偶然もあるんですね。審査委員長の古家庫之助さんの選評には、『一万に一つか、十万に一つの偶然』とありましたが」

橋本は、西田の最も不快なところにふれてきた。さっきからそこにくるのではないかと内心おそれていたのだった。

だが、会話のなりゆきからして、話題がそこに到達するのは避けられないことだった。ことに橋本は素人らしい素朴な質問を次々と出すのだし、初対面である彼が相手の複雑な心情を忖度《そんたく》できるはずもなかった。

「そうですね。あれは山鹿君にとってラッキーでした」

西田は、ここで思わずラッキーという言葉を使った。

「そういう偶然にでも出遇わないと、あんなナマナマしい写真は撮れませんよ。山鹿君としては秀作のほうです」

山鹿の写真を一応讃めないわけにはゆかなかった。最高賞獲得という事実を無視することもできないし、自分の撮った国道一三四号線の事故写真との優劣も歴然としている。口惜しいけれど仕方がない。それに、仲間の写真にケチをつけるのは他人に嫉妬のように思われそうである。ここは鷹揚《おうよう》な態度を見せるべきであった。それが先輩の矜持《きようじ》というものであった。

だが、無念さはどうしようもなく、それが「山鹿君としては秀作」という制限つきの表現になった。

橋本は、そんなことには気づかぬふうに、無邪気な質問をつづけた。

「西田さんは、山鹿さんをよくご存知なんですか？」

「そりゃ、カメラ愛好仲間ですもの。よく知っていますよ」

「山鹿さんは、あんなふうにカメラの取材によく歩いてらっしゃるんですか」

「カメラを持って、よく歩きまわっていますな。昼となく夜となくね。熱心なものですよ」

「よくそんな時間がありますね？」

「勤め人ですがね、その勤め先が生命保険会社なんですよ」

「生命保険？」

「福寿生命保険会社藤沢支社の外務員です。外務員というのは保険加入を勧誘する仕事上、始終外を歩いている。勧誘先によっては、夜間に来てくれという家がある。だから山鹿君は昼も夜も外まわりをしている。そして絶えずカメラを持っていて、万一の場合に備えているのです」

「なるほど。そういうことですか。勤め人といっても、オフィスの中に閉じこめられているサラリーマンとは違うわけですね」

「彼の場合は本職の実益時間と趣味の時間とが一致しているのですよ。便利なものです」

この「便利なもの」という言葉にも軽蔑的な響きがあった。

「やはり山鹿さんも湘南光影会のメンバーですか？」

「いや。山鹿君は前はそうだったが、いまは違います。彼はね、二年前に湘南光影会を脱退したのです」

「ああ、それでA新聞の受賞者紹介にも、山鹿さんが前全国報道写真家連盟会員、現在写真家団体に所属せず、とあったわけですね？」

橋本は年間賞発表のA新聞をよく読んでいた。年間賞や月間賞を狙うカメラマンなら当然だが、橋本のような素人でもそれほどの関心を持つかと思うと、西田は彼の熱心ぶりに少々おどろいた。もっとも熱に浮かされている初心者はだれでもそういう一時期がある。こうしてわざわざ自分を訪ねてくるのもそのあらわれだと西田は思った。

だが、やがて自己の腕の限界が分ってくると、前途に失望して、その熱も冷めてしまう。あとは旅行や家族の記念写真だけで満足する。そうした脱落組の多くを西田は見てきている。橋本の熱心も今の間だろうと彼は見越した。

「そうです。各地にはいろいろなアマチュア写真団体があるけれど、全国的な連合組織としては大きく分けて日本写真家連合会、略して日写連と、全国報道写真家連盟、略して全報連とがあります。湘南光影会はこの全報連に加入している。だから湘南光影会を脱退することは全報連からも自動的に離れることになるのですよ」

「ああ、そういうものですか。わかりました」

橋本は、いったんうなずいたが、好奇心が湧いたらしく、

「山鹿恭介さんは、どうして湘南光影会を脱退されたのですか？」

と質問してきた。

「その答えは微妙になります」

西田は、眼を落し、半分残ったコーヒーを搔きまぜて云った。

「いえ、複雑な事情があったのでしたら、うかがわなくともけっこうです。失礼しました」

橋本はぶしつけな質問を詫びた。

「いや、べつに山鹿君のプライバシーにかかわる事情ではないから云ってもかまいませんよ。湘南光影会の連中もみんな知っているしね。それに彼の脱退理由は、自分でそれを云いふらしているようだから、ある意味で彼の名誉でもあるのです」

「……」

「つまりね、山鹿君は腕に自信があるわけです。だから、湘南光影会のメンバーと行動するのがもの足りなくなってきたのですな。かんたんに云うと、下手糞な連中といっしょに居たくなくなったんですな。自分を一段も二段も高いレベルに置きたい。そういう心情からの脱退です」

「ははあ、そうですか」

「しかし、そうは自分の口から云えないので、理論闘争の形をとりました。湘南光影会の傾向は、報道写真とはいいながらも実態はサロン的だというんです。そういうのは真の報道写真ではない、もっと激烈な魂の燃焼がなければいけないというんです。その鋒先《ほこさき》はね、ほら、湘南光影会の看板を出しているあの村井カメラ店の店主と、ぼくに向けられたのです。というのは、山鹿君にはこの二人が湘南光影会のボスに映っているんですな」

「ははあ」

「ボスといったって、湘南光影会は、登録会員は四十三名ですが、じっさいに定期会合に作品を持ちよって相互批評をするのは二十名そこそこです。そんな少人数の会のボスになったって仕方がないでしょう？」

「……」

「ところが山鹿君には、そうは思えないのですな。会員作品の相互批評といってもね、写真歴からしておもに発言するのは山鹿君と村井君とぼくの三人です。そして村井君とぼくの意見とがいつも一致するので、山鹿君は疎外された気になるんですな。また、会員の多くが村井君とぼくの意見に賛成するものだから、山鹿君はぼくらをボスだと云うんですよ」

「はあ……」

「山鹿君が云う報道写真の精神というのも分らないではないが、激烈な魂の燃焼というのはひどく戦闘的なことでね。われわれは、日向《ひなた》ぼっこをしている老人を撮ろうが、悪戯《いたずら》遊びをしている子供を撮ろうが、職場の労働者を撮ろうが、その対象にむけて魂の燃焼があると思っています。ところが山鹿君の主張するのは、そんなものは旧態依然たるサロン写真だというんです。彼の云う激烈な魂の燃焼とは、たとえばロバート・キャパのような写真でなければならない、というんです」

「戦争場面を撮りつづけた、あのキャパのことですか？」

「そうです。だが、山鹿君の理論どおりにすると、われわれは戦争に行かなければならない。その戦争は地上にはもうない。キャパがカメラを握ったまま地雷に生命を散らせたベトナム戦争も終っている。現在はカンボジアの地域戦闘ぐらいなものです。いったい、われわれの身分でそんなところへ行けますか？」

「………」

「山鹿君本人だって行けやしない。そう突込むと、山鹿君は、激烈な魂の燃焼を志すなら、日常生活の中にもその素材は転がっている、それが見えないのは、その写真家に目的する意識がないからだ、目的意識がないから、君らはサロン写真になるのだというんです。これは彼の云いがかりですよ」

「………」

「云いがかりというのは、山鹿君は湘南光影会を脱退する口実にしたということです。まさか会の居心地が悪くなったとは云えませんからね」

『山鹿さんには、どうして会の居心地が悪くなったんですか？」

「彼があんまり自信過剰で、威張るもんだから、会員の反感を買ったのです。それはね、会員の誰もが彼の実力を認めていますよ。これはもう否定のしようがない。だが、あまりに彼の態度が傍若無人だと、これは反感を買いますよ。それも山鹿君は、村井君とぼくのせいにしています。とくに、ぼくを意識しているんです」

「両雄ならび立たず、というところですか？」

「いや、そういうわけでもないですがね。とにかく、山鹿君には協調性がないのです。自己顕示欲の一点張りです。自分だけの功名主義ですよ。会を脱退してからは、われわれを見返すつもりか、ますますその功名主義の傾向が強くなりましたね」

聞いている髭の男の眼が、草むらの蛍《ほたる》のように、ひっそりと光った。

偶然を粘る

「お話だと、山鹿さんはかなり性格が激しい方のようですね？」

橋本という聞き手は、なんとなく髭に指を当てた。

「おだやかなほうではけっしてありませんね。人に負けたくない気性はいいとしても、カドがありすぎる。仲間とうまくやってゆくためには自我をおさえる、そういう気はまったくありませんな」

西田栄三は云った。

新たに紅茶を注文したのは、コーヒー一杯の長尻に気がさしたからでもあるが、西田としても彼を相手にライバルの山鹿恭介の話題をつづけたいからだった。

「それというのが、山鹿君はいつも自分がグループのリーダーか中心になっていなければ気がすまないからですよ」

「そういう人がいますね」

「なのに、村井君やぼくなどが文句をつけたりすると、会員も山鹿君のひとりよがりに反撥《はんぱつ》する空気になるものですから、面白くないのですね。で、自分から会を脱けていって一匹狼となった。もっともそのほうが彼の気性に合っているかもしれませんがね」

「けど、山鹿さんは生命保険の外務員ということでしたね？　保険の勧誘は、どんな人にも、愛想よくお世辞などいいながら加入をすすめる仕事だと思いますがね」

橋本は首をかしげていた。

「そういう仕事だからこそ、仕事を離れた面では日ごろの鬱積が逆な形で出るのだと思いますよ。ほら、落語家とか喜劇役者とか漫才師とか人を笑わす商売の人が個人にかえると気むずかし屋になるというじゃありませんか。山鹿君はそれと似ていますよ」

「あ、なるほどね」

紅茶が運ばれてきた。橋本は、ちょうだいします、と一礼した上でカップに砂糖を静かに落した。

「山鹿さんにそういう振舞いができるのも、カメラ技術に自信があるからでしょうね？」

橋本は一口すすってから西田に訊いた。

「しかし、自信と実際とは違いますよ」

西田は言下に答えた。

「ほう」

「仲間のことをあまり悪く云いたかないけれど、知らない人の誤解をとくためには説明しないといけません。山鹿君の写真技術はたいしたことはないですよ。きちっとしたものを撮らせると、それが分るんです。たとえば、彼が軽蔑してやまないサロン風の写真ね、そういう正統的なものはごまかしようがないから、腕が歴然とわかってしまう。じつに下手糞ですなァ」

「ほほう」

橋本は眼をまるくしていた。

「ちょっと信じられないでしょう？　だけど本当なんですよ。山鹿君もそれを自分でよく知っているから、サロン写真は撮りません。それが苦手だとは口に出せないもんだから、逆にサロン写真の攻撃になるのです。もともと報道写真というのは素材本位で、技術が少々粗《あら》くても、対象でごまかせるんです」

「報道写真は、技術がごまかせるんですか？」

「決定的瞬間式の被写体に眼が奪われる。技術の拙劣があまり見えないものです」

「そうかがうとなんとなく分りますが」

橋本は鬚《ひげ》の顎をうなずかせた。

「だから、山鹿君は報道写真一本槍でいっているのです。ある意味では利口な方法です」

西田は紅茶に舌を湿した。山鹿恭介のことを話しているうちに、言葉に調子が乗ってきていた。

「そういうこととは、思ってもみませんでした」

「新聞やカメラ誌の公募に入選して、その作品や名前が載ったりすると、見るからに派手だし、山鹿恭介はたいへんなカメラマンだと思われるのは当然ですがね。しかし、われわれ仲間は、そうした彼の実態がよく分っているんですよ」

「けど、報道写真一本槍でゆくのも苦しいでしょうね。なにしろ、そういう異常な被写体を絶えず求めて歩かねばならないでしょうから」

「そうなんです。だから彼は本職の保険の勧誘に外回りするとき、いつもカメラを携行していま す。近ごろのカメラはズームが発達していてね、以前のように望遠レンズなど交換レンズをいろいろと持ち歩かなくとも済むようになっている。その点、以前にくらべてずいぶん便利になりました」

「しかし、いくらカメラを持って毎日出てまわるにしても、格好《かっこう》な被写体にそういつもぶっつかるとはかぎらないでしょう？」

「そこですよ、山鹿君の苦しいところはね。おっしゃるように、そういう異常な対象がやたらと眼の前に転がっているわけはありません。それはまったくの偶然ですからね。これが普通の写真家だと、対象を日常生活の中に求めます。また、プロのカメラマンだと、外国へ出かけて砂漠の住民とかヒマラヤの生活とかを撮ることになります。しかし、山鹿君では外国へ取材旅行する余裕はありません。また、日常生活を撮ることは、彼の報道写真精神が許さないわけです。そんなものはサロン写真と変りませんからね」

「山鹿さんは、非常に自己にきびしい報道写真家なんですね」

「自己にきびしいですって？」

西田は、橋本の言葉にうすら笑いを見せた。

「……そりゃあ賞めすぎですよ。彼がそうなったのは、他人との競争心からです。さっきから云っているように、彼の功名心からです。それがよけいに自分をがんじがらめにしているんですな」

まわりの席には若い男女がきたり、家族づれが入れ替ったりした。たのしい話し声、賑やかな騒ぎ声がたえず起っていた。それとは無縁な西田の言葉はつづいた。

「山鹿君は、今回A新聞の年間最高賞に運よく選ばれました。日ごろの天狗鼻《てんぐばな》がさらに高くなっていることでしょうね。とくにぼくがヒラ入選ですから、ざま見ろと嘲《あざけ》っているかもしれません」

西田としては、ふれたくない傷に自分から爪を当てた。他人からはふれられたくないが、自分で触《さわ》るのはいい。かえって自虐的な爽快感のようなものがあった。反抗的な言いぶんがあるからだ。

「しかしね、ぼくは山鹿君のように強引に異常な材料を求めて歩こうとは思いませんよ。ぼくの場合、ラジオの交通情報を聞いてから一三四号線の衝突事故現場に駆けつけた。そのため、山鹿君の『激突』には負けましたが、それでもいいと思っています。ぼくの場合が普通じゃないですか。山鹿君の行動のほうが普通ではないのですよ。変っているんですよ」

「変っているとおっしゃいますと？」

「新聞に出ている山鹿君の受賞の言葉ですがね。くりかえすと、彼はこう言っている。……十月二日の午後十一時ごろ、長泉町字向田のあたりを歩いていた。それは高原から沼津方面の夜景を撮るためだった。そのとき東名高速道路のほうから大音響が聞え、火柱が上るのを見たので、すぐに駆けつけた。そうして六台の車の衝突現場を見てそれに夢中でシャッターを切った。……こういうことでしたね。しかし、ぼくは山鹿君のその言葉に疑問を持ちますね」

「疑問？　どういう疑問ですか？」

橋本は西田の顔を見つめた。

「それはね、山鹿君が沼津の夜景を撮るためにあの付近を歩いていたという点ですよ。近景の高原の林をシルエットにして遠景の街の灯をそれに対照させ、夜空にオーロラのように反映する灯の光をとらえて、そこに夢幻的な雰囲気のある写真を狙い、あの辺をさまよっていた、と言っているでしょう？　そういう写真じたいは、あきらかにサロン風な風景写真ですよ。これは彼の日ごろの主張とあきらかに矛盾します。そういうサロン写真こそ、彼が批判してやまないところですからね」

「あ、なるほど」

橋本は気づかぬ点を指摘されたときの表情になった。

「そう言われると、そうですね。では、山鹿さんのあの言葉は嘘なんですか？」

テーブルの下で、橋本の膝が乗り出してきた。

「まるきりの嘘とはいいませんが、山鹿君のお体裁ですな。これはぼくの推測ですがね。山鹿君は、はじめから東名高速道路を狙って、あの現場に待機していたと思いますよ」

「ほう」

「というのはね。東名高速道路はよく車の衝突事故が発生するところです。起ると、たいてい大事故になる。なにしろどの車も百キロ以上のスピードを出していますからね。とくに夜はどの車も飛ばしています。そしてその衝突事故は、よくカーブの地点で起る。山鹿君は現場でカメラをかまえてその発生を気ながに待っていたと思いますよ」

聞き手の橋本は、西田のその推測を分析するように眼を紅茶茶碗の端に落していた。

「しかし……」

彼は瞳をあげて言った。

「その事故は、いつ、どの地点で起るか予想がだれにもつかないでしょう？　東名高速道路にはカーブの地点が無数にあります。一定地点のカーブで事故が起るという確率は少ないわけです。また、たとえその地点が予想できたとしても、それは何日に起るかわかりません。それも昼間に起るか夜に起るかわからない。西田さんのお言葉だと、山鹿さんは夢のように茫漠としたものを待っていたことになりますが……」

「そこが山鹿君の執念深さですよ。ふつうでは考えられないことですが、彼にはそういう異常な性格があるのです。異常な被写体を求めるうちに、彼の性格も異常になったのでしょうな」

西田はまたうすら笑いを浮べた。

「ですが、確率の非常に少ないものを山鹿さんが根気よく待つというのは、どうでしょうか？」

「あなたはそんなことを云っているが、げんに彼はあの現場で、その日の夜十一時ごろ、大事故を撮っているじゃないですか？」

「……………」

「たしかにその確率は非常に少ないです。が、審査委員長の古家庫之助さんが評しているように、山鹿君は、一万に一つか、十万に一つの確率が当ったのです。それはもう偶然ですな。その偶然に遭遇したのです。まさに山鹿君の粘り勝ちですな。われわれ通常な神経では、とてもできないことです。それにしても、あんなにヘビの嫌いな男が、よく長時間薄暗いところを歩きまわっていたもんですな」

橋本は残りの冷《さ》めた紅茶に口をつけた。

「一万に一つか十万に一つの偶然がその場に待っている山鹿さんに訪れたというのは、常識ではちょっと想像がつきませんね。そうなると、むしろ奇蹟ですね」

彼は呆れ顔で云った。

「ぼくも、あれは奇蹟だと思いますよ。信じられないことだが、現実には起るんですな。山鹿君の執念がみのったというほかはありません。なにしろ彼は各新聞社の報道写真やカメラ専門誌の公募には欠かさず応募しているんですからね。そのつど、相当な作品を出しています。『激突』

のような金的は初めてですが」

西田は、内心の忌々《いまいま》しさを抑えて云った。

「山鹿さんはそんなに次々と応募しているんですか？」

「くりかえすようですが、彼の功名心からです。野心といってもいいです。全国に自分の存在を知られたいというね。入選すれば、名前は知れるし、賞金はもらえるし、栄誉と実益を二つながら兼ねるわけです。これは当人にとってこたえられないですよ」

「そういう野心ですか。うむ、野心ね」

橋本は顎に手を当てた。

「これまで応募した山鹿さんの入選作も、そういう偶然性の対象が多いですか？」

彼は顔を上げて西田にきいた。

「大なり小なりそれはありますね。なんども云うように、報道写真そのものが偶然性の産物ですからね。しかし、『激突』のような大きな偶然は彼にとっても今回がはじめてですよ。古家審査委員長とA新聞の写真部長とが積極的に年間最高賞に選んだのも、偶然による迫力があったからです」

「迫力といえば、A新聞がそれを最高賞にして紙面に作品を発表したことについては、読者の批判が載っていましたね。あれを読まれて、どう思われましたか？」

「あまりにショッキングな写真だというのもありましたね。一般からの応募作品として、ああいうのに最高賞を与えるのは不適当だという意見でしたね。それには曾《かつ》ての紫雲丸の沈没写真が引合いに出されていましたね。ぼくはね、あの読者の批判はもっともだと思いますよ。あの批判には賛成です」

「その読者の批判に対して、写真部長と古家審査委員長の弁解が同じ新聞に載っていましたね」

「……」

「二つとも読みました」

「選考した当事者としては当然の弁解ですな。けれどもね、これはあなたにそっと教えますが、じつは古家先生と山鹿君とは、ただならぬ親睦関係にあるんですよ。五年前に湘南光影会が古家先生を講師として招いたことがありましてね。そのとき山鹿君はまだ会員だったのですが、古家先生に対するサービスぶりはたいへんなものでした。お世辞たらたらでしてね。こっちのほうが恥しくなるほどでした。そこに山鹿君の保険勧誘のやりかたがすっかり出ていました。その後も、古家さんには始終ゴマすりの手紙を出し、盆暮の贈り物はもちろん、日ごろでもつけ届けをしているようです。彼は古家さんの門下生気どりでいますよ」

「そういう裏があるのですか？」

「われわれに傲慢《ごうまん》な態度の山鹿君の裏がそれなんですよ。だから、古家さんが『激突』を最高賞にし、批判の声には山鹿君の弁護に立った、とまあ、二人の内情関係を知るわれわれは邪推したくなりますね」

「おどろきました」

「いや、まだほかにもありますよ。それはね、報道写真を募集する側の事情ですよ」

西田は、まわりに眼を配ったあとで、いっそう低い声になった。

「というのは、報道写真はまったく偶然性に支配されるから、作品の優劣も偶然性が大いに働くわけです。ところが、そんな偶然による決定的瞬間がしょっちゅう転がっているわけはない。ですから、募集する側の悩みは、一般からいい報道写真の作品が集まらないことですよ。そこでね、募集する側の係の間に、こういう声が出ているそうです。……」

西田は、橋本の耳もとに短くささやいた。

「えっ」

聞き終った橋本が口の中で小さく叫んだ。

「いや、それは、もちろん冗談ですよ。募集の報道写真があまりに不振なため、思わずそういう冗談が内輪で出るんですな。古家先生などは、笑いながらよく口にしていますよ。……これはね、人には云わないでくださいよ。冗談だけど、誤解を受けやすいですからね」

聞き手の反応の強さにかえってびっくりした西田は、あわてて口どめした。

橋本の髭の顔は、心なしか蒼白《あおじろ》くなっていた。

が、遠くの一カ所を見つめて動かぬその瞳には、ひそかにうなずく色があった。

火の玉

四月中旬の晴れた暖かい日、浜松駅前から延びる商店街の通りを、髭面の男がぶらぶらと歩いていた。肩には古びたカメラバッグを吊り下げている。正午《ひる》に近い日ざしだった。

大通りを「館山寺温泉行」のバスが走り抜けて行く。アーケードの下を歩く髭男は煙草屋の前で足をとめる。この男なら、四日前に藤沢の西田栄三に「橋本」と名乗った人物であった。

「米津さんという食料品店はどこでしょうか?」

つり銭といっしょにもらった煙草を一本抜き、火をつけてから訊いた。

「米津食料品店なら、この対《むか》い側の通りですよ。あと百メートルぐらい行ったところです」

店番の主婦がつき出す指先の方向へ橋本は眼を投げた。

すぐに歩き出さずに念を押した。

「米津英吉さんのお店ですね?」

「はい、そうですが」

主婦の眼にちょっと躊《ため》らいの色があらわれた。

「でも、米津英吉さんは去年亡くなられましたけど」

「はあ、東名高速の交通事故とかで……」

「そうなんですが」

知っていたのか、という主婦の顔だった。

「お気の毒でしたね」

「ほんとに」

相槌《あいづち》をうちながら、主婦の眼はこの煙草買いの髭の客と米津食料品店主との関係を判断しようとしていた。

「弟さんの安吉さんは大怪我をなさったそうですが、もうお元気になってらっしゃいますか？」

「はあ、店に出ておられますけど」

主婦は急に警戒を見せて口ごもった。

「それはなによりでしたね。いえ、ぼくは生命保険会社の者ですが、これから米津さんにお目にかかろうと思いまして」

別な表情が主婦の顔に流れる。

「米津食料品店でお会いできるでしょうか？」

「たぶん大丈夫でしょう。安吉さんはレストランのほうを見ておられますから」

「レストラン？」

「食料品店の二階にあるんです」

「どうも」

信号の変るのを待って横断歩道を渡った。店の看板を見ながら歩く。道路を「天竜行」と「浜松駅行」のバスがすれ違った。

米津食料品店は間口のひろい大きな店だった。色彩の派手な商品売場の横に赤い絨毯《じゅうたん》の狭い階段がついていた。レストランはテーブルが二十ぐらいのわりに広い店で、いくらか気取ったインテリアだった。時刻が時刻なのでサラリーマンのような客でいっぱいである。青い服のボーイが二人用の小さなテーブルを一つ見つけてくれた。コーヒーとトーストとをたのむ。

「米津安吉さんに、ちょっとお目にかかりたいのだが、そう伝えてくれますか？」

ボーイに云った。

「どちらさまで？」

「東京の山内と云ってください」

壁ぎわに蝶ネクタイの男が二人立っていたが、その一人がボーイのささやきを受けて髭の客にうさん臭そうな視線を投げた。が、べつに質問にこっちへ寄ってくるではなく、カウンターの横にある事務室のドアを開けて入った。

二分くらい経ってからそのドアから小肥りの背広の男が出てきた。三十五、六くらいだった。

《ライトバンを運転していた浜松市明神町六ノ三、食料品店主米津英吉さん（四二）は焼死、同乗の実弟安吉さん（三五）は脱出したものの重傷》

橋本は、新聞記事と、そこに現れた男の年齢とを合致させるように見た。

ボーイに示されて小肥りの男は、背広の前を合せながら客のテーブルへ進み寄った。

「わたしが米津安吉ですが」

橋本はイスから立ち上がった。

「わざわざお呼び出ししてすみません。ぼくは東京の山内明子の縁故にあたる者です」

「山内明子さん?」

米津安吉は怪訝《けげん》な顔をした。

「それだけではお分りにならないと思いますが、山内明子は去年十月三日夜、御殿場・沼津間の東名高速道路で起った交通事故で死亡しました」

おお、という声といっしょに安吉の顔が揺れた。様子もにわかに変って、まあどうぞ、とイスをすすめ、自分も対い側に腰を静かにおろした。それからおもむろにテーブルの上で両手の指を組み合せ、頭をさげた。

「あの事故で、東京の女性が亡くなられたことはわたしも病院に入って聞きましたし、あとで新聞でも拝見しました。山内明子さん、たしかにそういうお名前でした」

「お兄さんが亡くなられて、まことにご愁傷さまです」

応酬するように橋本も叮重に頭を垂れた。

「どうも」

「じつはこの浜松に所用があって参りましたが、あの新聞記事を思い出して、こちらにおうかがいする気になりました。やはり、同じ事故の犠牲者どうしだと思いますと、ぼくは黙って通りすぎることができなくなりました。この機会に、お悔やみを述べさせていただきたくて」

「わざわざ恐れ入ります」

トーストとコーヒーを運んできたボーイに、自分にもコーヒーを持ってくるように安吉は命じた。

「あなたは、重傷だったそうですが、もうよろしいんですか?」

橋本は米津安吉に見舞いを云った。

「ありがとうございます。背中の火傷と左腕の骨折で二カ月ほど入院していましたが、このように、もとどおりになっております」

安吉は小肥りの身体を自分の手で軽くたたいた。

「それはなによりです。亡くなった方はもちろんですが、あなたもたいへんな災難でしたね」

「まったくひどい目に遇いました。これが自分の落度《おちど》で起した事故ならまだ諦めもつきますが、なにぶんにもほかの車の事故にまきこまれたのですから、たまったものではありません」

「先頭が十二トンのアルミバン・トラック、それが急停車して横転したところに乗用車が追突、運転の静岡の男の方は即死、奥さんは全身火傷で病院に収容直後に死亡、それに追突した乗用車か山内明子でした。そのあとがあなたがたのライトバンでしたね。新聞によると」

「そうなんです。……いや、まったく山内さんはお気の毒でした。まだお若かったそうですね？」

安吉はその女性犠牲者の縁故だという髭の男に云った。

「二十三歳でした」

髭は視線を落す。眉間《みけん》に沈痛な皺が出た。

「なんとも申し上げようがありません。ぼくは助手席に坐っていて、前方を走って行く山内さんの車の尾灯《テールランプ》をずっと眺めていましたから、ことさらにショックを受けます」

安吉は云った。

闇の中の赤い小さな灯は、その直後に生命が終る人間の魂が放つ輝きにも似ていたろう。その情景を想像して髭の男は唇を咬《か》んでいた。

「われわれは車間距離を十分にとっていたんです。五十メートルは離れていました」

米津安吉はつづけた。

「各車ともそのくらいの車間距離でした。車の数が少なかったので、それぞれが百二十キロのスピードを出していました。しかし、それは一列の秩序正しい走行でした。追い抜こうとする車もなく、乱れもなく、まったくリズミカルな行進でした。兄貴は運転しながらカーステレオで歌謡曲を聞き、自分でもそれに合せて唱《うた》っていました。先頭のアルミバン・トラックが急停車して横転するまでは」

「下り勾配のあの現場で、時速百二十キロだったら、五十メートルの車間距離が役に立たなかったのは当然です」

「そうなんです。あっという間にこっちが前の車へ殺到しました。……前方でトラックのアルミバンの高いボディが横に傾いて倒れるのは見えました。つづく二台の乗用車が波のように乱れるのも見ました。そう思ったときはもうこっちのライトバンがそこに突入していました。呼吸を一つするくらいの短い間でした」

前に置かれたコーヒーにも手をつけなかった。

「それでも兄貴はブレーキを踏みハンドルを右に切りました。車は横に向きましたが、やはり間に合いませんでした。山内さんの車に衝突すると同時に、ぼくは意識を失いかけました。そうして眼の前が真赤になりました」

「真赤になった？」

「前の車が火を噴いたんです。赤い渦巻きでした。衝撃でぼくらの車のガソリンタンクもすぐに火を出しました。数秒の間でしたよ。ぼくはやっとドアを開けて外へ転がり出ましたが、火を背中に負っていたんです。転びながら消したのですが、火傷を受けました。左腕の骨折はあとになって気がついたのです。逃げるとき、ぼくは兄貴も脱出できたと思ったんですが、右ドアが歪んで開かなかったのです。それと兄貴はハンドルに身体をはさまれて、自由を奪われてもがいているうちに火に包まれてしまいました」

橋本は長髪の頭を垂れた。死者の冥福を祈るようにしばらく眼を閉じていた。

「すこしおたずねしたいことがあります」

彼は眼をあげて云った。

「さきほど、追突の瞬間に眼の前が真赤になったと云われましたが、それは前の車が、つまり山内明子の車が燃え上がった火だったのですか？」

「ええ。炎の渦巻きが立ち昇ってね。暗かったあたりが一瞬に真赤に照らし出されて揺れていました」

「その前に、赤い火の玉のようなものを前方にごらんになりませんでしたか？」

「……………」

安吉がぎょっとなった。

「いえ、新聞にあなたのお話が出ていましたからね。それを拝見したものですから」

「その点がどうも」

米津安吉は、顔をうつむけて首をかしげた。

「……自分でははっきりしないのです。ぼくは火の玉のようなものを車の炎上の前に見たような気がするんですが、それを見たという目撃者が他にないのです。生存している後続車の運転者が知らないと云っているんですよ。だから警察では、ぼくが衝撃で意識を半ば失っている状態の中で車の出火を見誤ったと云うんです。そう説明されると、ぼくも自信がありません。あれはぼくの幻覚だったかもわかりません」

「幻覚としても、その火の玉というのはどういう状態でしたか、印象としては？」

「そうですねえ、なんですか、前方の闇の中で火の玉が、ぴかっ、ぴかっ、と光った、そういう感じでしたね」

「ぴかっ、ぴかっ、と……それは二度つづけて光ったんですか？」

「そうですね、連続して光ったように見えましたね」

「それは赤い光でしたか？」

「そうです。赤かったですね」

「強い光？」

「強かったですね。すぐに消えましたが」

「たとえば、花火のような？」

「花火だと火の玉が尾を引いたようにしばらく空間に残ってから消えますね。そうじゃなくて、瞬間に光って消えたという感じでした。どうもよく口で云えないのですが」

「その火の玉のようなものは、アルミバン・トラックの前方でしたか、それとも……」

「トラックの前方でした。……ふしぎだな、あれが後続車のドライバーたちに見えなかったというのは……。やはりぼくの幻覚かな」

「いや、幻覚ではないかもしれませんよ。あなただけにそれが見える条件だったとも考えられますよ」

「ほう、どうして？」

　安吉は意外そうに眼をみはった。

「あのとき、車は一列で走っていたと言われましたね？」

「そうです。ずっと後から来る車のグループは二列だったかもしれませんがね。二車線ですから」

「いや、それは問題ではないのです。遅れている車のグループはカーブの後方だったので、見通しがきかなくてこっちのほうは見えなかったでしょうから」

「ああそうか」

「トラックを先頭とする車のグループが問題なのです。その後続車のドライバーたちに火の玉のようなものが見えなかったのは、一列になっていて前を行く大型トラックのアルミバンの高いボディのために視野が塞《ふさ》がれていたからじゃないでしょうか。あのボディはたいてい三メートル以上はありますからね。すぐあとにつづく乗用車の低い運転席からはそれが高い壁になっているはずです。ところが、あなたのライトバンはお兄さんが右にハンドルを切られたので、車体が少しだが横むきになって、前のトラックの壁から僅かでもはみ出した。だから助手席に居られたあなたの眼だけにトラックの前方に光った火の玉が見えた。そういうことではないでしょうか？」

「ううむ」

米津安吉は口の中で唸《うな》り、テーブルの上に頰杖を突いた。そこにはこの客が注文したトーストがまだそのまま置かれてあった。

「けど、ぼくらのライトバンのうしろにきた小型トラックは、右にハンドルを切って完全に横むきとなり、中央分離帯を突破して対向車と衝突していますからね。このトラックの運転者は重傷を負ったけど、火の玉を目撃してないと警察に云っているそうです」

「それはね、火の玉がいつまでも光らなかったからじゃないですか。小型トラックが横むきになったときはもう消えていたと思います」

「なるほどね。……では、その小型トラックと衝突した上り線の乗用車はどうですか？　これは当然に反対車線の火の玉、アルミバン・トラックの前に光った火を遠くから接近しながら見ているはずですがね。そのドライバーもそんなものは見てないと云っているんですよ」

「それなんです。アルミバン・トラックの前に火の玉が光っていたら、対向車にはそれが当然に見えなければならないはずですがねえ、それなのに見たという証言がない。この点がぼくにはまだわからないのですよ」

「あなたは、ぼくの云ったことをよりどころにして、何か調べてらっしゃるんですか？」

「調べるというほどではありませんが、どうもふしぎだから、火の玉の正体を見きわめてみたいとは思っています」

「しかし、ぼくが火の玉を見たという記憶は当てになりませんよ。警察では、ぼくがもうろうとした意識の中で、車の火がそんなふうに映った幻覚だと断定していますしね。ぼくだって、さっきもいったように、曖昧模糊《あいまいもこ》としていて確信がないのですよ」

「警察の断定よりも、またそれに影響されたあなたの自信喪失よりも、ぼくはあなたが最初に病院で呟かれたことを信じたいですね」

橋本は、テーブルの横に置いたきたないカメラバッグをとりあげ、イスから立ち上がった。

現場ふたたび

元P大学経済学部助手の沼井正平は、浜松発十四時十二分の上り「こだま」に乗っていた。自由席はかなり混んでいた。三島までは一時間たらずの乗車時間だった。

沼井正平は、古いカメラバッグからノートをとり出した。ノートの中ほどをひろげてボールペンを持つ。すぐに書き出すのではなく、青い罫線《けいせん》の上に眼を投げている。動かない瞳の中には思索の波がうねっていた。親指を鬚の顎に突き、眉の間には暗鬱な悲哀の影が溜まっている。ちぢれぎみの長い髪毛が額にふり落ちていた。

ボールペンは指に挟まれたままでいた。一時間前に米津食料品店の二階レストランで彼が米津安吉から聞いた話を文字にまとめる思案よりも、その話を追っている思考がつづいていた。それは頭の中でいくつもの水沫《みなわ》をつくり、その小さな輪はつながったりはなれたりし、また浮んでは消えていた。

ノートの前のページにはこまかな文字がびっしり埋まっていた。そこには、彼が「橋本」と名乗って会った藤沢市に住む西田栄三の話がメモしてあった。正確を期して、西田栄三の長い談話を簡明に書いているが、それだけに無限の暗示と推理の発展とがそこに含まれているようであった。

髭の男は、やがて米津安吉の話をノートに書きはじめる。それには時間を要さなかったが、関連の事項を加えるのにひまがかかった。考えては書きこむのだ。マルを付けたり線を縦横に引いたりして、きたないノートになったが、当人にはそこから少しずつ設計図のような構成が浮び上がってみえるようだった。しかし、まだ不明な箇所が多いらしく、頭を掻いたり、放心したように頬杖をついたりした。前の席では子供が騒いでいる。

三島駅には十五時十一分に着いた。駅前の商店街に花屋があった。日もちのするようにして下さいと頼んで、つぼみに近い真紅のバラを買った。

タクシーを、東名高速道路の沼津インターチェンジにむけさせた。三島市を西にはずれて、黄《き》瀬《せ》川の橋を渡って行くと、小林というところの先で交差点に出る。それを北へ曲ると富士山麓の林が真正面だった。登り勾配の道路を進むと、やがて装飾的なモーテルの建物が両側の高台の間に見えてきた。

インターチェンジの料金所へは向かわず、その前を左に逸《そ》れ、行く方向をまっすぐに指示した。

「東名高速へ行かれるのと違いますか？」

運転手は客をふりかえった。

「いや、この先の道を右へ折れて進むとゴルフ場があるでしょう？　その近くまで行ってください。降りる場所はそこで云います」

「ゴルフ場にはよく行っていますが、途中は何もないところですよ」

運転手は鏡の中の髭の顔をのぞいた。

三月三日に、桃の花束を抱く山内明子の姉みよ子と、案内役の沼津署の交通係長とを沼井正平が自分の車に乗せ、運転してきた道だった。小さな峠を越して下る。高速道路の高い鉄筋の橋梁が空に架かっていた。トラックや乗用車が小さな姿で流れている。車体が陽にきらめいていた。

竹林のある農家の前を通って坂道を上った。この前の通りである。畑ばかりの高原に出た。

「ここでけっこう。停めてください」

「こんな場所でいいんですか？」

運転手は家ひとつない周囲を見まわした。

沼井正平は花束を抱いて降りた。

「三十分ぐらいでしたら、ここでお待ちしていいですよ」

むろん流しのタクシーなど通らない畑道である。運転手にしても、空車《から》で三島に戻るよりはいい。

「いや、その辺を撮影してブラブラ歩くからいいですよ」

肩のカメラバッグをゆすり上げてみせた。運転手はふくれ顔で、タイヤを軋《きし》ませた。

時計を見た。四時半だ。三月三日に来たときとほぼ同じ時間である。だいぶん日が長くなりましたね、と云った交通係長の声がもどってくる。あの日よりも、日はもっと長くなっていた。空に雲はなく、西日が明るかった。

歩いて陸橋の上に出た。両側の高い切通しの崖で、東名高速道路は谷底の白い川のようだった。車の群れが上下線を規則正しく流れている。大型のアルミバン・トラックの屋根が陸橋のすぐ下とすれすれくらいに見え、風を捲いて通過する。相変らず速いスピードだった。百キロ以上は間違いなく出している。

沼井正平は橋の西側に立って道路の川の前方を眺めた。

ゆるいカーブだが、その先は道路の川が消えていた。

（このカーブについていえば度合いはRイコール千二百メートル、視距は約五百メートルです）

交通係長の説明だった。見通しのきく距離は五百メートル。百二十キロの速力だと、十五秒の距離だった。これがカーブの終了までつづく。下り勾配率は百分の三。道路照明灯は一本もない。

沼井正平は陸橋を東へ渡り切った。長い草に蔽われた切通しの斜面が道路に急激に落ちている。この前は黄色かった草に青い色が滲み出ていた。彼は上の小径を南へむかって歩く。

古い有刺鉄線の防柵に出た。崖下に小松が小さく群れている。向う側の崖上に雑木林が見える。

（花束を遭難現場の道路にお供えになりますか。こっちの小松と向うの雑木林とを結んだ線が、アルミバン・トラックの横転した現場です）

山内明子の姉に云った交通係長の声が聞えていた。

路肩に置いた桃の花束は前のままだった。犠牲者のために供えたのが分っているので、高速道路の清掃にも片づけられずに残されているのであろう。前の位置よりは草の近くに置きなおされていた。

桃も菜の花も凋《しぼ》んでいて、残った花は枯れていた。包んだパラフィン紙は雨に打たれて変色していた。やはり色褪《いろあ》せてはいるが、折紙の雛は桃の小枝に結ばれていた。

沼井正平はバラの新しい花束を置いた。下の方がふくらんでいる。切口をオアシス（水を含ませたスポンジ）に差込んであるのだ。バラの真紅がそこで眩しく咲いた。

彼は、疾走してくる車を背にして、その前にうずくまった。

山内明子との愉しかった過去を彼は眼蓋《まぶた》の内側にひろげていた。結婚は十月中旬の予定だった。

教授の世話で、助手をやめ、北陸のある高校の教諭になることも決まっていた。明子は北陸が気に入り、新しい生活を待っていた。その都市には古典的な落ちついた雰囲気があった。彼女はスキーが上手だった。北陸は、雪にはことかかない。

明子を一瞬に死へ奪ったのは、この現場で去年十月三日夜に起った大追突事故だった。アパートで、明子の父から電話でその通知をうけたとき、身体が石になった。心臓だけが高鳴り、膝関節が分解したようで、歩けなかった。

しばらくは痴呆のようになっていた。葬儀にはかろうじて参列したが、その前後は何をしていたかほとんど記憶がない。激しい悲しみが、くりかえし襲ってきた。吹きつける悲哀の風は血の中に入りこんだ。前途に光を喪《うしな》った。大学を辞《や》め、高校教諭の口も断わった。ひとりで北陸に行く気はまったくなかった。

今年の一月二十七日、明子が死んだ瞬間の写真を沼井正平は新聞で見た。A紙の「読者のニュース写真紙上展」の年間最高賞になった「激突」であった。

転倒したアルミバン・トラック、追突した乗用車からふき出す白い炎、モノクロだけに凄惨さが出ている。二台目の乗用車が火に包まれていた。車体の黒い部分がのぞいていた。その中に明子が居るのだ。自分に救いを求める明子の絶叫が写真から聞えそうであった。こんな残酷な写真があろうか。居ても立ってもいられなかった。柱を殴り、畳をかきむしった。

審査委員長の古家庫之助という人の講評が新聞に載っていた。

《カメラの迫真力をこれだけ発揮した作品は少ない。……これは発生の瞬間の写真といっていい。火焔の光に人影が一人も浮んでいないのはそのためで、無気味さに慄然とする。いや、この写真の瞬間にも犠牲者が車内に閉じこめられていると思うと、なんともいたましい場面で、正視に堪えないくらいだ。けれども交通事故の惨事はあとを絶たない。……このリアルな臨場感溢るる一枚の写真がドライバーの自戒となり、交通事故減少の一助ともなればと思って、暗い写真ながらあえて年間最高賞に選んでここに発表した。それにしてもこういう決定的瞬間の場面に撮影者が遭遇するとは、一万に一つか、十万に一つの偶然というほかはない》

この発表写真には「読者の批判」が新聞に寄せられたが、それに対して「写真部長のお答え」も出た。

《本社では広く一般からアマチュア・カメラマンの報道写真を募集して、「決定的瞬間」の作品を期待しているのです。そこには新聞社の写真部員の果せないものがあります。それは偶然という要素です。審査委員長の古家庫之助氏が年間最高賞の「激突」評でいっておられるように、この写真などは撮影者にとって「一万に一つか十万に一つの偶然」という、きわめて稀有なチャンスの助けによるもので、こればかりはいかなるプロカメラマンをも超えるものです。それでこそ、……迫力のある写真が得られたのであります》

大型トラックが、うしろを狂暴な速力で通る。疾走が起す風で、沼井の長い髪が立ち上がって乱れ、風圧で前にのめりそうだった。

凋んだ桃と菜の花の花束を持って、沼井正平は切通しの斜面を歩いた。かなり伸びてきた萱《かや》などの雑草の中である。

ふりかえると、さっき渡ってきた陸橋はカーブのうしろにかくれて見えなかった。前方には、七、八百メートル向うに陸橋が見えている。陸橋はたいてい東西に通じる村道ごとに架設してある。村道と村道の間が遠ければ、陸橋の間隔もはなれていることになる。

花束を路肩に置いた場所から百メートルほど南のほう、沼津方向へ移動した。斜面の中ほどに山つつじがたくさん生えている。彼はこの古い花束を捨てるに忍びなかった。置くなら、この山つつじの群れの中だと思った。雨が降っても、山つつじの茂りが少しは傘の代りになってくれるにちがいない。

花束を山つつじの間に立てかけた。やはり雑草の中だった。あらかた凋んでしまっていたが、ここに置くと褪せた色が蘇ったようであった。

ここへきて気がついたのだが、トラックが横転した現場から百メートル南へ来たこの付近は、米津安吉が追突の寸前に「見たような気がする火の玉のようなもの」のあった地点なのではなかろうか。

ほかにその証言者がないために、米津安吉の目撃は追突のショックによる前後の思い違いで、車の炎上を錯覚したか、または幻覚だということになった。検証で、現場には火の玉の痕跡はなく、異物も落ちてなかったので、警察ではそう断定した。安吉本人も自分の目撃に自信はないと語った。数時間前に沼井正平が聞いた話である。

だが、果してそうだろうか、と彼は思う。

もし安吉の目撃が間違いでなかったら、アルミバン・トラックの横転の原因が合理的に解釈がつくのである。トラックはカーブを曲ってきたとたんに、見通しのきく前方に火の玉のようなものを見たにちがいない。ふいのことで、トラックの運転手は本能的に急ブレーキをかけ、それを避けようとして、右へハンドルを切りかけた。その動揺で積載した荷の重量が中心を失い傾いたこともあって、横転した――。

トラックの運転手も助手も死亡している。かれらの口からは何も聞けないが、じっさいはそういうことではなかったろうか。

では、「火の玉」の正体は何だったのだろうか。火焰瓶のようなものを道路上に投げたとすれば、もちろん現場に瓶の破片などが残る。入念な現場検証の眼がそれを見落すとは思えなかった。

米津安吉は、その火の玉のようなものは「ぴかっ、ぴかっ、とつづけて光ったような気がする」と云っていた。火焰瓶だとそんな燃え方はしない。爆発して炎を上げるだけである。ぴかっ、ぴかっ、というのは間歇《かんけつ》的な光り方である。たとえば、パトカーの屋根で回転する灯や、夜間の道路工事の警戒信号灯がそれに近いだろうか。

しかし、そんな大きな設備を現場に運んで仕掛けるとは沼井正平には思えなかった。設置するなら、とうてい一人では出来ない。複数でなければならぬ。だが、複数は考えられなかった。何もかも一人でやったにちがいないと思っていた。

それなら陸橋の上に人が居て、その者が下の高速道路にむけて、火の玉のようなものを出したとすれば、どうだろうか。しかし、この推測は理屈に合わない。トラックが急ブレーキをかけた地点から前方の陸橋までは、七、八百メートルの距離があるのだ。

米津安吉に、まだわからないことがある、と沼井が云ったのは、そのことだった。

ところで、その人物はここへ藤沢から車で来たのだろうか、それとも電車で沼津駅に降りて歩いてきたのだろうか。沼井は返したタクシーのことからそれを考えた。しかし、歩行は考えられない。沼津駅から十キロ近い距離だし、夜のことだ。くるとすればタクシーなどではなかろう。

沼井正平は、カメラバッグからノートをとり出した。前のほうをめくった。新聞の切抜きがそこに貼ってあった。

《昨年十月三日の午後九時ごろから私は静岡県駿東郡長泉町字向田のあたりをカメラを持って歩いていました。ここは富士山麓東南側の池の平（八四六メートル）の麓にあたり、その高原からははるか南側の眼下に沼津市の灯が夜光虫の塊のように輝いています。私は近景の高原の林をシルエットにして遠景の街の灯を対照させ、夜空にオーロラのように反映する沼津方面の灯の光をとらえて、そこに夢幻的な雰囲気のある写真をねらって県道や村道をさまよっていました。しかし、なかなか思うような構図が得られず、二時間ばかり歩き回って十一時ごろ、東名高速道路の切通しの上にかかる陸橋を渡って東側崖上から村道に下って、なおも歩いていたときです。突然天地をゆるがすような大音響が聞えたかと思うと、数秒も経たないうちに、うしろの高速道路のあたりから火柱が立ちのぼるのを見ました。私は肝をつぶしましたが、急いで村道からふたたび崖上に引返してみますと、下の高速道路上では何台ものトラックや乗用車が衝突で横転していて、そのうち三台の車からはいましも火焔が上がっているではありませんか。私は夢中でシャッターを押しました。炎の明るさでストロボは要りませんでした……》

車のことは出ていなかった。

新しく疑問が起った。いったい、この崖の南側下の村道で、遠く沼津市の灯が視野に入るだろうか。高原に立っているからこそ遠い街の灯がよく見えるのではないか。構図を探しに村道に降りたのでは、森林や丘や人家に前を邪魔されるのではないだろうか。——

実見してみよう。沼井正平は草の中を上へ歩きだした。

現場踏査

沼井正平は切通し上の小径を御殿場方向へ引返す。

陸橋の前に戻った。東西に通じる村道には人ひとり歩いていない。畑と雑木林以外には何もないところだった。今でもこのとおりだから、夜は通行者が絶えているはずである。

去る三月三日には、山内明子の姉みよ子と沼津署の交通係長とを乗せて運転してきた車を陸橋の対《むか》い側に停めたものだった。そこで降りてこっちに渡り、明子の遭難現場を往復した。あのときも夕方だった。

「年間最高賞」の受賞者の言葉には「車」のことが出ていなかった。よけいなことだから省いたともいえる。しかし、その省略には意識的なものはなかったろうか。車のことは云いたくないといったような気持が彼に働いてなかっただろうか。

もしそうだとすれば「車」はどういう意味を持つのか。運転以外に、何か車に関連するものがあったのだろうか。——

考えながら沼井正平は陸橋の前を右へゆっくり歩いた。道は下り坂になっている。両側はいぜい歩いたとき、十字路になった。角に道路標識が立っていた。矢印の標示板がそれぞれの方向を示していた。

川が横を流れ、橋の架け替え工事をしていた。「造園用石材」の看板がある。七百メートルくらい歩いた。

県道は道幅が広い。住宅がならび、車が頻繁に通っている。正平は県道を御殿場方面へ歩いた。

（沼津の夜景を撮るために県道や村道をさまよった）のは彼のつくりごとであった。

新しい住宅が群れていた。ここには、もはや「沼津の遠景」はどこにもなかった。

ら黙って行き過ぎた。それから県道に出た。まったくの低地である。向うの丘がずっと高く見え、

村道ではようやく人に遇った。犬を運動させている散歩の老人だった。正平をじろじろ見なが

「十万分の一の偶然」と関連があるのは確かだけれど——。

なぜ彼はそんな虚言を云わなければならなかったのか。その必要はどこからくるのか。それが

実地の踏査が彼の嘘を指摘していた。

と云うが、台地から南へ降《くだ》るなら、いずれの道をとろうと「沼津の夜景」は陥没してしまう。

（切通しの東側崖上から村道に下って、なおも歩いていた）

全に隠れてしまうのだ。

その言葉が、実際の地形と合わないことがこれでわかった。沼津の夜景などは前景の彼方に完

（沼津の夜景を撮るために、県道や村道を二時間ばかり歩き回っていた）

れも高原の疎林とは違って屏風《びょうぶ》のような密林が正面を塞いできた。

思ったとおりだった。高原から見えていた沼津の遠景が下に沈み、代って近い丘陵や林——そ

が舞台のようにせり上がってくるのである。

正平は正面を見つめながらときどき立ちどまる。坂道を下りるにつれて、前面の低い丘陵や林

んとして畑と林だった。立木の幹に夕日が朱の線をつくっていた。

さしてならんでいる。北へ向けては「御殿場40ｋｍ」、西へむけては「（某地方銀行の）情報集計所3ｋｍ」「祠廟3ｋｍ」「肖古館3ｋｍ」「近代フランス画家美術館3・5ｋｍ」などが整列していた。

北への道路はふたたび高原にむかっている。上り坂を正平は歩いた。

小さな喫茶店があった。山小屋ふうになっていた。中に入ると、狭いところに炉が切ってあり、客用のイスがそれを囲んでいた。窓ぎわにアベックが一組すわっている。板の床には赤い犬が歩き回っていた。

横のカウンターの中で二十二、三くらいの娘さんが、正平が頼んだコーヒーをつくってくれていた。窓の陽は明るさがまだいくぶんか残っていた。

――彼の嘘は「一万に一つか十万に一つの偶然」と関係がある。

歩きながら考えてきたことだった。このイスにすわってもそれがまだつづいていた。すこしずつ見当がついてきた。

コーヒーがきた。一口すすって、思い出したように正平はカメラバッグからノートをとり出した。

「年間最高賞」の写真をA紙が発表したあと、同紙上に載った読者の批判の声が切抜いて貼ってある。

《「激突」はたしかに美事な作品です。交通事故の悲惨さをこれほどの迫力をもって伝えた報道写真もそう数多くないと思います。……しかし、この写真が力作であることと、読者からの懸賞募集によることとは、別な問題だと考えます。事故発生現場に偶然居合せた者でなければこのような「なまなましい写真」が撮れないことは、いうまでもありません。……アマチュア・カメラマンがどこへ行くにも常にカメラを持っていることが、古家審査委員長のいわれるような「いざというときに備えるアマチュア・カメラマンの心得」だとすれば、それは紫雲丸の海難写真（これも救助の第三宇高丸に偶然乗っていたアマチュア・カメラマンの撮ったものでした）に対してあがった批判に通じるものがあります。すなわち人命救助の手伝いよりも、「いい写真を撮りたい、そうして人から称讃されたい」というひどいエゴです》

沼井正平は、膝に片方の脚を乗せてノートを読んでいる。赤い犬がきて、上がった靴裏をしきりと嗅《か》いでいた。

先客のアベックがイスから立ち、カウンターに歩いた。犬が正平からはなれて、金を払う客に吠えた。

娘さんが犬を叱って、

「この犬は、お客さまがお帰りになるのを嫌がるんです」

と、おどろいている客に、笑って云った。

「へええ、商売上手な犬ですね」

アベックも笑いながら出て行った。

正平はノートのつづきに眼を戻した。

《アマチュア・カメラマンが「いい写真を撮りたい、そうして人々から称讃されたい」という心理は、これを懸賞に応募して「あわよくば年間最高賞か優秀賞に当選したい、賞杯、賞状、賞金を三つとも手にしたい」という意識に通じるものと思います。……》

犬が、膝の上にのせて宙に浮いた右脚の靴裏に鼻をこすりつけていた。そのつど靴が揺れる。犬が小突くのもくすぐったかった。

《小峰和雄氏の投書の中にあるように、懸賞がアマチュア・カメラマンたちの「励み」であり、それが「技術の切磋琢磨」になるというのは道理あるように聞えますが、その「手柄」志向がまさにかれらのエゴとなり、傍観主義を助長させるものと思います》

この「傍観主義」は「功名主義」と置き直せる、と正平は考える。

「橋本」と名乗って藤沢市の西田栄三に会ったとき、西田が云った内容とも関連するからだ。

（募集する側の悩みは、一般からいい報道写真の作品が集まらないことですよ。そこでね、募集する側の係の間に、こういう声が出ているそうです。……いや、それは、もちろん冗談ですよ。募集の報道写真があまりに不振なため、思わずそういう冗談が内輪で出るんですな。古家先生などは、笑いながらよく口にしていますよ。……これはね、人には云わないでくださいよ。冗談だけど、誤解を受けやすいですからね）

赤い犬が靴の裏にまだ鼻先をこすりつけている。靴裏に何か付いているのか。正平はコーヒー茶碗を置いて、右脚の靴を脱いだ。手にとって裏をかえしてみる。

乾いた赤土だった。村道は舗装してあるから、この赤土は切通しの崖のものだ。げんに萱《かや》の切れ端が四つ付いていた。斜面全体は伸びた萱に蔽われている。

が、それだけではなく、踵《かかと》に黒い物が付着しているのに気づいた。

幅二センチくらい、長さ三センチくらいで、幅は本来のものだが、長さは、もっと長い、たとえばテープのようなものだったろう。それを切り取ったらしい。犬が鼻を寄せていたのは、この異物だったのだ。

正平は指でその黒いものを剝《は》がし取った。寒冷紗《かんれいしゃ》のように目の粗い綿布だった。両面ともに絆創膏のように強い粘着力がある。靴の裏に貼り付いていたのはこの粘着性からだった。

その黒い布片には、ほんの少しだが、枯草の一片がねばりついていた。

このことからして、この異物が草の中に落ちていたのを、正平が知らずに踏んだと分った。

どのあたりでこんなものが付いたか知らないが、つまらないものを踏んづけた、と思った。靴から剝がし取っても、指にねばねばしたものが移った。

そんなものを店の床に捨てるわけにもゆかないので、正平は囲炉裡《いろり》の端に載っている紙ナプキンを取り、それを包みこんだ。上着のポケットに突っこんだとき、踏んづけた場所を知りたくなった。

あの切通しの崖上か斜面だったのは間違いない。あそこをずいぶん歩き回ったからだ。

窓から見える外光が急速に落ちていた。が、昏《く》れるまでにはまだ少しは時間があろう。

金を払いに正平がカウンターへ行ったとき、赤い犬が主人の商売に協力して吠えた。犬に引きとめられても残るわけにはゆかなかった。六時に近かった。

道路を北へまっすぐに上りつめると高原だった。東名高速道路の上にかかる陸橋に出た。前の陸橋まではこの陸橋は、追突事故現場に近い陸橋からもう一つ御殿場寄りになっていた。前の陸橋までがおよそ一キロ、現場まではさらに七百メートル戻らねばならなかった。

タクシーが通らないのをこれほど不便に感じたことはなかった。陸橋をいったん渡って高速道路に沿う南北の村道をバッグを肩に走ったり、大股で歩いたり、また走り出したりした。

だが、現場に到着するよりも陽の沈みかたが早かった。空には澄明な青い色がたゆたっていたが、林の下に闇が湧き上がっていた。下の高速道路を流れる車の群れはヘッドライトをつけていた。

切通しの上は、障害物のない展開風景なので、空の残光が反映して、斜面はわりと明るかった。

が、これもあと数分くらいで終る。

いったいどのへんで黒テープの切れ端が靴の裏に付いたのだろう。正平は草の斜面を見下ろした。小径を見渡し、自分が歩きまわったあとを眼で探した。

交通係長の言葉による目標があった。切通しのこちら側斜面に生えている小松と、高速道路の「川」を隔てた崖上にある特徴的な疎林とを、直線に結んだ路上が、アルミバン・トラックの転倒したところである。そうして路肩の古い桃の花束を新しいバラの花束ととりかえ、その枯れた桃を置いてきたのが、それより南へ百メートルほど寄った山つつじの蔭だった。あそこでは古い花束をかたちよく置いたり、また「火の玉」のことを想ったりして長く居た。もしかするとテープの一片を踏んだのはあのへんかもしれない。

バッグの中から懐中電灯をとり出した。伸びてきた草の間を見るのは、すでに夕闇がひろがったなかでは無理だった。

山つつじのところへ斜面を降りて行った。懐中電灯で照らす。しゃがんで草を分けた。草が鳴った。ヘビの尾が消えた。

まるい光の中に、凋《しぼ》んだ桃と菜の花が浮び上がった。折雛がたれ下がっていた。正平がまたここに来てくれたのを明子がよろこんでいるように見えた。

あの晩、明子が車で静岡に行こうとしたのも、病床の叔母のもとに駆けつけ、二週間後に結婚する次第を詳しく報告するためであった。出発する前に、彼は明子から電話をもらった。

(わたしを可愛がってくれた叔母だから、意識のあるあいだにぜひ挙式のことを耳に入れたいんです)

その言葉を受話器に聞いてから三時間後の死であった。声だけが鼓膜にこびりついている。

正平は、懐中電灯の明りを消して草に坐りこみ、顔を掩《おお》った。両の掌《てのひら》が水に漬けたように濡れた。しばらく自分で哭《な》くのに任せた。悲哀の底に甘美なものがあり、それに浸った。あたりは真暗になっていた。正平は自分にかえった。草から腰を上げ、懐中電灯を点《つ》けた。また光の輪が動いた。

その光の中に黒いものが見えた。萱の間にひっかかっている。拾うと、テープではなく、黒い紙片が二つだった。一枚は五センチ四方くらい、一枚は四センチに五センチくらい、広い紙を切り裂いた二片がここに捨ててあるといった感じだった。

その紙片は表裏とも真黒で、厚みがあった。紙は滑らかでなく、両面とも毛羽立って、ざらざらとしていた。

なおもよく見たが、黒い紙片はそれきりだし、粘着力をもった黒い綿布の端もなかった。この二つに相互に関連があるかどうかわからなかった。しかし、この切通しの斜面に、曾て人が来ていたことはたしかであった。それに、この場所の前は、高速道路に米津安吉が「火の玉のようなものを見た」地点らしかった。

正平は立ち上がり、御殿場方向からカーブを曲ってくる車にむかって懐中電灯の光を振りつづけた、とくに大型トラックに対しては光を大きく回した。

が、どのトラックも乗用車も、停止しないだけでなく、スピードを落しもしなかった。横の斜面に見える小さな白い光の回転などドライバーたちはまったく気がつかなかった。たとえ気がついたにしても歯牙にもかけてないふうだった。

それよりも、眩しいヘッドライトのほかに運転席の屋根の庇《ひさし》やボンネットの両側に赤や黄色の灯《ランプ》を花電車のように付けた大型トラックの疾走に、圧倒された。

断片の実体

ライトバンの助手席に乗っていた浜松市の米津安吉が追突の直前に見たといっている「火の玉のような」赤い光は、高速道路の下り線のまん中で起った。アルミバン・トラックの島田運転手は眼の前にその奇怪な光を認めたからこそ、反射的に急ブレーキをかけたのだ。発光は道路の横合いから出たものではなかった。それは昨夜、現場での実験によって立証できた。

昨夜は懐中電灯を振り回したのだが、たとえその光は小さくともあれが道路の中央だったら車は停止したかもしれない。側面の崖からでは、一台の車も停めさせる効果はなかった。

夜の高速道路を暴力的に疾走する車の前面に立ちはだかって光を振ることは不可能である。そんなことをすれば人間はたちどころに車になぎ倒されてしまう。——

沼井正平は、眼のさめた寝床で、昨夜からの思案をぼんやりと追っていた。

まだ九時だったが、窓のカーテンの隙間《すきま》に、朝とは思えぬ眩しい白い光が細い縦線《たてせん》をつくっていた。アパートは目黒区の祐天寺二丁目にある。正平は六年間住んでいた。

高校教師として赴任することが決まると、正平は北陸の都市にマンションを借りた。大学の先輩でもあるその高校の教頭が世話してくれたのだが、去年の九月、教頭に挨拶かたがたその都市に行き、そのマンションの部屋を見てきた。建物は大きな川を見下ろす高台にあった。森が多い。すこし歩けば、石垣の高いお城に出る。帰って明子に話すと、顔を輝かせていた。十月中旬に東京で挙式して、そのまま任地へ行く予定だった。

明子の死は結婚式の二週間前であった。城下町住いは夢と崩壊した。正平はこのアパートに長く居る気がしなくなっていた。明子が訪ねてきていた記憶がまつわりついている。

いつものようにトーストをつくって食べる。忙しくはない。大学をやめていらい時間と研究とがいちどきに身体から飛び去ってしまった。本棚の書籍は過去の形骸にすぎなくなり、一瞥《いちべつ》しただけで嫌悪感が走った。

正平は紅茶を飲み終えて洋服に着かえる。上着のポケットに現場から拾った二つの品を入れた。メモ帖は欠かせない。

出がけに近所の若い主婦と出遇った。五つばかりの男の子を連れていた。

「お早うございます」

「お早うございます」

正平は男の子の前にしゃがんだ。

「おや、眼鏡をかけているんだな」

子供は恥しそうに母親の手にすがった。

「お兄ちゃんが学校の図工でつくったのを、弟にくれたんですよ」

この子の兄は小学校一年生だった。

「いいな。青い眼鏡だな。なかなか似合うぞ」

正平は子供に話しかける。子供は、ほめられて顔を上にむけた。

眼鏡のフチもツルもボール紙を切り抜いたもので、クレヨンの黒で塗ってあった。それに青いセロハン紙がレンズ代りに貼ってある。幼い眼が二つの青い窓の中におさまっていた。

「おじちゃんの顔も、ママの顔も青いだろ？」

「うん」

「向うのお家《うち》も青いな？」

「うん」

子供は大きくうなずく。

「お兄ちゃんが、シンちゃんによく眼鏡をくれたね。いいお兄ちゃんだな」

「いいえ、お兄ちゃんは別な眼鏡を持っているんですよ。片方が茶色で、片方が緑なんです」

母親が笑いながら云った。

「茶色と緑の眼鏡ね」

「子供はどんなことでも考えますわ」

「色違いの眼鏡とは、しゃれてますね。……じゃ、シンちゃん、バイバイ」

「バイ、バイ」

青い眼鏡の子は正平に手を振った。

「行ってらっしゃい」

近所の主婦は、正平が許婚者を交通事故で失ったのを知っている。大学をやめたこともわかっている。彼女は正平の歩く後ろ姿を気の毒そうに見送った。

電車の中で正平は腕を組み、眼を閉じて坐っていた。眠ったように見えるが、表情のきびしさからそうでないことがほかの者にもわかった。

渋谷で降りた。道玄坂の通りを歩いて、雑貨屋に入った。

「こういうものはありませんか？」

正平はポケットから黒い布の端《は》ぎれを出した。二センチに三センチ。靴の裏に付いたものだった。いまでもねばねばしている。

女店員が首をかしげて、店主に見せた。

「わたしのほうにはありませんが、電気屋さんにあるかもしれませんよ」

店主は眺めて云った。

「電気屋さん？」

「電気工事にこれと同じものを使っていたように思いますよ」

「ははあ」

「この先に電気屋さんがあります。そこで聞いてみたらわかるでしょう」

「どうも」

同じならびの五十メートル先に電気器具店があった。ウインドウも店内も家庭電気製品で詰まっていた。天井からは色も形もとりどりの照明器具がつり下がっている。こういう器具ばかりを売る店で電気工事のことがわかるかどうかと思ったが、奥から出てきた頭の毛のうすい店主の鑑定はその心配を消した。

「ああ、これはエフコテープというんです」

断片の二センチ幅の両端がきちんと裁断されたようになっているのは、思ったとおり、やはりテープだったのだ。

「これは何に使用するのですか？」

正平は訊いた。

「絶縁材料で、電線などをつなぐ場合によく使いますね」

店主は答える。

「電線をつなぐのに？」

「そうです。これは木綿製のエフコテープですが、ビニールの黒テープもありますよ。むしろビニールのほうが多いです。というのは、現在では電線の被覆がみんなビニール製になっていますからね。ビニールのほうは、片面だけに糊が付いています。それを電線に巻きつけると密着するのです。ビニールも綿《めん》も絶縁性ですからね。電工は室内の配線工事などにビニールテープを始終持って歩いています」

「この木綿製のエフコテープというのは、どういう電線に巻くのですか？」

「おもに高圧線ですね。ですからモーター機具などの引込線には、この綿のエフコテープを使いますね。こっちのほうが粘着力が強いのです」

「こちらのお店に、このエフコテープがありますか？」

「ありますよ。わたしのほうは電気工事の請負もしていますのでね」

店主はすぐにその一個を持ってきた。包装をのけると、直径五センチくらいの真黒い円形の、黒い絆創膏を巻いたようなテープがあらわれた。正平が持参の断片と見くらべると、まったく同じ品であった。

正平は頭の中で現場を考える。高速道路に沿う切通しだ。家は一軒もない。むろん電柱も電線もなかった。草茫々の荒野にひとしい。

「このテープの切口を見ると、電線を巻くときに必要な長さだけ切った残りですね」

店主は云った。

「それにしては短いですね」

「いや、電工は目分量でテープを切って電線に巻きますから、剰《あま》った部分の短いのを捨てることがあります」

「どうして剰ったものをついでに巻かないのですか？　こんな短いのですから、捨てるよりもいっしょに巻きつけたほうがいいように思われますがね」

「うむ。そうですね」

店主は正平に云われて短い切れ端を手にとった。

「おかしいですね。どうしてこんな短いものを捨てたのかしら。いっしょに巻いてしまえばよさそうなものだが。……しかし、電工にもそれぞれ癖がありますから、いちがいには云えませんね」

「ははあ。かりにこれが電線に巻いたものとすれば、どうしてこの部分だけ落ちていたのでしょうか、こんなに粘着力の強いものが？」

「電線に巻いたエフコテープは絶対に剝げません。こんなに強い糊ですからね。もしかすると、これは使用したのを継ぎ目から剝がして捨てたのかもしれませんね」

「継ぎ目から剝がすんですか？」

「電線の修理工事にはそれがあります。古くなったテープを剝がし取って、新しいテープを巻くというのがね。そういえばこのテープの断片もかなりいたんではいますな」

「これは外に落ちていたのです。ぼくの推測では使用後五カ月ぐらい経っているはずです。その間には雨にも打たれているのに、まだこんなにねばねばしていますね。ぼくの靴の裏にくっついたんです」

　彼がこれを使用したとすれば、それは去年の十月三日だと正平は推定している。

「戸外の高圧線に巻くんですからね。少々くらいの雨ざらしでも粘着力はそれほど落ちませんよ。踏んづければ靴の裏に付くぐらいは当り前ですね」

「このエフコテープの新しい品をもらいます」

　値段は安かった。

「この種のテープは、どこの電気器具店でも売っていますか？」

「電気工事の請負をしている電気器具店ならどこでもありますよ」

「これも、電気工事に使いますか？」

　正平は、テープの断片と入れ替りにポケットから黒い紙の端をとり出して店主に見せた。

「いや、こんな紙などは電気工事には使いません」


　同じ道玄坂商店街に文房具店があった。

「こちらに、こういう紙がありますか？」

　瘠《や》せた店主らしいのが、客の出す黒い紙を見て、

「ありませんね」

　と、無愛想に云った。

「これは、色紙《いろがみ》の一種ですか？」

「色紙ならウチでも売っているけど、こんな色紙はありません」

「ははあ。どこへ行ったら、これと同じものがありますか？」

「文房具屋を探し回るよりも、紙屋《かみや》へ行ったほうが早いんじゃないかな」

「紙屋さんですか」

なるほどと思った。

「このへんに紙屋さんは……」

「ないよ」

「ありがとう」

煙草の煙を尖った口からふかす痩せた顔をあとにしてその店を出た。

渋谷駅にもどって地下鉄に乗った。日本橋あたりには紙屋があるだろうと思った。

——エフコテープを彼は何に使ったのだろう？

ときどき停車駅の明りがくる以外、闇の窓がつづく地下鉄は考えごとに適切であった。

電線ではない。現場にそんなものがないから、電線をつなぐのに使用したのでは絶対にない。ほかのものだ。他の物とは何だろう？　見当がつかなかった。彼がどこかの電気屋に入って高圧線用のエフコテープを買い、去年の十月三日夜に、あの現場に行ったことは確実だ、と思う。しかし、その用途がわからない。

彼は、あの場所に自家用車で行った。その車の器具なりエンジン部分なりにエフコテープを巻く必要があったのだろうか。

それだと、現場に光った「火の玉」と、車のどの機械部分とが関連するのか。車は陸橋のそばに置いたとする。その駐車場所と、「火の玉」を米津安吉が目撃した地点とは、八百メートルくらいの距離がある。その間を、彼が車に積んできた電線が地面を這う。距離が長いから電線を何本もつなぐ。そのつなぎ目にエフコテープを巻いたのではないか。

この想像が起ったとき、正平は胸がはずんだ。しかし、車と「火の玉」のような発光との関連がわからない。推測できるのは車のエンジン部分だが、それと発光体とはどう機能的につながるのか。また高圧線用のテープを巻いた理由は何か。そのへんがわからないと、考えは立ちどまる。

日本橋で路上に出た。陽の光にいちどきに包まれた。暗いところから出た眼には痛いくらいに光線が強くなっている。桜が散ると、初夏の前ぶれがそれにつづいていた。

紙問屋があった。表のトラックから紙を降ろしている。製紙会社から来たのだろう。店員たちが五連《れん》ぐらいずつ、フォークリフトで奥へ運んでいた。奥は深そうだった。店員たちの顔には、もう汗が出ていた。今日は温度が上がっている。

「ああ、これですか」

正平が呼びとめた若い店員は、彼が手にする黒い紙の断片を一眼見るなり云った。

「これは羅紗紙《らしゃがみ》ですね」

「ラシャ紙？」

「ほら、表も裏もなしに、紙の繊維がこんなに毛羽立っているでしょう？　それがまるで羅紗のようなんで、羅紗紙って云うんです」

「おもに、どういう用途に使うんですか？」

「そうね。かんたんな画の展示会などではバックの壁に張っていますね。画と額ぶちとが目立ちますから。それとか、建築中の家の遮蔽用とか、そんなものですね。粗悪ですから、室内の壁張りにはあまり使いませんね」

「全体の大きさはどれくらいですか？」

「全紙大ですよ。いま、われわれが運んでいる模造紙と同じ全紙の大きさで、タテ七九センチ、横一〇九センチです」

「それは街の小売屋さんにありますか？」

「問屋でなくても紙の専門店ならどこでも売っていますよ。全紙でなくとも半截や四つ切りにしたのがあります」

「どうも。忙しいところを手を休ませて済みませんでした」

親切な紙屋の店員に礼を述べた。

正平はそこから遠くないデパートに入った。買いものが目的ではない。売場の隅にある長イスに坐って考えごとをしたいからだった。前をぞろぞろと歩く買物客は眼にうつらなかった。

羅紗紙を彼はどういう目的に使ったのだろうか。――もっとも、あの現場に落ちていたからといって、彼が去年の十月三日に捨てたとはかぎらない。また、エフコテープと関係があるとは断定できない。この二つの品は、別々の人間が別々の日に捨てたのかもしれないのである。が、正平は二つとも彼がそこに持ってきて捨てたという考えを捨てきれなかった。

テープといい、羅紗紙といい、いったいそれらの用途は何だったのだろうか。正平は前かがみになり頬杖を突いた。

「受賞者の言葉」にそれを解くヒントはなかったろうか。活字の一字一句は頭の中に叩きこんである。それを追った。

《私は夢中でシャッターを押しました。炎の明るさでストロボは要りませんでした》

「言葉」の最後の部分だった。

（ストロボは要らなかった）

これが正平の心にひっかかってきた。

照明器具

炎の明るさでストロボは要らなかった。――玉突き衝突による発火で二台の乗用車とライトバン一台が燃え上がっている。たしかにその炎でストロボは不要であった。火焔の中から車体の黒いシルエットがのぞいているからこそ「激突」は凄惨な写真になっているのだ。ストロボで車が白く浮き出ていたら、写真としての効果は半減するだろう。

そのかぎりでは受賞者の言葉は妥当なことを云っている。そうは思っても、ストロボは要らなかった、というのに特別な意味があるように、沼井正平には感じられた。そのことを彼がわざわざ断わっているように思えてくるのだ。人間の心理として隠したい点は反対のことを云う。黙っていればいいけれど、それでは人から疑問をもたれそうで気にかかる。で、つい余計な言葉になる。

(炎の明るさでストロボは要りませんでした)

一見自然のようだが、これこそ余計な言葉ではないか。撮影データの説明にしては念が入りすぎている。発表写真を見ればわかることである。

ストロボが要らなかったと云うのは反意語ではないか。とすれば、彼はストロボを使用したのである。衝突現場の撮影ではなく、別な用途に。――

正平は、彼がこれと同じ嘘を云っていることに気がついた。沼津の夜景を撮るために下の県道や村道に降りたという言葉だ。それが撮影の条件と合致しないことは昨夜の現場踏査でわかった。それも彼が事故発生当時にその現場に居合せなかったことを「告知」したい心理からだ。普通には「事故発生のときは高原をさまよっていた」だけでよいのである。わざわざ県道や村道を持ち出すところに余計な言葉が入る。

正平はかけている長イスにじっとしていられなくなった。そのへんを歩きまわりたい衝動を覚えた。が、落ちつけと自分を抑えた。まだまだ考えることが多い。

イスの横では人が立って行き、別な者が来て掛けた。年寄りや子供づれの女が多く、入れかわりが激しい。前を流れる気ぜわしいデパートの客の、この人間あの人間と眺めているのもそれぞれの生活が空想できて、けっこう愉しいものだが、正平の眼には雑然とした風景としか映らなかった。また、いつまでも長イスに坐って煙草ばかり喫っている髭の男をはたの者が見れば、容易にやってこない待ち人にいらいらしているように思うだろう。

ストロボは白い光だ。「火の玉」のように真赤ではない。それに、ストロボの閃光は連続的ではない。乾電池《バッテリー》が充電するまでには三、四秒ぐらいの時間がかかる。目撃者の米津安吉は「ぴかっ、ぴかっと光った」と云っている。これは連続的な閃光だったことを意味する。それだと一秒くらいの間隔ではないか。事実、そうでなければ大型のアルミバン・トラックの運転手は急ブレーキを踏まないだろう。それも車の真正面の光でなければならぬ。

このへんがまだわからない。発光体がストロボだったという正平の推測はだいぶん強くなってきたが、その先が進まなかった。

母親に連れられた幼児が通る。デパートの名入りの青い風船を手にしていた。子供の歩みに揺れる風船を見たとき、正平は今朝出がけに会った近所の子供「シンちゃん」の眼鏡を思い出した。小学校一年生の兄が学校の図工でつくったボール紙の切抜き細工だ。眼鏡には青いセロファン紙が貼ってあった。兄のほうは茶色と緑で両方が色の違う眼鏡をかけているんです、と母親は云っていた。

正平は地階に下りる。婦人客の多い食料品売場だ。ここには、セロファン紙やうすいビニールを利用した袋がたくさんあった。中の商品が透けて見えるようにしてある。赤、青、黄。色のついたのは子供用の菓子袋である。正平は赤いビニール袋入りのあられを買った。白いあられが真赤な色をしている。

これで疑問の一つは解決できたと思った。ストロボのガラスに赤いセロファン紙かビニールをかぶせると、「火の玉」のような赤い閃光になるではないか。細工はこれであった。

暗い中だと、弱い光でもあかるく見える。たとえば自動車の尾灯だ。あの光はせいぜい十ワットくらいだが、それ以上に強く見える。ブレーキをかけた瞬間には一段と明るく輝くが、それでも二十ワット程度であろう。これはだれもが経験するところだ。

ストロボとなると、光が格段に強烈である。それは「太陽の光」に近い。結婚式のパーティとか集会などの記念撮影では、それが光ったあと数秒間は、眼の前に緑色の眩暈《げんうん》が漂うくらいである。

このストロボを赤いビニールかセロファン紙で蔽って、闇の高速道路上に発光させたとき、百メートル以内の距離では、それこそ「火の玉」が爆発したように見えるにちがいない。トラックの島田運転手が胆を潰《つぶ》して急ブレーキをかけたのは当然だった。

この「火の玉」をトラックのあとに走る後続車は見ていない。それは前に考えたように、アルミバン・トラックの高いボディに遮られていたからだ。ということは、その「赤いストロボ」がトラックの真正面で発光したからである。トラックのすぐ後に続く乗用車の会社員夫婦と、次の乗用車の山内明子は死亡しているが、たとえ助かったとしても、かれらは赤い閃光が眼に入らなかったと云うであろう。わずかに「火の玉」を瞥見《べっけん》したのは、右に逸《そ》れたライトバンの米津安吉だけであった。

ライトバンのあとに走っていた四台目以下の後続車の運転者たちは「火の玉」を見ていなかった。生存している彼らはみなそう云っている。

それはアルミバンのボディが高いからだが、それだけ赤い閃光が道路上に近い低い位置に起ったためである。あの場所は百分の三という勾配だが、これは走行車にとってそんなに急な下り坂ではない。

もし赤い閃光が道路上のもっと高い位置で発していたら、四台目以下の後続車のドライバーたちにもそれが見えたにちがいない。距離があればあるほど、トラックのボディは相対的に低くなるからである。それが目撃できなかったというのは、やはり閃光がトラックの真正面の道路上近くに起ったからだ。そうとしか解しようがない。

だとすれば、ストロボを持った人間は、疾走してくる大型トラックの真正面の道路上にしゃがんでいたことになる。

しかし、そんな自殺行為が彼にできただろうか。

トラックは急停車によって平衡を失い横倒しになった。そのときはすでに「火の玉」は後続車に見えなかった。トラックが転倒してしまえば「火の玉」の目的は達せられたからだろう。

正平は、赤いビニールの菓子袋をポケットに突込み、エレベーターで六階に上がった。六階は文房具、書籍、陶磁器、漆器、カメラ、絵画などの売場である。

書籍売場に入った。普通の本屋と同じように立読みの人が多かった。雑誌が前にならんでいる。

正平は、二、三のカメラ雑誌を手にとってみた。記事よりも、広告のページを繰った。最近のストロボの性能を知りたかったからである。

その一つ、あるカメラ雑誌の広告が正平の眼をひいた。

《閃光バッテリー "Everest"。撮影チャンスをとらえる兵器は「エベレスト」写真用アルカリ乾電池AM3（P）。――ストロボ発光400回（ガイドナンバー14クラス、250V昇圧、10秒に一回発光）という威力で写真用となった「エベレスト」LR6（AM3〝P〟）1・5V》

これはストロボそのものではないが、四百回の発光に耐えるというバッテリー乾電池の広告であった。

正平は、カメラ売場へ足を向けた。同じ階だから便利だった。

「連続発光するストロボですか？　モータードライブ用のですね」

焦茶色《こげちゃ》の背広の制服をきた若い店員は客に云った。

「えっ、あるんですか？　見せてもらえますか」

店員は奥にいって、カメラとストロボを持ってきた。

「発光した光が反射しますね、それをカメラのこの窓で受けとめて、次の契機にして連続発光するのです」

正平は、あの場面を思い起しながら聞き返した。

「じゃ、夜空に向けてモータードライブのシャッターを押した場合はどうなりますか？」

「それは連続発光しません。光が反射して戻ってきませんから。バッテリー自体の充電は三、四秒かかります。それに夜空に向けてストロボをたく人はいませんよ」

「そうですか……」

客が入ってきて、頼んだプリントが出来ているかと訊いた。店員は抽出しの袋を撰《よ》って調べている。もう一人の店員は、カメラを新しく買う客の応対に手がふさがっていた。

正平は陳列ケースの上に積んであるカメラ雑誌を漫然とめくっていた。まだ連続発光のストロボに未練があった。

広告ページに、鉄パイプのような長い棒の写真が出ていた。色が白く、銀色のような光沢を見せているのは、鉄ではなく、アルミか何かの軽金属製品だからだ。

《照明《ライティング》のアシスタントに。簡易スタジオのセットに――》

というのが、キャッチフレーズだった。

「これはどういう目的に使うのですか？」

プリントを客に渡して戻ってきた店員に正平は広告の写真を示して訊いた。

「ああ、それはライトをとりつけるポールキャットです。つまり、室内の撮影に照明器をとりつけるのに、適当な場所がないときに、床と天井との間にこれを立てて臨時の柱にするんです。その柱に照明器を二つでも三つでもそれぞれが思うような方向に取り付けられるんですよ。ポールキャットは伸縮がききます。種類はいろいろあるけど、いちばん長いので四メートル近くまで伸ばせます」

広告の文句には、

《ポールキャットは軽量で、車での持ち運びも簡単に行なえます》

とあった。

「重量はどれくらいですか？」

「ポールキャットじたいは二キロ足らずです。これにライトをいくつもとりつけると、そのぶん重くなりますね。わたしどもの店には置いていませんが、今月号のこの雑誌にはその説明が出ていますよ」

正平はカメラ雑誌を買った。

《ポールキャットと、そのアクセサリー
バネ伸縮式の軽金属バーで、天地にゴムの吸着部をもち、多少のことなら自由な調節式で天井と床の間に一本の支柱となり、クランプ式のライトはもちろんのこと、アクセサリーの支持部、ツロスバーなどの使用でバックのつり下げ用など各種に使いわけられる。部屋のアクセサリー保持用としても使える》

正平はこの雑誌を抱えてデパートを出ると、やはり日本橋界隈《かいわい》にある大きなカメラ店へ入った。

「ポールキャットを見せてください」

店員が奥から取り出してきたのは、広告や雑誌記事の写真に載っていたとおりの軽金属の棒《バー》だった。両端には黒いゴムが付いていて、これが天井と床に吸着するようになっている。

「これでいちばん長く伸ばすと、どれくらい？」

正平は、三段に伸縮できる部分に眼をやって訊いた。

「約四メートルですね」

「照明器具の取り付け方は？」

「ライトは、こうしてセットします」

店員は朝顔形のライトを二個持ってきて、ポールの上下に取りつけた。樹木の幹に短い小枝が互い違いに付いた形になった。

ポールキャットに取り付けた小さな金属器具は、洗濯挟みの形に似ている。それは自由雲台になってライトを思うような方向にむけ、ネジで固定できるようになっていた。

ポールキャットにはコードが二本設定されている。コードは、二個のライトの後部、ライトが朝顔の花だとその茎《くき》にあたる部分に接着して、電源の差込み口につながっている。そうしてコードにはスイッチが付いていて、そのスイッチボタンを押して照明をつけたり消したりするようになっている。

こうした部品の名称と用途を正平は店員から教わった。

「スイッチは二本のコードに一個ずつ付いていますね。この二個のスイッチをつづけて二度押すと、連続した発光になりませんか？　ぱっぱっと閃光が発するような……」

正平は、スイッチをじっと眺めてきいた。

「閃光ですって？　これはストロボと違います。ライトは、かなりの時間をかける撮影用の照明ですから、そんなに点滅させる必要はありません。撮影中、被写体にじっと照明を当てているんですから」

店員はライト本来の用途を述べた。それは正平の意図とは違う。だが、彼は店員にそれを云わなかった。

正平自身にもこれまでの推測に反省が起った。ストロボではなく、クランプ式のライトを彼は使用したのではなかったろうか。

「ポールキャットのいちばん長いので、四メートル以上のものはありませんか？」

「四メートルが、現在のところ市販されている最長です」

正平はポールキャット一本と、クランプ式ライト二個、付属品一式を買った。

アパートの部屋でそれを組み立てた。床から天井までが二メートル十センチだ。伸縮自在のポールがきっちりと立って銀色の支柱ができた。それにクランプ式ライトの二つの朝顔が咲いた。

それだけを眺めていても、カメラ雑誌が云うとおり、けっこう室内のアクセサリーになった。

しかし、ポールキャットは上下に立てるだけとはかぎらない。撮影以外の目的だと、それを手に持って横に突き出すことだってできる。

しかし、まだ難点がある。

ライトのコードは電源、つまり室内のコンセントなどにさしこむようになっている。むろん戸外にコンセントなどはない。現場は高速道路わきで、荒野にもひとしい。ライト用のバッテリーもなくはなかろうが、それだと大きなものになろう。また、あそこに持参するにはライトは大仕掛すぎる。

――やはり、彼が使用したのはライトではなく、ストロボかもしれない、と正平は思った。二個のストロボをポールキャットにセットした、とも考えた。

紹介者

五月の連休が「こどもの日」で終った。長い休みの惰性を曳きずって、ビジネスマンの機能がふたたび始動する。

山鹿恭介は午後五時半ごろ、福寿生命保険株式会社藤沢支社に外回りから帰った。支社は駅北口に近いビルの四階を三部屋借りている。その端が外務部の部屋で、机が八つあった。保険加入勧誘を主たる仕事にしている外務員が八人。壁に棒線のグラフを書いた大きな紙が貼ってあるが、その棒も八本である。それぞれに外務員の名前がある。

山鹿恭介が部屋に戻ったとき、七つの机にはだれもいなかった。みんなまだ外回りをしている。外務員は連休疲れなどをいってはいられないのだ。固定給と、契約高による歩合《ぶあい》制だが、むろん歩合が主要な収入であった。壁のグラフの棒も、八人の外務員の尻を叩き、互いの競争を煽《あお》る。山鹿恭介の成績は二番目だった。

恭介がかなり重い革製のカメラバッグを自分の机の上にどたりと乗せたとき、女事務員が入ってきた。

「山鹿さん。二時ごろに、あなたに電話がありましたよ。保険加入のことで話をしたいので、帰られたら、ここに電話してくださいって」

「ああそう」

恭介は彼女が置いて行ったメモを見た。

《横須賀市入船町二ノ五三。「ホテル・キャナル」三〇二号室。中野晋一》

ホテルの電話番号が添えてある。

初めての名前だった。外回りに出ている留守にかかってくる電話はほとんどが契約した加入者からのもので、面倒な相談ごとや苦情などである。新規加入の希望者が外務員を名指しで電話してくるのは、曾て彼が契約したことのある加入者の紹介が多い。それだから契約者にはアフターケアが必要で、彼はそれを大事にするほうだった。

なんにしても先方から名指しで云ってくるとはありがたいことだった。

中野晋一という人は、いまホテルに滞在しているようだから、横須賀の居住ではないらしい。だが、旅行者にしても本人の居住地に福寿生命の支社、出張所、特約店が全国的にあるから、加入後の集金などはそっちの支社へ回せる。こちらには契約の歩合が入るのだ。

山鹿恭介はメモの電話番号にダイヤルした。

「ホテル・キャナルでございます」

交換台の女の声だった。

「三〇二号室に、中野さんという方が泊まってらっしゃいますね？」

「ちょっとお待ちください」

調べているようすだったが、すぐに声が戻った。

「はい、おられます」

確認はとれた。ときどき、悪戯《いたずら》電話がかかってくることがあるので、確かめなければならない。

「そちらさまは？」

「福寿生命保険の山鹿といいます」

受話器に接続の音が鳴った。恭介はすこし緊張する。契約が取れるか取れないかだ。一種の賭《か》けである。問合せは数多くても、成功するのは、そのうちの十何分の一くらいであった。契約に漕ぎつけるまでが苦労だ。先方にはたびたび足を運ぶ。手土産を持参したり、社の記念品を贈呈したりしてご機嫌をとり結ぶ。面会する先方の日時の指定にも文句なしに従わなければならぬ。こちらの都合ばかりは云えない。このごろは客のほうも黠《わるがしこ》くなっていて、他社のサービス条件をもち出したりしてこちらに屈服を強いる。あるいは先方へさんざん通った末に、悪いけどあれは他社と契約を済ませたなどと平気で宣言される。この仕事、ほとんど「千三つ」と変らない、と慨歎することが多い。

だが、腹を立ててはならなかった。辛抱と粘り強さが困難な対手《あいて》を攻略する道であった。山鹿恭介は人一倍その性格が濃厚だと同僚にいわれた。それでこそグラフの彼の成績は、たえず一、二位を争って、それ以下にさがることがなかった。平均月収は百万円ほどだった。――

もしもし、と受話器から男の声が流れた。

「もしもし。こちらは……」

恭介はすこしあわてて云った。

「福寿生命保険の山鹿と申します。失礼ですが、中野さまでいらっしゃいましょうか？」

「はい、中野です。ああ、山鹿さんですか？」

渋いが、先方の声はよく徹《とお》った。すぐに山鹿の名を云ったので、先方がはじめから彼を指名しているのがよけいにわかった。これも誰かの紹介だろうと恭介は思った。

「二時ごろ、会社のほうにお電話したのですがお留守だったので、伝言をしておきました」

先方は云った。

「恐れ入ります。その御伝言を係の者から承りましたので、帰社匆々《そうそう》にこうしてお電話申し上げました」

「どうもありがとう。じつはですね、おたくの生命保険へ加入のことで、お話を聞かせていただきたいと思いましてね。さしあたり四人か五人くらい加入の希望者があるんですが」

「どうもありがとうございます」

一口だけでなく、四、五口とまとまればこの上ないことだった。近ごろ滅多にない話だった。

「ついては電話ではなんですから、こちらに来ていただけませんか？　横須賀では遠いかもしれませんが」

「もちろんよろこんでお伺いいたします。いえ、藤沢から横須賀までだと電車で一時間もかかりません。あの、これからお邪魔してもよろしいでしょうか？」

「八時ごろにしていただくと、ありがたいですね。それまで来客がありますから。そんな遅い時間でもあなたのほうはいいですか？」

「けっこうです。わたしのほうは、先《さき》さまの都合で、もっと遅いお時間によく伺っておりますから」

「じゃ、お待ちしています。ご足労かけますが、山鹿さんには、ほかのお話もお聞かせねがいたいと思っているものですから」

山鹿恭介は、近くの中華料理店に入って腹ごしらえをした。いったん家に戻ると、晩酌をしたりして、つい落ちついてしまう。それに時間があまりなかった。仕事の場合、夕飯はたいてい外食ですませた。そのほうがビジネスオンリーの気持になれた。

横須賀のホテルに泊まっている中野晋一という人の職業は何だろうか、と恭介は中華料理の皿をつつきながら思った。来客があるというから、横須賀に出張できているどこかの商社の幹部社員かもしれない。四口も五口も保険に入るような口吻《くちぶり》だったが、それは家族や親戚というだけでなく、知人を紹介するのかもしれない。商社の幹部社員なら、顔の広さからいってそう考えられる。

だれが自分のことを中野氏に紹介したのだろうか。恭介は顧客《とくい》の顔をあれこれと浮べた。顧客は保険会社のサービスが行き届き、係が親切ならば、その者に好意をもち、他の加入希望者に名指しで紹介したがるからだ。しかし、いろいろ考えてみたがすぐには心当りがなかった。

さっきの電話ではそれを聞きそびれたけれど、とにかく横須賀へ行って中野晋一という人に会えばすべてが分ると思った。

食事が終って、傍の堂々としたカメラバッグの紐に手をかけたとき、相手が電話の最後に、

(山鹿さんには、ほかのお話もお聞かせねがいたいと思っているものですから)

といった言葉が耳にもどった。

——もしかすると、それは「激突」の写真のことではなかろうか。

新聞の威力は大したもので、あれがA紙に出てからは全国の未知のカメラマンから賞讃の手紙をもらった。自分もああいう報道写真を撮りたいと熱気のこもった文面が多かった。

それだけでなく、生命保険の顧客、彼が勧誘したり、期限が切れる前に契約の更新をしたり、

あるいは不幸があってその遺族に保険金の支払いについて面倒をみたりしたそういう関係者からも、直接に驚歎や賞讃の電話をもらった。なかでもカメラ愛好者にそれが多かった。

中野晋一という人も、カメラファンの一人ではないかと思った。ほかの話も聞きたいというのは「激突」のことかもしれない。そう考えると、自分を名指しで電話してきたことも納得できるのである。

そうだとすれば、この契約の話はたやすく成功すると、恭介の心は勇んだ。趣味の一致した者どうしは、はじめから親近感を抱くものだ。まして相手が素朴なアマチュアなら、自分を生命保険の外務員というよりも、その道の先輩として見るだろう。新規加入を四口も五口も用意しているというのは、自分と近づきになりたいための土産の意味ではないだろうか。熱心なアマチュアはそれくらいの積極性をもつものである。

先方に会うまでは、まだなんともいえないけれど、恭介にはどうもそのように推測された。彼はもう頭の中で、先方のカメラ歴や知識の程度に応じて話すべきことを浮べていた。

七時に、藤沢駅前の店で手土産の果物籠を買い、タクシーを拾った。電車よりも時間的には早く着くし、この重い果物籠を持っている。タクシーの運転手はホテルのありかも知っているから道に迷わないですむ。仕事で乗り回している自分の車は、エンジンの調子が悪くて整備に出していた。

夜の横須賀市内に入った。横文字のぎらぎらした看板がならぶ土産物《スーブニール》店街「ドブ板通り」を通る。アメリカ人と日本娘とが手を組んで歩いていた。その通りを途中から左に折れて、丘の裾に突きあたった。そこからジグザグの自動車道路を登って「ホテル・キャナル」の玄関前に着いた。とくべつに立派というわけではないが、まずは市内の一流ホテルであった。

ふりかえると、港に碇泊《ていはく》する船の灯が眼下にちらばっていた。

肩にカメラバッグ、片手に果物籠を提げた山鹿恭介は、ホテルのフロントに歩み寄った。

三階の三〇二号室を恭介が低くノックすると、待っていたようにドアが内側からすぐに開いた。現れたのは、髭の顔だった。近ごろはこの中東人の容貌が日本人の間に流行として定着している。髪も長い。

「福寿生命保険の山鹿でございますが」

山鹿恭介は入口で頭をさげた。

「やあどうも。中野です。遠いところをご足労かけました。さあ、どうぞ」

中野晋一ははじめから、保険勧誘の訪問者に親しみのある態度を見せた。肩が張っていて、背も高かった。

二間つづきの居間であった。仕切りドアの向うはもちろん寝室である。このホテルでも上等の部屋にちがいない。

「さきほどは、お電話をありがとうございました」

恭介は、名刺をさし出し、手土産をテーブルの上に置いた。

「どうも恐縮です」

中野晋一は果物籠の礼を云い、それを窓ぎわの机の上に置き直した。その机上には本やノートや原稿用紙のような紙が乱雑に乗っていた。商社の幹部社員だと想像していた恭介は、それらを見て相手の職業にちょっと見当がつきかねた。中野晋一はラフな服装だが、目立たないところに凝った神経が行き届いていた。豊かな生活の人だと恭介は見た。

その間にも先方は山鹿恭介の名刺に見入っていた。髭の口辺に微笑があった。

「さあ、どうぞ」

中野晋一は恭介にイスをすすめた。名刺は出さなかった。

「けっこうなお部屋ですね」

恭介はまず部屋を賞めた。大きなフロアスタンドの向うにカーテンを開いた窓がある。窓には外国船の灯が映っていた。暗い海は浦賀水道であった。その向うの小さな灯の瞬きは房州であった。

「仕事の関係上、こういうホテル住いをしています。じつは、ぼくはジャーナリストでしてね。特定の社に所属してなく、ひとりでそういう方面の仕事をしています」

中野晋一は云った。

その説明で机に乗っているものに納得がいった。

ひとりでジャーナリズムの仕事をしているというのは、週刊誌などのいわゆるトップ屋かもしれないが、相手はそんなふうにも見えなかった。あるいは、もっと著名な評論家かもわからなかった。が、中野晋一という名前は聞いたことがなかった。

けれども、一般のジャーナリズムとは違う特殊な世界もある。政治経済関係などがそれである。これらは一般にはあまり知られていない。このホテルの立派な部屋を借りていることといい、身なりの目立たない贅沢さといい、それとうなずかせるものがあった。というのは、それらジャーナリストには原稿料などよりもはるかに多額な特別収入がある、と恭介は聞いていたからだった。

中野晋一は電話でコーヒーを持ってくるように命じてから、自分のイスに落ちついた。

「山鹿さん。あなたに保険加入のことで来ていただいたのは、じつはあなたのお名前を存じ上げていたからですよ」

中野晋一は、にこにこして云った。

はははあ、やっぱり、と恭介は心に合点した。新聞に出た「激突」の写真のことだ。ジャーナリストだけに、中野はあれを知っている。電話で中野が（山鹿さんには、ほかの話もお聞かせねがいたいと思っているものですから）と云ったこともそれにちがいなかった。

事実、中野の眼はさきほどからちらちらと恭介のカメラバッグに流れていた。それは使い古してはいるが、いかにも専門家用といった威厳を感じさせるバッグだった。

「ははあ、なんでしょうか？」

恭介は、わざと気づかぬ顔できいた。

「いや、それはね、あとの愉しみにゆっくりうかがうことにして、まず、あなたのお仕事関係の生命保険加入の件をさきにお話ししましょう」

中野は、煙草をとり出し、恭介にもすすめて云った。

それそれと、恭介は思った。かんじんの商売の話が第一である。

「ぼくは、こういう仕事をしているので、わりと顔は広いほうです。そこで、ぼくからすすめると、さしあたって四人や五人は、少々無理をしてでも生命保険に加入してくれると思うんです」

恭介は頭をさげた。中野晋一が顔の広いことは事実だろうと思った。その「顔」の手前、義理で保険に入ることも十分に考えられると思った。

「ついては、保険契約の条件といったものをぼくに聞かせてくれませんか」

山鹿恭介は、よろこんでカメラバッグを引き寄せた。生命保険のパンフレットとか保険加入条件の一覧表とかいった資料は、カメラといっしょにこのバッグの中にあった。バッグは書類入れを兼ねていた。

霧笛の部屋

山鹿恭介に渡された福寿生命保険の資料に中野晋一は眼を落している。眉根を寄せた顔が髭のためによけいにしかめ面にみえた。

死亡保険金にたいする掛金の払込み金額、年払いの利点、年齢差と掛金の比率、普通死亡と災害死亡の払戻し金額、養老年金的な「特別終生安楽保険」十数種、それらの保険料例表、他の生命保険会社とは違うさまざまな特典——パンフレットなどのそういった活字を、対《むか》い側のイスに坐った恭介は中野晋一へさらに詳しく説明した。もとより馴れた口調だし、言葉は練られていた。

「わかりました」

中野晋一はいちいちうなずいた。資料を折りたたみテーブルのわきに置いて、飲みかけのコーヒーに口をつけた。

「もらったこの四組の資料をぼくが四人の知人に渡します。あなたから聞いた話も伝えて加入をすすめてみますよ」

「なんでしたら、わが社のほうからご先方へ資料を取り揃えて送らせていただきましょうか」

恭介は積極的に云った。

「いや、それはぼくが一応話してからにしてください。いきなり保険会社からそういう資料を送りつけられても先方はとまどうし、逆効果になってもいけませんからね。たいていの者がすでにどこかの会社の生命保険に入っていますのでね」

それに割りこんで新規加入を勧めてあげようというのだからこちらの紹介にも慎重を要する、という中野晋一の口吻《くちぶり》であった。

「ごもっともです」

恭介は頭をさげた。

できるなら紹介してくれる先の住所・氏名・職業を知りたかったのだが、この際無理は控えねばならなかった。嫌われたらそれきりになってしまう。

「ぼくもね、いずれ近いうちにおたくの保険に入りますよ。そう、来月初めあたりですかね。他人《ひと》にすすめて自分が加入しないというのはヘンですからね。そのときは連絡します」

気むずかしく見えていた顔が笑った。

「ありがとうございます」

今月はあと二十日余りである。来月初めだと一カ月以内に先ず中野晋一と契約できるのは確実そうだった。

「ご連絡いただいたら、こちらにおうかがいすればよろしいでしょうか？」

「いや、そのときはたぶんもうぼくは千葉に戻っているでしょうね。このホテル住いも仕事の関係ですから。その仕事がすこし長くかかるけど、それまでには終る予定です。千葉からあなたに連絡しますよ」

「はあ。千葉にお住まいですか？」

「祖父の代からの家があるんです。ジャーナリズムに足をかけている仕事の関係上、東京に居たほうが何かと便利なのはわかっているけど、そういうわけでぼくは千葉から動けないんです。で、今回もこうしてここのホテル住いです」

どうやら千葉の素封家《そほうか》のようであった。仕事上の顔のひろさに加えて素封家としての交際があるらしい。紹介してくれる先の質のよさや社会的地位などが想像できた。

ご住所は？　と恭介は訊こうとしたが、さきほどの相手の言葉もあったし、連絡されるまで待とうと思った。逸《はや》りすぎてもいけないと自制した。

「千葉のほうにもおたくの支社がありますね？」

「はあ、ございます。しかし、契約はわたしの手でやらせてください」

歩合収入が第一である。よその支社に横取りされては困るのだ。

「もちろんです。だから、あなたにここへ来てもらったんです。集金は千葉支社が担当するでしょうからね」

「はい。そのとおりでございます」

中野晋一は考えていたが、

「そうですねえ、さしあたり加入の確実なひとが東京の文京区に一人居るんですが。ぼくがそのひとにすすめてみて、当人がその気になったら、あなたは藤沢からそこへ足を運んでくれますか？」

「もちろん、おうかがいいたします。藤沢から東京までは電車で一時間くらいですから。東京には始終行っています。あの、文京区はどの辺でしょうか？」

「いや、それはね、ぼくが先方の意向をたしかめてから教えますよ。名前といっしょにね。女性は気持がデリケートですから」

「はあ、ご婦人ですか？」

「ぼくから話しておかないとね。その前に生命保険会社から電話がかかったりすると警戒しますからね」

「あなたからご連絡があるまでは、いっさいそういうことはいたしません」

船の灯が光を増していた。灯は動かず、窓ガラスに貼りついたようになっていた。

「中野さん」

恭介は思い切って訊《たず》ねた。

「ご好意はたいへん感謝します。ですが、どうしてわたしをお名指しでこんなありがたいお話がいただけるんでしょうか。どなたかにわたしの名前をお聞きになったのでしょうか？」

「だれからもお聞きしていません」

中野晋一は微笑した。

「それはね、ぼくが新聞であなたの名前を知ったからです。A新聞に出たニュース写真の年間最高賞の『激突』ですよ。あれにたいへん感動したんです」

ああやっぱりそうか、と恭介は思った。

「それでね、A新聞社に電話してあなたのお勤め先を教えてもらったんです」

「どうもありがとうございます。そうすると、中野さんもカメラファンでいらっしゃいますか？」

恭介は急に気が楽になるのをおぼえた。

「下手の横好きでしてね。カメラ歴は相当に古いけれど、上手になれませんね」

相手は苦笑まじりに云った。

「やはり、どの世界もそうですが、やっているといろいろと壁にぶつかるものです」

恭介は穏当なところを云った。

「ぼくもね、仕事が忙しいからカメラをそういじっているひまがない。それで、腕が上がりません。けれど、写真は好きだからカメラ雑誌などを見て満足していますよ」

「カメラ雑誌をですか？　そりゃ本格的ですね」

「そういわれると恥しいです。どこまでもアマチュアの興味ですから」

「写真の傾向としてはどういうのがお好きですか？」

「そうですね。以前は風景とか人物とか動物などでしたね。そういうの、サロン写真というんですか……」

「はあ。そうですね」

つい、気に入らない顔色が恭介に出た。

「サロン写真は、お好きでないですか？」

中野はこちらの表情を見のがさなかった。

「いや、サロン写真も悪くはないです。わたしも以前はそれを一生懸命やったものです。しかし、だんだんあきたらなくなりましてね。一つにはサロン写真の名称が示すように、それは遊びの趣味になってしまうと思うのです。それも心に滲《し》みるような画面になればいいけど、そういう精神的なものが忘れられて、色彩とかレンズ技巧とかが表に出てくる。このごろはカメラの性能が日進月歩で非常によくなりましたからね。そのために誤魔化しがきくんです。サロン写真はだんだん小手先の器用さばかりが目立ってきて、撮影者の精神が失われてきています。ですから、カメラの性能進歩は、カメラマンの堕落にもつながっているわけです。……どうもエラそうなことを云って申し訳ありません」

恭介はぴょこんと頭をさげた。

「いや、お話はよくわかります。そういうことで報道写真へ転向されたんですか？」

「報道写真のほうがずっと現代的ですからね。これは時代の記録であり、証言ですから。サロン風な写真よりもずっと撮り甲斐がありますよ」

「新聞に載った『激突』のような迫力のある作品を拝見すると、たしかにそのように思いますね。藤沢にはそういう同好の方がおられますか？」

「おりませんね。わたし一人くらいなものです」

「あの当選発表の記事中にあったあなたの紹介に、前全国報道写真家連盟会員、現在写真家団体に所属せず、とありましたが、それはそういうことからですか？」

「そうです。わたしは藤沢に湘南光影会というのを作ったんですが、自分から脱退しました」

「ご自分で作った会を脱退なさったんですか？」

「妙な話ですが、そうなんです。というのは会の幹事二人と意見が合わなくなりましてね。この二人はなかなかの腕を持っています。一人は藤沢の商店街でカメラ店を経営しています。一人は奥さんが美容院をしているために時間がありあまっていて、そのぶんフルに写真道楽に使っているのです」

「ははあ」

「ところが彼らの撮っているものといったら、いま申し上げたようなサロン写真ばかりでしてね。

だいぶん議論した末に、わたしは袂《たもと》を分かったわけです」

「以来ずっと一人ですか」

「そういったところです。そのほうが自由でいいですよ。孤独のほうが好きな道に打ちこめます」

「全国報道写真家連盟を脱けられたのは？」

「あれは湘南光影会の上部団体です。ですから湘南光影会を脱退すれば、自動的に全報連の会員ではなくなるわけです」

「ああ、そういうことですか。じゃ、文字どおり一匹狼ですね。そういうことがおできになるのも、あなたに実力があるからでしょう。実力のない者は何かの組織に入っていないと心細いですから。とかく小さな魚は群れたがる、でね」

「わたしにそういう実力はありませんが、さいわいなことにわたしを支持してくださる大先輩がいます。古家庫之助さんといって報道写真界の権威です」

「カメラ雑誌だけでなく一般の雑誌でも古家さんの有名なお名前はよく拝見しています。たしかA紙の報道写真公募の審査委員長でしたね。あなたの『激突』を激賞しておられたじゃありませんか？」

小さい船のエンジンの音が窓に走っていた。

「古家さんはわたしの心の先生です」

恭介はイスの上で姿勢を正して云った。

「わたしが湘南光影会に居るときに、全報連から講師として藤沢にお招きして講演していただいたのが、お近づきのはじまりなんです。それからずっとご指導を受けています。わたしが湘南光影会仲間のサロン化について悩みを申し上げると、自分もそれに同感だから、きみはあの会を脱退した方がいいだろう、とおっしゃっていただきました」

「湘南光影会からの脱退は、古家さんのサゼッションですか？」

「というわけでもありませんが、わたしの行動を支持してくださったのです。わたしは古家先生を尊敬しています。先生とは文通していますし、二カ月に一回のわりで東京へ出て先生にお目にかかっています」

「たいへんな私淑ですね」

「といって誤解しないでください。わたしの『激突』がA紙の年間最高賞になったのは、審査委員長の古家先生がえこひいきされたためではありません。先生はそんな方ではありません。きわめて公平無私で、審査には厳格な人です」

恭介は力をこめて強調した。

「むろんそれはそうでしょう。発表された入選写真を見ればわかりますよ。『激突』ほどの傑作が、そうザラにあるものではありません。おそらく十年単位に見ても、あの作品はベスト5のなかに入ると思いますよ」

中野晋一は口を極《きわ》めて賞めた。

「どうも」

恭介の気分は高揚していた。いままでは保険の紹介者として中野晋一に頭をさげつづけてきたが、いまは立場が変っていた。相手はカメラ歴が古いといっても幼稚な素人である。どうしてもこちらが「教えてやる」という意識になっていた。

「ああいう『激突』のような決定的瞬間の写真は、どうして撮れるんですかね。やはりチャンスを待っているんですか？」

「そうです、チャンスを待つしかありませんね。ですから、わたしはこうして仕事で歩いているときでも重いカメラバッグを肩にかけています。チャンスは偶然ですからね。偶然に出遇うには四六時中、カメラを持っていないといけないのですよ」

「報道写真を撮る人はみんなそういう心がけですか」

中野晋一は恭介のいかにも専門家用らしい立派なカメラバッグにまた視線を向けた。

「たいていの者がそうなんじゃないかと思います。古家先生も、およそ報道写真を志す者はどこへ行くにも常にカメラを携帯してチャンスに備えなければいけないと口癖のように云っておられます」

中野晋一はバッグを見ながら髭をなんとなく撫でていたが、好奇心を浮べた眼で云った。

「けど、いくら始終カメラを持っていてもチャンスに恵まれる人とそうでない人とがあるでしょう？　各紙の報道写真の入選作品を見ても、あんまりいいのがないのは、そういうことからじゃないですか。つまり絶好のチャンスはそう滅多にあるものじゃないということですかね？」

「問題はそれです。そこが公募する各社の悩みですし、審査員の悩みでもあるわけです。といって、こればかりは偶然にたよるしかありませんからね。各紙とも月間賞に凡作がならぶのはそうした理由からです。こんなに駄作ばかりでは仕方がないから、カメラマンはチャンスを待つというよりもチャンスを作ったらどうかという声が、審査員と新聞社写真部員などの集まりの際に出るんです。新聞社としても、同様な企画をしている他社に負けたくないという競争意識がありますからね」

「そうでしょう、そうでしょう」

中野晋一は身を乗り出した。

「主催者側の気持はわたしなんかにもよくわかりますよ」

恭介はこの素人を前に、快い躁《そう》の状態にあった。

「チャンスをつくるというのは、どういうことですか？」

「いや、それはね、あまり不作がつづくので、主催者側にそんな冗談が出るわけです。冗談ですよ。まさか火事の写真を撮りたいために人の家に火を付けるやつはありませんからね」

「いい作品が集まらないから、会合の席上でついヤケ気味で、そういう冗談が出るのは理解ができますね。古家さんもそういう冗談を云われますか？」

「わたしなどはそんな会合に出たことはないのでわかりませんが、なんとなくほかの仲間から伝わってくるんですね。古家先生は冗談が好きなほうですから、内輪の席上で、チャンスはカメラマンが作れって、そういう発言をなさるかもしれません。応募写真の不作つづきに腐っている写真部長だって、そういう冗談に調子を合せたくもなるでしょうね」

「そうなると、あなたの『激突』はますます貴重な作品ですね。古家さんの選評にもあったように、一万に一つか十万に一つの偶然ですからね。審査委員長の古家さんも写真部長もあれにはひどくよろこばれたでしょう？」

「はい、よろこんでいただけました。わたしの運がよかったんです」

暗い海上から霧笛が長く尾をひいて聞えた。

電話と活字

山鹿恭介は午後四時ごろ外回りから会社に戻った。

カメラバッグから生命保険加入申込書や家族身上書などの書類をとり出して眺める。今日は七千万円の保険契約が一口きまった。四十二歳の中小企業の社長だ。身体はかなり肥満している。本人の話だと、とくに病歴はない。健康は順調で、毎日早朝ジョギングを欠かさないと云う。話をすすめて二カ月目にとれた契約だった。

恭介は福寿生命保険藤沢支社の嘱託医に電話する。市内の内科医だった。先方は明後日の午前十時半に自宅に来てくれと云っているが、先生のご都合はどうですか。いいでしょうと内科医は答える。よろしくお願いしますと恭介は満足そうな声で電話を切ったあと、十四日午前十時三十分、医者を連れて先方へ行き、健康診断を行なうこと、と手帖に書く。医者の診断結果でＯＫが出れば、七千万円の契約は完全となり、歩合収入が確実となる。

医者との交渉の電話が終り、恭介はひとまず吻《ほっ》として煙草をふかした。煙の先に壁のグラフがあった。

先月は一位との差が相当にある。が、今月はその差が縮まりそうだ。来月は一位になるかもしれない。横須賀のホテル・キャナルに泊まっている中野晋一の紹介が実を結べば、大口の契約が少なくとも三口はすぐにもとれそうだ。中小企業の経営者とはちがって財界人や政治家なら高額保険金の契約となろう。主契約のほかに「特約」の組合せ（傷害特約・災害入院特約・家族傷害特約・家族災害入院特約・疾病特約・成人病特約など）も取れるにちがいない。中野晋一は普通のジャーナリストではなく、政財界に顔が広いようだ。

煙草を快く一本吸い終り、事務の女が出した番茶を飲んでいるところに眼の前の電話が鳴った。

「中野晋一さんとおっしゃる方からです」

交換台の声に恭介は胸がどきんと鳴った。当の御本人からである。

「もしもし、山鹿でございます」

「金曜日の夜、横須賀のホテルでお会いした中野です」

声は、霧笛が伝わる部屋で聞いたのと同じであった。髭の顔が浮んでくる。

「あ、どうもどうも。その節はたいへんありがとうございました」

恭介は送話器にできるだけ叮重な声を送った。

「いや、こちらこそ。長くお引きとめして、ご迷惑でしたね」

「どういたしまして。わたしのほうこそ長居をいたしました。どうもカメラの話となると、好きな道だもんですから、思わず話に身が入りすぎまして、なにやら勝手なことを申し上げたようでございます。失礼いたしました」

「とんでもない。たいへんに参考になりました。あれから少々昂奮してすぐには寝つかれなかったくらいですよ。あのときお願いしたことも、ぜひ実行させてくださいよ」

「承知いたしました。そのうち、ご都合をうかがった上で、お誘い申し上げます」

恭介はつつましい微笑を声にまじえた。

中野晋一が頼んだことというのは、いつかの機会に撮影現場に自分も同行し、恭介独自の撮影のやりかたを見学させてくれ、というのであった。恭介は承諾した。ホテルの部屋から帰りぎわにはそう口約束にまでなったのである。

恭介としては、中野晋一が数口の高額生命保険の加入を紹介してくれる人間だという商売上の計算も十分にあったが、また一方では、カメラの先輩としてそのほうの話を教えてやろうという意識があった。先方の写真歴は古いというけれど、たぶん素人に毛の生えた程度にちがいあるまい。当人が云うように「下手の横好き」だからこそ、自分のカメラの話に身を乗り出して聞いていたのだ。「激突」に感激した彼は、写真家としての自分を尊敬している。天才的なカメラマンとも思っているようである。

人はだれでも才能豊かな者を讃美するものだが、恭介は、自分に寄せる彼の気持もそれに近いのではないかと思う。愛好する写真の世界だから、人一倍それが拡大した心理になる。普通にはあまり関心を払われない人間でも、趣味の同好者からは大きな評価を受けることが多い。それが「専門」分野の世界というものだ。文学青年がまるで文学を軸に地球が回っているように思いこむのと同様なことが、写真愛好者にも当然にある。

中野晋一が保険加入者の紹介を持ちこんできたのは、それをきっかけにして写真家の自分に近づきたかったのだ、と恭介は思っている。保険会社外務員の山鹿恭介を指名したのではなく、写真家山鹿恭介が最初からの目当てだったのだ。保険加入者の紹介は、いわばつけ足しというか、彼の手土産だ。そういう相手の熱意がホテルの部屋へ訪問後まもなく恭介には分ったから、こちらは愉快な気分で報道写真のレクチュアのひとくさりもしたし、相手の熱意に動かされて撮影現場へ連れて行くことも承諾した。撮影技術を臨場解説する約束にもなった。

だが、これは決して無駄骨ではない。もし、中野晋一を「弟子」にすれば、顔のひろい彼はさらに保険加入者を続々と紹介してくれるだろうからだ。挙績グラフの一位という栄誉と収入の増加である。会社の待遇もよくなる。

収入がふえることで、そのぶんカメラや機材がふんだんに買えるのである。写真は腕だけではなく、レンズ、カメラ、機材のすべてがよければ、当然にもっといい写真が撮れる。弘法筆を択《えら》ばずという諺《ことわざ》があるけれど、弘法大師だっていい筆を使えばいい字が書けたにちがいない。

金さえあれば国産のものだけでなく、外国製のカメラが思うままに買えるのだ。35ミリならドイツのライカだが、最新型ではR3というのが発売されている。一眼レフでボディ三十四万円、50ミリのレンズで二十六万円、ワインダー（モータードライブ）九万円、ハンドグリップ一万一千円、合計七十万円くらいになる。

6×6センチのカメラではスエーデンのハッセルブラッド。レンズはドイツのツァイス。500C／Mシルバーのボディで十八万五千円、80ミリF2・8の標準レンズで二十三万円するから計四十一万五千円。モータードライブつきのカメラなら、もっと高価だ。

4×5インチの高級カメラならドイツのリンホフマスターテヒニカだ。ボディが九十六万五千円、150ミリ標準レンズで十五万円、計百十一万五千円。

これの単純総計だけでも二百二十数万だが、レンズは標準以外に三本以上は必要だし、付属の備品が加わるから、みんな合せると五百万円くらいになる。

しかし、専門家ならたいていこれらを持っている。恭介も専門家志望だから、こういった一流外国カメラの三種類くらいは備えておきたい。歩合収入がふえるとそれが不可能ではない。もっとほかのも買えそうだ。

そうすることによって、ライバルである湘南光影会の西田栄三や村井カメラ店主を完全に圧倒してやりたい。……

「もしもし」

受話器から中野晋一が呼んだ。

「はいはい。あ、どうも」

恭介はわれにかえった。

「聞えますか？」

「はい。聞えます」

「先日、ちょっとお話ししましたが、ぼくの心当りの文京区茗荷谷の婦人に生命保険のことで昨日電話してみたんです。本人の気持はだいぶん動いていましたよ。電話だけですけれどね。山鹿さんが一度先方へおいでになってみてはどうですか？」

「えっ、もうですか？」

中野晋一の行動は早かった。さすがはジャーナリストだと感歎した。

恭介のカメラの先輩意識は、たちまちのうちに生命保険外務員の根性に戻った。

「話は早くしたほうがいいと思いましてね」

この前の晩ホテル・キャナルで見た髭面の声が笑って云った。

「そりゃ、どうもありがとうございます。早速にも先方のご都合を電話でうかがった上で、お宅へお邪魔いたします。中野さんのご紹介と申し上げればよろしいんですね？」

「そう云ってください。福寿生命保険藤沢支社の山鹿さんのお名前は先方へ通してあります」

「どうもありがとうございます。恐縮ですが、先方のお名前とご住所と、それからお電話番号をお教えねがえませんでしょうか？」

恭介は机の上にメモ用紙を引き寄せ、ボールペンをかまえた。

「云います。……東京都文京区茗荷谷四ノ一〇七、山内みよ子。電話番号は、東京八一三局の×××です」

恭介は書き取ったメモを読んで復誦した。

「そうです。山内みよ子さんは翻訳家です。結婚はしておられません。年齢は、三十くらいだと思います。山内さんが翻訳家なので、ぼくは仕事の関係で知り合っているんです。しっかりしたご婦人で、いい方ですよ」

「どうもありがとうございました。明日にも、さっそく山内さまにお電話してみます」

「もう二口ほど近々に紹介したいと思うのですが、とりあえず有望なほうからお知らせします」

「恐れ入ります」

「ぼくは明日から一週間ほど取材で地方へ行きます。またこのホテルに戻ってくるので、そのときはあなたに連絡します。山内さんとはどうぞうまく話し合ってください」

「誠心誠意お話し申し上げます。では、行ってらっしゃい。お帰りになってご連絡いただいたら、山内さまとの話合いの経過なり結果をご報告いたします」

ありがとうございました、と恭介は受話器を握っておじぎをした。

再び煙草を吸いつけた。胸のふくらみが、吐き出した大きな煙となった。

カメラもやっておくものだ。それがこういう大きな仕事につながった。その写真にしても、趣味や道楽に陥ってはいけない。本格的な道を真摯《しんし》に歩まねばならない。恭介はいずれこの道で身を立てるつもりであった。意気込みが違う。それだからこそいい写真が出来て人を惹きつけるのである。名前も知られてくるのだ。中野晋一が保険加入者の紹介を持って近づいてくるのも、それだった。

恭介は今夜は前祝いに飲みに行こうと思った。同僚を誘ってもいいが、気の合う奴はあまり居なかった。それにそれぞれが仕事を持っていて、外から戻ってくるのがばらばらである。

六時になると恭介はカメラバッグを肩から吊ってひとりで支社を出た。街には灯が入っていた。歩いて十分のところ、駅南口の近くで、表通りから横丁に入った活魚料理の店だった。

恭介は入口の格子戸に手をかけた。行きつけの店だったから、入口の戸を開けるのに馴れ切っている。その動作は、習慣的で、無意識だった。無意識というのは放心状態に同じであった。

そのとき、これから酒を飲みに入る行為とはまったく無関係なことが頭に浮んだ。放心状態のときによく経験することで、前後の脈絡もなく、その思考が単独に突如として閃光するのである。

(東京都文京区茗荷谷の山内……)

中野晋一が保険加入の紹介先として電話で云った声だ。これはほんの一時間前の記憶だが、それと共に頭にぽっかりと浮んだのは、もっと以前の記憶だ。それも耳に入った声ではなく、読んだ活字だった。

「あら、いらっしゃいませ」

指は自動的に戸を開けてしまった。眼の前がいちどきに明るい店内になっている。おかみさんが愛嬌を見せて立っていた。背後のカウンターの内側が調理場になっていて、白い上《うわ》っ張りのおやじが包丁の手をちょっと休めて笑顔で彼に頭をさげた。カウンターの前に客の背中が四人ならんでいた。恭介は茫然とカウンターの端近くに腰かけた。

手伝いの女がおしぼりと献立表とを持ってきた。おやじが云った。

「今日は、ヒラメとタコのいいのが入っていますよ」

「そう。……」

「タコは三崎のです。シャキシャキしていて、歯ごたえのいいやつです。甘味があってね。三崎のタコの味には、ほかの近海ものはちょっと追付きませんな」

「そう。……」

落ちつかずにぼんやりとしている恭介に気がついておやじが妙な顔をした。うつむいてまた包丁の音を立てはじめた。正面の大きな冷蔵庫を眺めていた恭介は、バッグを肩にして急に立ち上がった。

「忘れものをした。今夜はこれで帰るよ」

夫婦の呆れた表情をあとに恭介は店をとび出した。

南仲通りは近かった。

「お帰んなさい。早いのね」

妻の安子が迎えたが、恭介の顔にただならぬ表情が出ているのを見て、その細い眼をひらいた。

「どうしたの？」

「いや、ちょっと」

恭介はバッグを提げたまま、まっすぐに二階へ上がり、「仕事部屋」に入り、ドアを閉めた。

五年前の新築のとき写真専用の部屋を設計して造った。六坪のスペースを三室に分け、一つが彼が云う工作室、一つが倉庫、そして一つが暗室である。工作室には、事務机のほかにカメラや機材修理用の工作机、断截機《カッター》、スライド用の映写機などがあり、造りつけの大きな書棚にはネガ保存用のファイルや写真アルバム、スクラップブックなどをぎっしりと詰めこみ、もう一つの書棚にはカメラの本、内外の写真家の作品集、写真年鑑などがならび、はみ出したカメラ雑誌は下に積み上げてある。壁には自作品が一面に貼ってある。その中央はA社年間最高賞に輝く全紙大の「激突」であった。

倉庫にはいろいろな機材と印画紙などを入れてある。ロッカーが一つ、これには十数台のカメラ、さまざまな交換用レンズ、フィルムなどを格納した。暗室にはもちろん水道をとりつけ、排水施設を十分にし、引伸機も二台置いた。現像処理の薬品瓶は薬局の棚のようにならんでいる。

アマチュアが専門写真家なみにこうした贅沢な施設がつくれたのも、福寿生命保険藤沢支社でここ数年間三位以下に下がったことのない契約高に比例する歩合収入のおかげであった。——

恭介は工作室の書棚からスクラップブックの一冊をとり出してひろげた。去年の十月四日付朝刊の「三日午後十一時ごろ、東名高速道路御殿場・沼津間の下り線で起った玉突き衝突の大事故」の切抜きに眼が吸い寄せられた。

《中型乗用車を運転していた東京都文京区茗荷谷四ノ一〇七、会社員山内明子さん（二三）は骨折と全身火傷で即死……》

恭介は急いでポケットからメモをとり出した。中野晋一の電話を書き取ったものだ。

《文京区茗荷谷四ノ一〇七、山内みよ子》

やはり、そうだった。住所と姓が、まるで割符のように合っている！

恭介は、活字と、自分のメモと、二つを前に置いて凝然となった。しばらくはその姿勢から動けなかった。

二つの枯花

住所も同じなら、山内という姓も同じである。中野晋一が生命保険加入見込の第一号として紹介したのは、まったくの偶然だろうか。山鹿恭介はスクラップブックに貼った新聞切抜きを見つめながら考えている。

中野の言葉によると、山内みよ子は翻訳家で、ジャーナリストの中野とは仕事の関係からの知合いだという。その説明はそれなりに分る。だが、山内みよ子と山内明子とはどういう間柄だろうか。番地と姓が同じであるから、他人とは思えない。姉妹の可能性が強い。

新聞切抜きの活字は《会社員山内明子さん（二三）》となっている。二十三歳だった。山内みよ子は三十くらいだと中野晋一は云っていた。「翻訳家」として身を立てているなら、そのくらいの年齢だ。間違いなく姉妹だ。

――これはまったくの偶然だろうか。

心で呟いたとき、石が飛んできたように恭介の胸がふいに波うった。

「偶然」という語がはね返ってきたのである。それは彼自身の中に存在する意味だった。

《こういう決定的瞬間の場面に撮影者が遭遇するとは、一万に一つか、十万に一つの偶然というほかはない。——古家庫之助の選後評》

《この写真などは撮影者にとって「一万に一つか十万に一つの偶然」という、きわめて稀有なチャンスの助けによるもので、こればかりはいかなるプロカメラマンをも超えるものです。——A新聞社写真部長》

だれもこの「偶然」の内容を知らない。知っているのは恭介だけである。——

翌朝、山鹿恭介は福寿生命保険藤沢支社にちょっと顔を出しただけで、駅へ向かい、東海道線の下り列車に乗った。沼津まで約一時間半だった。窓に小雨が降っていた。

駅前からタクシーを拾うつもりだったが、三分間の待合せで御殿場線の接続があった。少しでもタクシー代が節約できる。外まわりをしていると、遠くへ行く場合、乗物の倹約が癖になっていた。藤沢市内や郊外だと彼は自家用の小型車を運転した。ツードアで、ボディが小豆色《あずき》である。いまエンジンの整備に出している。

沼津から三つ目が裾野《すその》駅だった。駅前に立つと雨が少し激しくなっていた。折りたたみの傘は用意してきたし、肩にかけた革紐のカメラバッグも常のとおりである。

雨の日はタクシーが忙しいのか容易に駅へ来なかった。それでなくともこの駅はタクシーが少ないらしかった。

こんなことなら沼津駅に降りればよかった、と車待ちの列にならびながら、恭介は雨に煙る富士裾野の林野を眺めていた。

一時間近くも待って、ようやく順番が来た。

「ゴルフ場のほうへ」

乗ったタクシーの運転手は黙って走り出した。高原の道を南へ行く。途中から広い道路を右へ折れようとするのを、そのままにまっすぐ行くように恭介が云うと、

「ゴルフ場じゃないのかね？」

と運転手は不機嫌な声を出した。

この道は右側の東名高速道路に沿っていて、沼津方面から来るのとは逆だった。そうして村道をつなぐ陸橋のところにきた。

恭介はストップを云い、

「ここで三十分ほど待ってほしいんだが、お願いできますか？」

と、下手《したで》に出て頼んだ。

「こんなところで三十分も待てないよ」

運転手は突慳貪《つっけんどん》に答えた。

「そこをなんとか。この辺は流しのタクシーも通らないし、帰りに車の拾いようがないですからね。チップを出しますよ」

「こっちもあんたがゴルフ場へ行くと思うたから乗せただで。ゴルフ場だと帰りの客があるずらよ。こんなところからの帰り車じゃ客は一人も拾えねえ。駅のほうにも客が待ってて忙しいけダメだで」

恭介は財布を開けたが千円札は一枚もなかった。仕方なく五千円札をさし出した。

「運転手さん。これを預けるから、往復の料金と、好きなだけチップを取ってください」

「ほんまに三十分で戻ってくるけえ？」

運転手は静岡弁で念を押して、五千円札をうけ取った。

恭介は傘をひろげて陸橋の途中まで渡った。下を見おろすとトラックや乗用車の屋根が雨に光りながら上下線を流れていた。降雨のためいつもよりスピードは落ちていた。

　ふり返ると、陸橋の向うの道にいま乗ってきたタクシーが停まっている。運転手は腕を組み、首を垂れて仮眠の姿勢をとっていた。その屋根にも細い雨が降りそそいでいた。その場所は、恭介があの晩、自分の小型車を駐車させた所であった。ヘッドライトを消して長い時間そこに置き放しにしていたものだ。

　陸橋を渡り切って、切通しの崖上についた道を沼津方面へ歩いた。生い茂った草で小径は蔽われている。雨を吸った草がズボンの裾と靴をびっしょり濡らした。

　見おぼえの場所に来た。あたりを見まわしたが、人影は一つもなかった。対《むか》い側の崖上に、記憶にある疎林があった。あの日は夕方からここにきていたので地形は眼に入っている。いまその疎林も密生した葉が繁り、その上を雨の白い靄《もや》が刷《は》いていた。裾野の風景は淡墨《うすずみ》一色に没していた。

　去年の、紅葉の多い十月に来たときとはまるで変っている。枯れかけていた萱の原は青色の精気をとり戻していた。

　崖上から高速道路脇に降りるだらだら坂の小径にかかった。傘を持ち、重いカメラバッグを肩にしての歩行は、濡れた足もとを滑りがちにして難儀だった。

　鉛色の道路にはたくさんの車が相変らず風を捲いて疾走していた。恭介は傘を前に傾けた。運転手どもに顔を見られたくない。路肩に下りて歩いたが、風に傘を倒《さか》さまに開かれそうになり、半分にすぼめた。すぐ前にトラックの凄い音が聞えるだけで、傘の遮蔽で実体が見えなかった。少しでも車がスリップすれば盲目のままに押し倒されそうだった。

あの場所に来た。

斜面の下に古い花束が雨に打たれていた。凋《しお》れたバラの花弁が水に浸したようになっていた。もちろん犠牲者へ捧げたものだ。花は古くはなっているが、何カ月も前というほどではなかった。

≪アルミバン・トラックの運転手・島田敏夫、同助手・野田俊樹、中型乗用車の会社員・菅原春雄、同人妻・和枝、中型乗用車の会社員・山内明子、ライトバンの米津英吉。――≫

六人の縁故者のだれかがこの花束を置いて行ったと思う。

(なにも山内明子に捧げたとはかぎらない)

恭介は自分に云い聞かせた。

あの事故の日いらい、ここには花束がたびたび供えられたことだろう。犠牲者たちへの慰霊はしばらく跡を絶たない。しかし、そのうちにいつとはなしに現場へわざわざくるのが遠ざかってしまう。あとは墓詣りになるのである。

恭介はそこから引返した。はじめて背中を引き戻されそうな気がした。逃げ足になったのは、死霊に指図された通行車が背後から突進してきそうな不安をおぼえたからだった。

急いで斜面のだらだら坂を上った。崖上へ出た。大型トラックや車がはるか下の高速道路を流れている。もう安心であった。アルミバン・トラックもここまでは駆け登ってこない。

恭介は歩いた。これからが今日ここへ来た目的であった。

下の斜面に山つつじのひと群れがあった。さきほどの現場から百メートルほど南へ寄ったところで、目印はこの山つつじであった。

恭介は草の斜面を山つつじの群れに向かって降りはじめた。腰までもある草むらに溜まった雨滴で、下半身が水から這い上がったようになっていた。靴も沓下《くつした》もぐしょぐしょに濡れていた。半長靴をはいてくればよかった、という後悔の浮ぶ余裕もなかった。

傘をさして山つつじの近くにきた。下の高速道路には機械的な車の疾走がつづいている。対い側の崖上に雨雲につづく霧がおりていた。富士の裾野だから沼津などよりはずっと高所なのである。

《玉突き衝突の大事故の原因が、先行のアルミバン・トラックの急停止とその転倒にあることはたしかだが、問題はやはり、なぜ同トラックの島田運転手が現場にさしかかって急ブレーキを踏み、ハンドルを右に切ったかである。前面に障害物を急に発見してあわててその処置をとったとするなら、上り車線通行車の急報で現場に事故発生から四十分後に到着した沼津署員が、その障害物なり、またはその痕跡なりを検証のときに発見していなければならない。しかし、そのようなものはなく、夜が明けてからの現場精査でも見つかっていない。……

また、三台目に追突したライトバンに乗っていて助かった米津安吉さんは、追突直前に、前方に赤い火の玉のようなものを見たような気がすると言っていたが、警察で調べた結果、転倒したアルミバン・トラックに追突した先行二台の乗用車の発火を見誤ったものと判った》

何回となく読んで、山鹿恭介の頭に滲みこんだ当時の新聞記事だ。

その「火の玉のようなもの」の発光場所は、まさにいま彼が立っているこのすぐ下であった。

恭介は山つつじの横に佇んでいたが、下にむけた視野の端に別のものが入ったので、それへ眼を凝らした。咲きほこる山つつじの群れの間に、白っぽい屑が置かれてあった。

枯れた花束の残骸だった。花も葉も原形がなくなっているが、わずかに萎《しな》びた花弁の一つでそれが桃だとわかった。もう一つは長い茎が糸屑のようになっているが、菜の花のようであった。が、それよりも恭介の眼を惹いたのは、これも形を歪めているが紙の折雛だった。これが黒い針金のようになった桃の枝に結ばれている。

恭介は吸い寄せられたようにそれを見つめた。もはや疑問はなかった。折雛を桃の小枝に付けているからには、慰霊の対象は女性であった。今年三月三日の桃の節句かその前後に、だれかが来てこれを供えたのである。

それもはじめからこの場所ではなかろう。もとは、高速道路横の追突事故現場にあったにちがいない。あの斜面の下、路肩にあったバラの花束は、古くはなっていても、この桃よりはずっと新しかった。つまり、その後だれかがやって来て、三月に路肩に置いた桃の花束を、バラの花束に取り換え、そうして古い桃のほうは捨てるかわりに、この山つつじの下に置いた、とわかった。

犠牲者の女性といえば、会社員の妻菅原和枝と二十三歳の山内明子の二人である。折雛を結んだ桃の供花となると山内明子への弔いしかない。桃の節句である。

これを供えにきたのは、むろん故人の縁故者だが、折雛を付けたところをみれば女性だろう。男だったら、花だけを持ってくる。色紙《いろがみ》をていねいに折って紙雛を造り、桃の花束に結《ゆわ》えつけるのは女ごころ以外にない。山内みよ子だ。もはや明子の姉としか考えようがなかった。

それにしても、取り換えたこの古い桃の花束を置くのに、なぜこの山つつじの場所を選定したかだ。それとも偶然だろうか。あるいはこの「偶然」にも必然性が匿されているのだろうか。

——

傘をさしたまま恭介はそこにしゃがみこんだ。肩を伸びた草が挟み、それに含まれた雨滴が首に流れた。

(山内みよ子だけがここにやって来たのだろうか。いや、そうは思えない。中野晋一もいっしょだったのだ)

では、中野晋一は、あのことを察知してここへ山内みよ子を連れてきたのだろうか。……

最初の路肩の供花は、事故現場だから慰霊の意味だけである。それは普通に見られることだ。問題は、この山つつじの場所である。取り換えた桃の花束をここに置いたのに、とくべつな意味があるのではないか。だとすれば、中野晋一は、どこまで真相を推測しているのだろうか。——

恭介は車が走る下の高速道路を眺め、その左右を見渡した。両方ともゆるいカーブになっている。

陸橋の上から物を落したのでもなく、垂らしたのでもない。急ブレーキをかけたアルミバン・トラックからは陸橋はかなり離れているのである。「火の玉のようなもの」の発光はこの場所、山つつじの生えた所であった。疾走してくるアルミバン・トラックの正面前方わずか百メートルのところだ。けれども人間がそこに立って火の玉を出すことは不可能である。

《警察の現場精査では異物の痕跡は見つからなかった。……追突直前に、前方に赤い火の玉のようなものを見たという米津安吉の言葉は、警察で調べた結果、転倒したアルミバン・トラックに追突した先行二台の乗用車の発火を見誤ったものと判った》

この謎の工作を、だれも推知することはできまい。

恭介は吐息ともつかぬ深呼吸をした。

ふと気がついて彼は靴先で草を踏みわけた。何か落ちてないかと真剣な眼になって探した。不注意に落してないかといったほうが当っている。かなり広い範囲をさがしまわった。傘を放り出し、両手で草をかきわけた。萱で手が切れた。

何も落ちてない。いや、落してはいなかった。安心した。両の掌《てのひら》は、血と雨でぬらぬらした。頭から雫《しずく》がたれ、靴は赤土だらけになった。地面を這いずったので膝の下もカメラバッグも、草の葉と赤土にまみれた。

そのまま傘をさして、崖上の小径を歩いた。光る紐が草から草へと横切った。ヘビが嫌いな恭介は、顔色を変えて、陸橋へ逃げ戻った。

タクシーの姿は消えていた。時計を見ると車を降りてから四十分経っていた。約束より十分の超過だ。料金を引いても約四千円のチップを運転手に勝手に取られてしまった。

自分の車だったら、こんな目に遇う気遣いはない。あの晩は、この同じ場所に五時間以上も置き放しにしていたのだ。

恭介は、村道を沼津方面へ傘をさしてとぼとぼと歩いた。高原は雲霧に閉ざされて、二百メートル先が見えなかった。

〈中野晋一という男は、どういう人間だろうか。山内みよ子とどんな関連をもっているのか〉

人ひとり通らない雨の道を歩いて考えつづけた。

たまに見かける畑のビニールハウスも雨にたたかれてひしゃげていた。

内なる声

中野晋一の身もとを知りたい。——

東名高速道路のあの場所へ見に行った翌々日、保険勧誘の仕事でエンジン整備から戻った自分の車を走らせている間も、山鹿恭介は考える。

訪問先で客と話しているときも、会社に戻って同僚と雑談しているときも、ふいとそれが頭の中に浮んできて、やりとりの言葉がちぐはぐになった。

方法は二つある。

一つは横須賀のホテル・キャナルのフロントに電話して、中野晋一の住所を聞くことだった。ホテルには宿泊客の記帳カードがあるから、それは判る。

もう一つは、東京都文京区茗荷谷の山内みよ子に電話してみることだった。これは中野晋一が電話番号を教えてくれたので手帖に書きとめてある。

三日前の電話では、中野は一週間ほど仕事で旅行すると云っていた。本人が居ないからフロントに電話するにはちょうどよかった。

恭介は会社の電話を使わずに、外へ出て公衆電話ボックスに入った。

ホテルの交換台が出た。部屋番号を云うとガチャガチャと音がしたあと、中野さまは、あと三日くらいはお戻りにならないそうでございますが、とていねいに答えた。

フロントにつないで下さい、というと、男の声に変った。

（もしもし、フロントでございます）

「いま交換台では、お泊まりの中野晋一さんが旅行中とのことですが、そうですか？」

（はい、さようでございます。あと三日でこちらのホテルにお帰りになる予定でございます）

渋い声だった。恭介はあの晩、フロントにいた男の顔を浮べたが、それかどうかはわからなかった。たとえその男だとしても、一回しか行っていないし、こっちの声がわかるわけはなかった。

急用なので中野さんに連絡したいのだが、行先はわからないか、というと、それは承っておりませんので、と答える。

「困りましたな。では、自宅の電話番号を教えてください。あ、ぼくは田中という者ですが」

田中とか渡辺とかの姓は掃いて捨てるほど多い。

（申しわけございませんが、それはお教えできないことになっておりますので）

これは予想しない返事でもなかった。

「急用なんですがね。中野さんの奥さんにお話ししたいのです」

男の声が黙った。思案しているらしかった。

「もしもし、どうでしょうか？」

（お客さまのご自宅の電話番号はお教えできないことになっておりますので。済みません）

電話の主がわかり切った者ならともかく、えたいの知れない外部からの電話にはそれを云わないのが客を守るホテルの義務なのだろう。

「けど、急用なんですがねえ」

恭介はねばってみた。

「では、中野さんの住所は？」

「中野さまは、外部からの電話はメモだけしておいて、自宅の住所などは教えないようにしてほしい、仕事上、いろいろ面倒なことがおこっては困るからと、そのようにおっしゃっておられました）

「そうですか、わかりました」

これ以上はあまり云わないほうがよかった。

（申し訳ありません。田中さまでございましたね？　お電話のあったことは中野さまがお帰りになったらお伝えしておきます）

ボックスを出ると恭介は会社へ歩いた。

――中野晋一は自宅の住所を教えないようにホテルに口どめしている。身もとを知られたくないためだろうか。それともジャーナリストという仕事の関係上、自宅にいろいろな圧力がかかってきてはほんとに困るからか。

どっちにもとれる。

前者の場合、住所をさぐりそうな外部からの電話がホテルにかかってくるのを、中野晋一が予想していたことも考えられる。中野はそれを自分に想定しているのだろうか、と恭介は思ってみる。

だが、いまのところはそれはないようでもある。というのは、一昨日あの場所へ行ったことなど中野が知るわけはなく、したがってこっちを警戒してないはずだからである。中野はまだ自分の気持を察知していない。生命保険加入の可能性がある女性として紹介する山内みよ子が山内明子と姉妹であろうと気づいて、自分が玉突き衝突の現場に一昨日雨の中を行ってみたことなど、中野が推量するわけはないのだ。

とすると、中野がホテルに口どめしているのは、後者にあたる単純な理由からであろう。あまり気をまわさないほうがいいかもしれない。先方が無警戒なら、それに越したことはないのである。

残るもう一つの方法、つまり山内みよ子に電話するのはどうだろうか。

電話の正当な理由はある。紹介者が中野晋一、むろん自分の名前も先方には通してあるはずだ。中野は、早く連絡したほうがいいような口ぶりだった。

では、電話でどういうふうに云うべきか。

――こちらは福寿生命保険藤沢支社の山鹿恭介と申します。

まず、挨拶する。

――中野晋一さんからご紹介をいただきましたが、ありがとうございます。

山内みよ子がその電話に出たら、お話は中野さんから聞いています、と云うだろう。

――さっそくですが、近いうちにおうかがいしたいのでございますが、いつごろがご都合よろしいでしょうか？

先方は何日にきてくれと指定するであろう。

それから先が言葉に困るのだ。

知らないうちならともかく、山内みよ子が明子の姉とわかった以上（この推定はほとんど間違いない。新聞に遭難者として出ている山内明子の所番地と一致しているからだ)、みよ子に会うのは気がすすまないのだ。

とくに、現場に置いてあった古い桃の花束には紙の折雛が付いていた。あれは姉が捧げたものにちがいない。彼女が中野晋一とあの場所に来ているなら(この推定もほとんど間違いない)、よけいに油断ができない。

みよ子と顔を合わさない電話で、中野晋一の身もとを知る会話はないものか。

だが、これはむつかしかった。山内みよ子にお宅へ訪問すると云うのだから、中野の住所を電話でたずねる必要はないわけだ。面会すれば話の中で聞けるが、それは気乗りがしない。

だが無理をすれば電話でも聞ける方法がないではない。ホテルにかけた電話と同じに、こう言ってみる。

——中野さんにお話ししたいことがあるのですが、お電話番号をお教えねがえませんでしょうか? 生憎《あいにく》と名刺をいただいていませんので。

ここで恭介は、はっとした。そうだ、まだ中野晋一から名刺をもらっていなかった。……

恭介は電話の仮想問答を浮べているうちに、それに気がついた。

中野はジャーナリストだといっていた。それなら人に会うのが商売だ。名刺を持たないわけはない。こちらも、ついうっかりしていて名刺をくれとは云わなかったが。請求しなくても向うから出すのが当然だ。

あれは中野が巧妙に名刺を出さないで済ませたように思う。とすると、ホテルに口どめさせた外部の電話も、彼はおれのことが頭にあったのではなかろうか。

前の考えは甘かったかもしれないぞ。

山内みよ子へ電話するのを恭介はやめることにした。危険だった。……

「山鹿さん、電話ですよ」

外務員専用の電話を同僚が取りあげ、耳につけてから云った。折も折だったので、どきりとした。

「だれから？」

思わず訊いた。

「フルヤさんとおっしゃっています」

「お」

古家庫之助だ。すぐに受話器を奪い取った。

「山鹿です」

「古家だ」

間違いなく古家庫之助の声だった。

「あ、先生。……」

恭介は受話器に低頭した。

「きみ、いま時間が空いてるかね？」

「いえ、それはどうにでも都合をつけますが。先生、いま、どちらですか？」

「北鎌倉だ。円覚寺の近くでね」

「北鎌倉にいらしてるんですか？」

「日本橋のカメラ同好会の連中が北鎌倉を撮るというんで、指南役に引張り出されてね。二時間ほど前に終って、連中もモデルさんも帰って行った。ぼくは『山鳩亭《やまばとてい》』という普茶料理屋でちびちびやっている。時間があったら、こないかね？」

「これからうかがいます。円覚寺横の『山鳩亭』でございますね」

時計を見ると四時半だった。

恭介が車を運転して「山鳩亭」に着いたのが一時間後だった。北鎌倉のせまい道路は中学生の団体や一般の観光客でこみあい、車も長い列をつくって進まなかった。観光シーズンでもあるし、昨日までと変って天気もよかった。

古家庫之助は、茶室ふうの六畳の間で、黒い経机を前にして坐っていた。経机の上には料理皿がならび、黒と赤の粗い格子縞《チェック》のシャツが広い肩幅で坐っていた。

「先生。しばらくでございます。ご無沙汰をしております」

恭介は、しきい際《ぎわ》に両手を突いた。

「ややあ。ま、こっちにおいで」

禿げ上がった額が白髪まじりの長い髪を左右にふり分けていた。酒のせいだけでなく日ごろから赭《あか》ら顔で、頸が太く、シャツの前ボタンを三つはずしていた。

「ひとつ、どう？」

古家庫之助はビール瓶《びん》をとりあげた。

「ありがとうございます。今日は車ですから、一杯だけ頂戴します」

恭介が来るとわかって用意させたらしく、彼の前にはもう一つ黒塗りの経机が出ていて、山菜の皿と胡麻豆腐の椀が乗っていた。

コップに注いでもらったのを飲んで、

「先生、今日は撮影会だったそうで？」

と、膝を揃えたまま、頭をたれた姿勢だった。

「うん。さっき電話で云ったとおりさ。日本橋の問屋の若旦那ばかりで会員が三十人。今日来たのは二十人だが、カメラ道楽で、すごいカメラばっかり持っている。ぼくのは使い古しの35ミリが一つだけ」

「そりゃ、先生。腕が天地ほどに違います」

古家庫之助は眼を小さくして笑っている。日本橋の若旦那衆だと、指導の謝礼も少なくないはずだ。彼がこうして普茶料理屋に居残って飲み、ご機嫌なのもわかるのである。

「ところで、山鹿君。きみにきてもらったのはほかでもない。今日の撮影会できみの話が出てね、それで急にきみに会いたくなったのさ」

「ぼくのことが、ですか？」

だいたい見当はついていたが、わざと眼をまるくして聞き返した。

「A社の年間最高賞の『激突』だよ。あの作品で話がもちきりだった。というのは、ぼくが審査委員長だったのをみんな知っているからね」

「先生のおかげです」

恭介はあらためて背を前に倒した。

「いやいや、そんなことはないよ。きみはもうそんなに謙遜しなくてもいい。あの作品はみんなが絶讃してるんだから大威張りだよ」

恭介は声が詰まったように頭をさげた。

その頭の中をひときれの雲の影が過ぎるのを感じた。一時間前まで、中野晋一や山内みよ子のことを思いわずらっていたのだ。

「あの写真はどこでも評判だ。ぼくも審査委員長として幸運だったよ」

「先生、そんな」

「そりゃ、きみだって一万に一つか、十万に一つのラッキーなチャンスにぶつかったんだから、もちろん仕合せだがね。ああいうのは今後あるかどうかわからないよね」

「生涯にあれだけだと思います」

心から云った。その言葉には彼だけの意味がふくまれていた。

「うむ。ところがね、あの報道写真があまりにずばぬけてるもんだから、近ごろ、ちょっと困った傾向が現れてきてね」

「困った傾向？　先生、なんでしょうか」

「A社のニュース写真応募に、危険な場面を撮った写真が多くなってね。もちろん、これはきみの責任ではないけれど」

「どういうことでしょうか？」

「たとえば、マンション七階の道路側にむいた窓枠に子供が腰かけている写真とか、鉄橋に子供が二人ぶらさがっていて、線路のはるか向うからこっちへ走ってくる電車の姿が映っている写真などだよ。マンションのほうは、『坊や、動かないで』という題。鉄橋のほうは『危ない！』という題がついていた」

「えっ」

「だが、そんな場面に撮影者がぐあいよく、偶然に出会うわけはないから、みんな演出だよ。マンションのばあいは、子供の胴体に縄を巻きつけて、その端を親がしっかりとつかんで窓の内側にしゃがんでかくれている。子供の服が黒で、縄も墨で塗ってあるし、かなり遠くから撮っているので、わからない」

「……」

「鉄橋に子供がぶらさがっていて向うに電車の姿が見えるのは、撮影を済ませるや否や大人がすぐにそこへ走って行き、子供を抱きかかえて脱兎のように走り戻ったのだろうね。いわゆるヤラセ写真もいいとこだ」

「危険なことを……」

「それというのが、いくらカメラを持って歩いてもいい場面にぶつからないからだよ。だれだってきみのように十万に一つはおろか、千に一つの偶然にも出会えない」

「ぼくの場合は、とくべつです」

「ところがカメラ・ファン心理もとくべつだ。みんな『激突』をマークしている。が、マークしてもどだい無理だから、いま云ったような危険な演出写真になる。そんなのを当選させて紙上に出してみなさい、読者は演出写真とは知らないから、またまたケンケンゴウゴウの非難が新聞社にむかって起る。紫雲丸の例を出して、なぜ写真を撮るヒマがあったら救いに行かないか、とね」

「そうですね」

「そりゃ、新聞社などの内輪の集まりには冗談にぼくも云うよ、応募作品がこんな不作ばかりでは選びようがないから、なかにはすこしぐらい演出の写真があってもいいじゃないか、とね」

「……」

古家庫之助はコップを持って肥った身体を恭介のほうにずり寄せ、心配そうに低い声できいた。

「きみの『激突』は大丈夫だろうね？」

鎌倉で古家庫之助と会った四日後の夕方、会社に戻った山鹿恭介に電話がかかってきた。

「横須賀のホテル・キャナルからです」

社の交換台の声に、中野晋一が一週間の旅行からホテルに帰ったのを知った。胸をとどろかせて受話器を耳に押し当てた。

「山鹿さんですか？」

声はまさしく中野晋一だった。髭の顔が見えてくる。

「あ、おかえんなさい」

「どうも。今日の二時ごろにこっちへ戻ってきました」

渋いが張りがあった。

「お疲れさまでした」

「ありがとう。留守中に、田中さんという方からお電話があったというメッセージがありましたが、その名前に心当りがないのです。あなたの電話ではなかったんですか？」

「いえ、私ではありません」

「ああそう。ところで、東京の山内みよ子さんには電話してくれましたか？」

中野は、おだやかな声できいた。

「それが、じつはまだなんです」

「ははあ」

「申しわけありません。せっかくご紹介していただいたのに。おり悪しくわたしの担当している加入者との間にちょっと厄介な問題が起りましてね。そういうゴタゴタのために、すぐには東京へ出られない状態になりました。山内さまにお電話すれば早速にもおうかがいしなければならないことになるので、気にはかかっていますが、そういう事情でいまだに失礼しております」

「ああそうですか」

中野の声はいくらか不満そうだった。

「ほんとに申しわけありません。こっちのトラブルがかたづきましたら、早急に山内さまにお電話申し上げます」

「そうですか。じつはぼくも旅行先で山内さんに用件があって電話で話したんですがね。そのとき山内さんが、あなたからまだ連絡がないというようなことをちょっと云ってたもんですからね」

「まったくお詫びのしようもありません。どうか山内さまには中野さんからよろしくおとりなしをおねがいします」

このさいに中野の自宅の電話番号が聞けると恭介は思った。ちょうどいい機会である。

「中野さんはホテル・キャナルにはいつごろまでご滞在のご予定ですか？」

「もうすこしここに居るつもりです。まだ仕事が残っていますからね」

「ご旅行は?」

「いまのところその予定はありません」

「けど、お宅にときどきお帰りになるでしょう? そちらのホテルはお仕事場のようですから」

「それは、ないことはありません」

「わたしのほうから至急にご連絡したいことがある場合に備えて、ご自宅の電話番号を教えていただけませんか?」

早くも鉛筆を握ると、

「ぼくの家には電話を引いてないのです」

と、中野が云ったので、恭介は、あっと思った。

ほとんどの家に電話があるのに、どういうことだろう。ことに中野晋一はジャーナリストだ。出版社や取材先と頻繁に電話連絡があるはずではないか。

「それはぼくの特殊な仕事の関係からでしてね」

中野の明快な声が受話器にひびく。

「ぼくはいろいろな方面を取材してレポートしていますのでね、そのために自宅にイヤガラセや脅迫電話がよくかかってくるんですよ。それも個人ではなく組織でくるので、執拗なんです。家の者が怯《おび》えましてね。ぼくはこうして留守がちですしね。それで電話を取りはずしてしまったんです」

「そりゃ、たいへんですね」

恭介はそういうこともあるのかと思った。自分の知らない世界である。

「いや、べつに不自由はありませんよ。出版社などに用事があれば公衆電話を使えばいいんですからね。家に電話がないと、原稿の催促電話を受けなくてすむから、うるさくなくていいんですよ」

「そういうものですかね」

「いま仕事をすこし引きうけすぎて困っているのです。その意味でも、電話が家にない状態でちょうどいいですよ。ぼくがあなたに用事があるときは、こちらから電話するし、ぼくに連絡があるときは、このホテルに電話してください。まだあと一週間ぐらいは居るつもりですから」

「わかりました」

「ところで山鹿さん。撮影現場にいつかぼくを連れて行ってくださるとのお話でしたが、あれはまだ先になりますか？」

中野はちょっと語調を変えて云った。

「いえ、近いうちにどこかに出かけたいと思ってますよ」

それは本当だった。A新聞社の「読者のニュース写真月間賞」は、「年間最高賞」をもらってからずっと応募を休んでいた。そろそろ次の「月間」ぐらいには出さないと、と思っていたところである。

「それなら、ぼくをぜひそれに連れて行ってください。いっぺん拝見したいと思ってますからね。ぼくは仕事のほうをなんとか繰り合せて時間をあけますよ」

「承知しました。ただ、目下その題材を考えているところです。サロン写真ならなんでも写せるけれど、ぼくのは報道写真ですからね。現代的な素材でないといけないんで、そういうのを探すのが骨なんですよ」

「けっこうですね。こんども『激突』に負けないような、いや、それ以上に迫力のある報道写真を撮ってください。くどいようですが、その撮影現場をぜひ見学させてくださいよ」

「わかりました。二、三日うちにホテルのほうへご連絡します。何時ごろだとお部屋にいらっしゃいますか？」

「午前十時までか、そうでなかったら夜ですね。そのころだとたいてい居ますよ」

電話を終えたあと恭介は机に頬杖を突いた。

四日前、鎌倉の普茶料理屋で古家庫之助と会ったとき、古家から、

（君の「激突」は大丈夫だろうね？）

と訊かれた。あの写真は演出ではないだろうね、という念押しであった。

A社の「ニュース写真」の応募作品がこのところ低調なので、「ときには演出したものがあってもいいじゃないか」と冗談半分に云っている古家の言葉を恭介が真《ま》にうけたのではないか、「激突」もいわゆるヤラセ写真ではないか、と古家が心配になってきたのだった。

（とんでもありませんよ。ああいうすさまじい車の追突が、どうして演出などできるもんですか）

恭介はむっとして云った。

（そりゃ、そうだ。なにしろ、六人の死者と三人の重傷者が出てるんだからね。演出などでそんな大事故ができるはずはない。そりゃそうだよね）

酔った古家は、こくんこくんとうなずいていた。

（それとも、なにかそんな疑いを持っている者がいるんですか？）

恭介に中野晋一が浮んだ。彼と同じような人間がほかに居るのか。

（いやいや、そうじゃない。そんな者は居ないよ。……ただね、滅多にない偶然にきみがあまりに都合よく居合せた、という雑音を写真家仲間から聞かぬでもないんでね。だが、もちろんそれは単なる仲間のやっかみでね。気にすることはないよ。うむ、まったく気にすることはない）

古家は、「激突」が演出写真でないという確認を恭介から得て、安堵《あんど》したか、かえって雑音を気にするな、と彼を慰めた。そのあとも、

（A社のニュース写真に来月か再来月くらいには作品を出してみたらどうだね。きみの作品ならそれが年間賞の候補になることは間違いないから、連続して最高賞をとるんだ。そうしたら、つまらない雑音も消えてしまうよ）

と、さらに激励した。

古家としても、（こんなに応募作品が低調だと演出写真くらいはあってもいい）と洩らした自分の言葉が意外にも写真家仲間のあいだにひろがっているのを気にしているらしく、激励はその噂を拭いとる意味もあるようだった。

しかし、中野晋一のばあいは違う、と恭介は指を握りしめる。

中野は山内みよ子と東名高速の事故現場に行っている。この推測はまず間違いなく思われる。両人以外には考えられない。

道路わきの花束だけだと、犠牲者の身内が供えたととってよい。それが一般的だからだ。しかし、その追突現場のみならず、追突の原因となった場所にまで花束が置かれていたとなると、これは特殊な意味を持つ。一般的ではなくなってくるのだ。

あれは中野晋一だと思う。中野だと考える理由は、見ず知らずの保険加入者紹介を口実にして自分に接近してきたことだ。それも一口や二口ではなく、彼の言葉によると彼の顔で大量の加入

者を紹介するというのだった。

その手はじめが山内みよ子だ。ほかの人間はまだ紹介されていないし、それらの具体的な人名も中野はまだ挙げていない。なぜだろうか。

それは中野が山内みよ子をよく知っているからだ。いうなれば両人の間にその諒解というよりも相談ができあがっているからだろう。言葉をかえると、山内みよ子が彼の協力者であるからだろう。山内みよ子は、追突事故で死んだ山内明子の姉にちがいない。これは文京区役所へ住民票を見に行けばすぐに確認できることだ。が、中野晋一のことは分るまい。

中野晋一が自分に接近する意図は、追突原因の真相を確かめるためだ、それ以外には考えられない、と恭介はこの推測を押し進める。

中野も、あの大事故の現場に自分が都合よく居合せたという「十万に一つの偶然」に、疑問をかならず抱いている。四日前の古家庫之助の話でも、それに似た疑問をもつ写真家仲間があるといっていた。古家すらこれに不安を感じて、きみの「激突」は大丈夫だろうね、と念を押したくらいだ。

ただ、中野晋一は皆より一歩も二歩も先に出ている。なぜなら、彼は追突の原因となった場所に行っているからだ。彼がにわかに自分に接近したのはそのためにちがいない。

その接近は、原因の内容をさぐりたいためだ。場所の推定はできたが、原因の工作に中野晋一は推測がつかないでいる。

だれにしても、これは容易に推測がつくまい。自分が考案した独自の工作だ。

が、あの現場に行ってみたということだけでも、中野は、他の者よりもこちらに近づきつつある。ジャーナリストの神経か。中野が報道写真の撮影現場に連れて行ってくれと強く頼むのも、自分の撮影方法を見て、それから解決のヒントを取ろうとしているからではあるまいか。――

恭介は、かすかに身震いを感じた。

夕食後、恭介は新聞を開いて、なにげなく社会面の対ページに眼を投げた。

《最近の暴走族――その生態》

という見出しであった。

《東京都内を中心に暴走族が復活している。危険な集団走行を禁止した五十三年十二月の道交法改正以来、一時鳴りをひそめていたが、今年は夏場を前に、早くも一斉に姿を見せている。警視庁が確認しただけでも四月末までの台数は昨年同期の五倍にもなっている。鉄パイプや角材を凶器にした対立抗争がめだつ一方、グループの主力が十六、七歳と低年齢化すると同時に、二輪車がふえ、小集団化しているのが特徴。最初から凶器を準備、対立グループを求めて走り回り、駐車中の車からガソリンを抜き取るなど、今や「暴走族から少年ギャングになった」（警視庁少年二課）といわれるほど。

警視庁の調べでは、現在東京都内の暴走族は主なものだけでも四十グループ、構成員約三千五百人。昨年同期にくらべて五グループふえ、メンバーも三割近くの増。とくに少年が全体の九六パーセントを占め、このうち十七歳が三五パーセント、ついで十六歳が三〇パーセント、このように年齢層が低いことから、車も二輪車が主流で、昨年よりも六割ふえて全体の四分の三にもなっている。

これらのグループが土曜ごとに東京周辺を走り回り、全体の走行台数が昨年の五倍になったわけだが、今年の特徴は、グループ同士の対立抗争とリンチが多いことだ。四月末までの暴走族にによる暴力事件は百十二件、昨年同期にくらべて約四倍、対立抗争も昨年同期の三件に対してすでに十件となっている。二月上旬新宿区内の山手通りで三十人が走っているのを待ち伏せしていた別のグループが石やレンガを投げつけて乱闘、この後も対立グループのメンバーがお互いにリンチした事件のほか、四月末には江戸川区内で対立グループを襲うため火炎びんまで用意していた暴走族のメンバーが逮捕されている。

このほか一般車を追い回し、ドライバーをひきずり出してなぐるけるなどして、現金を奪う強盗までしたケース（世田谷区）や停車中の車からゴムホースでガソリンを抜き取った例（小平市、江戸川区）もふえている。

暴走族に好まれる道路は、神宮外苑よりも、品川区、大田区にまたがる品川埠頭や大井埠頭を中心にした湾岸道路になっている。最近建設されただけに道路の幅員も広く、あたりは東京貨物ターミナル線、東京税関、国際コンテナターミナル、各汽船会社のドック、火力発電所などがならび、住宅は一軒もなく、通行車も少なく、しかも一種の環状道路になっていて、そのまん中にはターミナル線、立体交差で下を走り千葉方面へ抜ける東京港海底トンネルの有料道路などがあり、他は広い草原という暴走族にとっては最高の立地条件だ。ここは夜間暴走族の「弾丸道路」となっている。

今年は、三、四十人の小集団が多く、「二、三台のパトカーならぶっつぶせ」「他のグループに会ったら必ずやっつけるんだ」など対決姿勢が強いうえ、低年齢化のためリーダーの統制力が弱く、無秩序な走行になりがちだ。

なぜ、走るのか。現在グループの中でも最大手の一つのリーダー格のA君（一七）は「オートバイは自分のいう通りになるし、それにあのスピードほど夢中になれるものはない。暴走族では

度胸さえあれば、特攻隊長になれる。みんなといっしょなら何でもできそうな気がする」と暴走族の心理を語った》

恭介はこの記事に吸いよせられた。二度も三度も読んだ。

暴走族。――現在の若者の心理や生態を端的にあらわしている。これこそ現代的なテーマではないか。古家庫之助が口ぐせに云う「報道写真は時代の証言」ではないか。

よし、次はこれでゆこう、と恭介は決めた。

そう思ったとき、撮影現場に連れて行けとせがんでいる中野晋一のことが彼の胸に浮んできた。

現場の下見

山鹿恭介は、翌朝九時半に会社へ顔を出した。外務部にはまだだれも来ていなかった。彼はいつものように《行先・横浜方面。目的・勧誘数件》と黒板に書いて会社を出た。ツードアの小豆色の小型車を運転して横浜に来た。車は買い替えてまだ二年目だった。市内には入らずに第一京浜国道を走りつづけた。道路は車で混んでいる。地図を見い見いして大森東で東へ折れた。ここまでくるのに藤沢から三時間を要した。

右折したとたんに幅員が二十メートルくらいもありそうな舗装道路となった。新しいだけに鉛色の路面は青味を帯び、清潔な白線がくっきりと浮き出ている。中央分離帯の植木もまるで庭園の植込みのようであった。

海を広く埋め立てた人工的な曠野《こうや》で、水平の、広大な地上がひろがっている。北や西の涯《はて》には市街のごたごたした建物が波打際のゴミのようにならんでいた。東の涯は東京湾のはずだが、海も見えなかった。赤い、小さな鉛筆の先のようなのが三十ばかり、地平線の涯に一直線にならんでいる。眼を凝らすと起重機《クレーン》だった。低い、白い建物がその横に配置されている。そこが埠頭のようだった。

　恭介はコンクリート陸橋のそばに車を停めた。橋の袂に「大井南陸橋」の名が彫りこんである。欄干からのぞくと五、六メートル下を南北に延びる無数の線路と、それに平行した道路とがあった。ターミナルは、地図にある新幹線電車の操車場用で、パンタグラフ用の架線が上を複雑に蔽っている。湾岸道路は有料高速で、その先が千葉方面行の海底トンネルになる。車が上下線を数台走っていた。これがこの広漠とした土地の「溝」であった。あとはこの広い一本の自動車道路が埠頭のほうへ延び、その先で北へ曲ってまた直線となり、さらに西へ折れ、それがもう一度屈折してまっすぐに南下し、さきほど通ってきたこの道路に合する。展望しただけでは広すぎてそれが分らないが、地図ではそのようになっており、全体の形が変形の四角形をなしていた。その四角形のまん中に新幹線の操車用線路と海底トンネルに向かう有料道路の「溝」がはめこまれているのである。それ以外の四角形の中は、草茫々《ぼうぼう》の原野であった。

　頭上を着陸姿勢の旅客機が低空で過ぎた。南隣りが羽田空港だった。

　四角形の自動車道路は、一種の環状道路をなし、延長十キロ以上かと思われた。夜の暴走族にとって、こよなき専用道路にちがいない。環状道路を無限に周回すればいいのだ。それに飽きれば芝浦への「海岸通り」という直線コースの直結がある。暗くなれば、埠頭の船会社の倉庫にでも用事のないかぎり通行車はないはずだ。げんに太陽の照っているいまも、トラックと乗用車はほんの六、七台しか通っていなかった。

　車道沿いの歩道横には、つつじ、柳があり、うしろに植物の茂みが墻《かき》になってならんでいた。植林には、椎の葉のようなのがあったり、熱帯植物に似た葉があったりした。恭介がヘビを恐れながらその中に入ってみると、それは三メートルくらいの幅で、抜けるとすぐ前が広々とした原で、草が伸びていた。自動車道路沿いに四階建てくらいのビルだの倉庫だのがぽつんと見えた。数万ヘクタールもあるこの広さの中なので、それはプラモデルのように貧弱に映った。

恭介は車に乗って自動車道路を進んだ。カーブにかかった。徐行して窓から右側を見ると、別の道路が岐《わか》れていて信号灯の下に「南部陸橋東詰」の標識が出ていた。道路にはひろい間隔で照明灯柱がならんでいた。左側は灌木の墻がつづく。

競輪選手が練習していた。ハンドルに背をかがめて疾走しているのもあれば、後車輪のうしろに紐をつけて自動車タイヤ一個を曳きずっている者もある。脚力の養成だろう。

追い越して前に出たとき、競輪選手が運転席の恭介をちらりと見た。直線を走ると、左側に東京税関の事務所があった。さっき遠望して玩具のように見えたビルだった。右側にはきわめて殺風景なコンクリートの船会社倉庫の建物がつづく。

ここまでくると、これも遠見には尖った鉛筆の先のようだった荷役クレーンが巨大な姿でならび、倉庫の屋根の上にそびえていた。上部から梯子《はしご》のように空へむけて突き出ているのは、荷を貨物船から吊り上げたり船に吊り降ろしたりする腕《アーム》である。クレーンは脚四本をひろげているのでキリンの格好にも見えた。脚の中ほどに冷凍箱のような白い小屋が乗っているが、これは機械室とみえた。どのクレーンも作業をしてなく、静まり返っていた。

恭介は車をすすめた。道路が左へカーブするあたりから上り坂になり、陸橋に出た。そこで車をとめて降りてみた。下がさっきのトンネルに向かう湾岸道路と、新幹線電車のターミナル線のつづきだ。陸橋の坂を下った先が立体交差になって、羽田・浜松町間のモノレールと高速羽田線とが平行して高架を走り、自動車道路はその下をくぐって西にむかっている。地図だとこの道路が海岸通りとよぶ南北自動車道路につながって、四角形の一辺となっている。

かなり高いこの橋上に立つと、あたりの地形がやや展けて見えた。この方形の循環自動車道路は二輪車の轟音をまき散らして集団で疾駆する暴走族の「弾丸道路」にいかにもふさわしかった。それればかりではない。夜は格好の乱闘場所だろう。新聞記事によると、対立グループは角材や鉄パイプの武器を持って正面から決闘したり、待伏せしたりして襲いかかるという。昼間は森閑としたこの道路も、真夜中の暗黒になると、スピードと暴力に熱狂する青少年の舞台に変る。

——

陸橋の右手に高い煙突の工場があった。地図には清掃工場と記載されていた。暴走族の乱闘をあの煙突の中ほどまで梯子を伝って登り、そこから俯瞰撮影をするということにしたらどうだろうか。だが、二人で登っても、煙突についた階段の途中に立ちどまる場所がなかった。

なるべく異常な環境に相手を誘いこみ、心理的に圧迫して本音を吐かせることだ。なまやさしい相手ではない。尋常な場所では何も云わないにちがいなかった。どこまで相手があのことを察知しているか、それを知らねばならぬ。——

この清掃工場の煙突は高すぎた。自動車道路からも遠すぎる。望遠レンズを使ったとしても効果のある射程に届きそうになかった。夜という条件を考えねばならないのだ。光源といえば道路の照明灯と、オートバイ集団のヘッドライトだけである。もっと近いところはないか。

眼を左に移したとき、さっきのクレーンの「列柱」が映った。埠頭に三十基くらい一列となっているなかで、自動車道路に最も近そうなのを物色した。適当なのが見えた。

車に乗ると、いったん陸橋を渡り切って中央分離帯を右に大回りし、反対側の車線に出た。陸橋に戻るとき左側に火力発電所が見えた。来た道を引返すのだが、徐行して道路沿いの左側をのぞいた。官庁のような建物が二つならんでいる。「横浜植物防疫所」とあった。塀で仕切られた次の建物の門に「京浜外貿埠頭公団」の名が出ていた。クレーンの列はその背後に間近な姿を聳《しょうりつ》立させている。近くで見ると、一部のクレーンは赤と白ペンキのだんだら塗りであった。

二つの建物の間に埠頭へ出る路地があった。車一台が入るのがやっとだが、恭介は植物防疫所の塀の前で車を停めた。

降りたとき、門から出てきた職員が彼のほうをちらりと見た。べつに気にとめるふうでもなく歩道を反対側に歩いて行った。瘠《や》せた背中だった。

路地は舗装がしてなく、雨降りのぬかるみについた車の深い轍《わだち》のあとがそのまま乾上がっていた。防疫所と公団と両方の塀ぎわに塵埃《ごみ》が溜まっている。奥へ三十メートルも歩くと、埠頭の岸壁に出た。はじめて海が見え、汐の匂いがしていた。船は一隻もいなかった。地図をのぞくと国際コンテナターミナルとある。各汽船会社の倉庫がならび、荷揚げ場にクレーンが整列していた。すぐ前のクレーンは岸壁に四つの巨きな脚を踏んばってそびえていた。下から上まで全容を見せるのはこの場所に来てはじめてである。クレーンというよりはタワーだ。作業を休んでいるため吊荷用のアームが上に跳ね上がり、それが尖塔のようにもなり、キリンの長い頸のようにもみえる。先端に白い雲の漂いがあった。高さ三十メートルはありそうだった。

地面に接した脚部の下からすぐに鉄梯子がまつわりついていた。それはまっすぐに這い上がり、股をひろげたところで反対側の脚へ斜め上方に渡り、そこからまた前の脚の上方へ斜めに渡る。さらに鉄梯子は同じくりかえしの梯形で最上部に達している。恭介が眼をつけたのは、最初の梯形が終ったところにあの冷凍箱のような白ペンキ塗りの機械室の小屋があることで、そこは突き出た鉄骨の腕木の一方に乗っている部分だった。小屋の端にも鉄梯子があって平らな屋上へ出られるようになっている。まわりには白塗りの柵がついているので、屋上は狭いけれど展望台を兼ねた広場になっているようだった。地上から目測十四、五メートルの高さと思われた。

あの小屋の屋上へあがれば、自動車道路が俯瞰できるはずだ。道路との距離は斜め下方に百メートルくらいありそうだが、三百ミリくらいの望遠レンズを使用すれば十分にいけそうでもある。――そういう理由をつけて、あの機械小屋の屋上へ相手を誘い上げよう。作業のない夜間だからまわりには誰も居はしない。脚部の鉄梯子を登ることも、機械小屋の屋上へ上ることも、咎《とが》められるおそれはない。クレーンに近づくことからして、こうしてなんの障害もなかったのだ。貨物船が入ってないときは監視人もいないらしい。

恭介は夜のクレーンの上を想像した。作業休止中だからもちろん照明はない。だが、埠頭の倉庫の前には外灯がつき、自動車道路には照明灯がならぶ。そのほかは建物に門灯がともっている。それ以外は広大な暗黒の草原地帯がひろがっているだけだ。地域の外廓を市街の光がとりまいている。暗い海にはマストの灯が動いていることだろう。東京湾の輪廓に沿って彎曲した街の光の帯がきらめいているはずだ。それだけにこの埠頭地域は、もとの海底に沈み落ちそうな孤独の中に横たわっている。異常な環境といえばこれくらい最適な場所はない――。

空気を裂く音響が上から落ちてきた。見上げると、着陸する旅客機が機首を下げて、頭のすぐ上を通過していた。窓から人の姿が見えるくらいに近かった。

恭介は路地へ引返しかけた。外貿公団の裏から青い上っ張りをきた女子職員二人が散歩するような足どりで出てきた。二人は彼の方へ視線を投げたが、べつに関心を示す様子はなかった。

彼はゆっくりと自分の車に戻った。

藤沢に帰った夕方、恭介は横須賀のホテル・キャナルに電話した。この時間だと中野晋一は居るかもしれなかった。

予想したようにホテルの交換台は中野の声をつないだ。

「山鹿ですが。どうも」

「やあ。ちょうどよかったですね。ぼくもいまホテルに戻ったところです」

「相変らずお忙しいようですね」

「なんだか、ばたばたしていますよ。……そうそう、東京の山内さんには連絡していただけましたか？」

「それがまだなんです。申し訳ないですが。近いうちにかならず先方にお電話します」

このさい山内みよ子のことはあまりふれないほうがよかった。

「お電話したのはほかでもありませんが、ぼくが撮影に行くときに中野さんもごいっしょになりたいような前からのご希望でしたが……」

「そうなんです。撮影現場をぜひ拝見したいんですよ。どこか決まりましたか？」

「一つのテーマが浮びました。暴走族の生態です」

「ああなるほど、暴走族ね。それはいかにも報道写真向きですね」

「と思うんです。ついては今週の土曜日の夜に大井埠頭に行くことにしました」

「大井埠頭？　羽田の近くの？」

「そうです。あそこの広い埋立地に立派な自動車道路ができてましてね。暴走族がわがもの顔に走り回るそうです。それにグループどうしの乱闘があったりして……」

「ああ、その記事ならぼくもきのう読みました」

中野も知っていた。それなら好都合だと思った。

「暴走族とは、現代向きの面白い題材じゃないですか。若者の暴力的なエネルギーを捉えるというのは。ぼくもお供したいですね」

果して中野はすぐに乗ってきた。

「いらっしゃいますか？」

「お邪魔でなかったら、ぜひ、ごいっしょさせてください」

そういうときは万障くり合せるとこの前に云った言葉どおりだった。

「それでは七時半に、現場で待合せましょうか？」

「大井埠頭をぼくは知らないのです。名前は聞いていても、まだ行ったことがないので」

これも都合がよかった。

「そうですか。それじゃ、あそこに大井南陸橋というのがあります。その陸橋の上でお待ちしていますよ」

「大井南陸橋、ですね」

中野はメモしたようだった。

「そうです。ぼくは自分の車で行きます。ほんらいなら横須賀のそちらのホテルに寄ってお乗せしなければいけないのですが、道路が混むので遅くなりそうです」

「いやいや、ぼくは電車で直行しますよ。品川駅に降りてタクシーで行きます」

「そうしてくださいますか。すみません」

これも自分にとって好都合だった。

「今日が火曜日だから、土曜日というと四日後ですね？」

中野は確認した。

「そうです。土曜の午後七時半の待合せです」

「七時半というと時間が早いんじゃないですか？　暴走族が現れるのはもっと遅い時間だと聞いていますが」

「十一時ごろから夜明けにかけてが活動時間ということです。でも、ぼくは撮影の準備があるので早目に現場へ到着していたいんです。撮影場所もあらかじめ選んでおかなければならないしね。暴走族の疾走場所や乱闘場所はあらかた見当がついていますけど」

「なるほど。でも、危険はありませんか？　まき添えを食わないようにしないとね」

「そんなことにならないためにも、あらかじめ場所の選定をしておく必要があります。その段階から中野さんとごいっしょしたいのですよ」

「とても興味がありますね」

中野の声に昂奮があらわれてきた。

「かならず、指定の時間、指定の場所へ参ります。なにかぼくに準備することがありますか？」

「何もありません。ただ、ぼくの撮影のやりかたを見ていただくだけでけっこうですから」

恭介は釘をさした。素人によけいな撮影道具を持ちこまれては邪魔になるし、迷惑するのだ。

夜ともに歩く

このごろは午後六時半になるとようやく暗くなる。七時になって夜に入る。五月二十四日の土曜日であった。

大森の街から大井埠頭方面へ向かう広い道路に車を乗り入れてから山鹿恭介は意外だった。この地域は街を外れると、この前火曜日の昼間見に来て想像したように、原野と倉庫と立体交差下の湾岸道路とターミナル線しかなく、さぞかし夜は真暗だと思っていたのだった。

恭介は大井南陸橋で車を降りた。下は湾岸道路と交差している。ここはやや高くなっているのでこの広大な埋立地の全体が見渡せた。昼間来たとき街路照明灯があるのは知っていたが、昼と夜とは案外な相違で、明るい照明灯は広い地面のはしばしまでならび、ここから見渡すと、まるで光の星花《ほしばな》が野に咲き乱れているようであった。

東のかた、遠くへ眼を凝らすと、夜空に見えるか見えないくらいの小さな赤い灯が縦《たて》に三つ四つわびしげに点いていて、その同じものが、一定間隔をおいて横にいくつもならんでいた。埠頭岸壁のクレーンで、赤い灯はキリンの形にも似た鉄骨櫓《やぐら》にとり付けてあるのだった。

恭介は橋のコンクリートの手すりに身体を寄せて煙草を喫っていた。火曜日に見当をつけたのは左から三番目のクレーンである。そこが横浜植物防疫所や京浜外貿埠頭公団の前にある道路にいちばん近い。そのクレーンにも赤い灯が闇を背景に高いところにかぼそく光っていた。

通る車は少なかった。五分間にトラックが二台、乗用車が一台だった。倉庫のあるほうから街へ出るものばかりで、逆にこっちから行く車はなかった。

上から轟音が降りてきた。見上げると大きな旅客機の黒い影が通過している。これにも三角形に赤い灯が三つの星のようについていた。着陸態勢なので機影はたいそう大きい。客席の丸窓の白い光がミシン針で縫ったように一列にならんでいた。

恭介は腕時計をすかして見た。七時四十五分だった。約束の時間から十五分経っている。中野晋一は、横須賀からここへ来るのは電車を品川駅で降りてタクシーで行くと言っていた。それなら大森東の交差点を曲ってこっちへくるはずだと思い、恭介はその方角を眺めていた。が、ヘッドライトの光は来なかった。まさか約束を違えたのではあるまい。あれほど撮影の同行を希望していた男だから、かならずやってくる。道路が混んでいるか、運転手がこの場所をよく知らなくて迷っているか、どちらかだろうと思った。

通行人はない。むろん昼間見た競輪選手の練習もなかった。人の居ないところに照明灯があかあかとついているのがもったいないくらいだった。

恭介が二本目の煙草にライターを寄せて、二、三度ふかしたとき、陸橋の袂から地から湧いたように人影が突然あらわれたのには、どきっとした。

「山鹿さん、こんばんは」

声はたしかに中野晋一だった。

瞬間、競輪選手が出てきたかと思ったくらいである。深い廂《ひさし》のついた黒の帽子に、黒のシャツに黒の上着、黒のズボンだった。照明灯に帽子の下の髭を浮び上がらせたが、廂で顔の上半分が暗かった。

現れた場所もそうだが、この鴉《からす》のような格好に恭介はあっけにとられた。

「お待たせしました」

中野は髭の中から白い歯を見せた。

「どこに居られたんですか？」

中野の黒ずくめの姿を恭介はまじまじと見てきいた。

「この橋の下ですよ」

『橋の下？」

「ここは自動車道路の陸橋ですが、この下に歩道専用の陸橋があるんです。ぼくは七時二十分ごろタクシーで着きましたので、少し早すぎたと思い、下の陸橋から道路に出てぶらぶらしているうちに、つい遅くなりました。すみませんね」

「そうでしたか。それは知りませんでした。でも、ずいぶん変ったお支度ですね。声をかけてもらうまでは中野さんだとはわかりませんでした」

恭介は彼の黒ずくめの姿を見て云った。

「これですか」

中野は眼を下にむけて自分の服装を眺めた。

「知った人間に野球のアンパイヤーが居ましてね。その人から審判服を借りたんです」

「ああ、道理で」

「こういう黒っぽい服装をして隠れていないと、暴走族にやられかねないと思いましてね。近ごろの若い暴走族は通行人をまき添えにして襲うそうですから」

「その審判服ならまるで夜の忍者のようですから、大丈夫ですよ」

恭介はいくらか揶揄《やゆ》するように笑った。

「これから撮影の準備ですね？　まだ時間があるようですが。暴走族が出てくるのは十時ごろじゃないですか？」

と中野が云った。

「それまでにカメラの位置を選定しておきましょう。ひととおり自動車道路を回ってみますから、この車に乗っていただけませんか」

「わかりました」

恭介が運転席に入ると、あとの中野はすぐに車に乗るではなく、橋の袂の向う側へ歩いて姿を消した。そこはさっき彼が出てきたあたりだった。何をしているのかと恭介が思っていると、二分とは経たないうちにそこからふたたび審判服の姿を現わした。こんどはゴルフバッグを肩にかけていそいそと戻ってきた。足音がしないと思ったら、彼はゴム底の運動靴をはいていた。

おや、ここにくる前に中野はゴルフ場に居たのかと恭介は思った。

「どうぞ」

ツードアだから恭介は運転席の隣のイスを前に倒した。暗い中で車体の小豆色が黒く見える。

「どうも」

中野は黒い帽子の頭をかがめ、窮屈そうにゴルフバッグを両手に抱えて車内に入って後部座席の一方に腰をおろした。バッグは両膝の前に立てて手で支えていたが、中でときどき金属性の音がふれ合った。座席の片方には恭介の大きなカメラバッグが乗っていた。

「中野さんはゴルフに行ってらしたんですか？」

恭介は運転席から身体を傾け、片手を伸ばしてドアを閉めると、ヘッドライトのボタンを押して訊いた。道路の前面がにわかに真白に輝く。

「いや、ゴルフには行きません。これはゴルフバッグですが、中に入ってるのは違うんです。いまはちょっと恥しくて中身は云えませんがね。必要なら、あとで出してお眼にかけますよ」

中野は、尻ごみした様子で、はっきりと云わなかった。

「それよりも早く山鹿さんの撮影ぶりを拝見したいですな。暴走族をどんな新鮮なアングルで撮られるか。……ぼくは今夜が楽しみだったんですよ。希望をかなえてもらって、どうもありがとう」

「いえ、どういたしまして。けど、あまり期待をしないでください。報道写真の撮影ばかりは、そのときの運ですから」

「でも、あらかじめ山鹿さんの頭の中にはコンテがあるわけでしょう？　どんな調子の画面にするとか、どんな構図にするとか……」

恭介はエンジン・スイッチを入れ小豆色の車をスタートさせた。

「そりゃ漠然としたコンテはあります。そうでないと迷ってしまいますからね。でも、現場にくるとまた様子が予想と違いますから、条件次第ということにもなりますね」

「なるほど」

ヘッドライトは前面の広い道路を照射しながら、ゆっくりと進んだ。照明灯の光が両側からふりそそいでいた。やはり車は一台も走っていなかった。

「思ったよりまわりが明るいですね。こんなに照明灯がたくさんあるとは思わなかった」

後部座席で中野が云った。

「中野さんはここがはじめてですね？」

「大井埠頭という名前は以前から聞いていましたが、これまで来たことがなかったんです」

中野は珍しそうに両側の窓に眼をきょろきょろ移していたが、

「あの、遙か向うにぽつぽつと見える赤い灯は何ですか？」

と、恭介の背中に問うた。

「ああ、あれですか」

あすこがこれからあんたを連れて行こうと思っている場所だと肚《はら》の中で答え、口では、

「あれは起重機ですよ。あそこが埠頭でしてね、船からの荷揚げ専用クレーンが何台も据えつけてあるんです」

と説明した。

「ははあ」

中野は何か云いたそうだったが、左の窓を見ると、急に、

「あ、すみません。ここで停めてくださいな」

と声をかけた。

恭介はゆっくりとブレーキを踏む。何を中野が見たのかと思った。

「ちょっと降りてみたいんです」

恭介が前に倒したイスのうしろにできた隙間を伝うようにして、中野はドアの外に出た。

道路の端に立った彼は名前もよく知らぬ植物の黒く茂る木立を背にしてきょろきょろと左右を

見まわしていた。照明灯の下だけに植物の葉が白く照らされていた。

何を中野が見ているのかと思って恭介もエンジンをかけたままで降りた。

「この道路を暴走族が走るんですか？」

傍に寄ってきた恭介に中野は言った。光の下で彼のアンパイヤー姿は黒々としていた。

「そうらしいです。いまわれわれが落ち合った大井南陸橋の道路をここへ来て、まっすぐなこの道路を北へ向かい、西へ曲って走り、また南へやってくる。そうして大井南陸橋のところに出る。この自動車道路はそんなふうにだいたい四角形の環状線になっているんです」

恭介は照明灯が二列になってならぶ道路を指さして言った。自動車道路の先は遠近法の図解を見るようにさき細りになり、それに沿う照明灯も先端のほうで間隔がなくなり光が小さくなっていた。だが、車道はこの広い地域に四通八達といってもいいように数多くあるので、それにならぶ照明灯や倉庫などの灯も重なり合って、恭介が先刻感じたように暗い曠野に咲く光の星花のように見えるのだった。

「ここはゆるいカーブになっていますな」

中野が、いま来た道のほうを眺めて言った。

道路は彎曲《わんきょく》していて、そのぶん歩道のうしろに木立の墻《かき》がせり出していた。

「そうですね」

恭介もいっしょにそれを眺めた。中野が車を停めさせたのは、このカーブが眼に入ったためか。

「カーブはゆるいようだが、曲率はRイコール五百メートルぐらいですかね？」

中野が云った。

「それはどういうことですか？」

「円の半径が五百メートルという意味だそうです。ぼくは道路工学の友人から聞いたことがあるんです。カーブの比率のことをね。ほら、東名高速にはよくカーブがあるでしょう。時速百キロ以上で走る車が多いので、カーブの設計は緩い曲率にしているんだそうです。ほとんどがRイコール千二百メートルになっていると云っていました。それと車の見通しのできる距離は五百メートルだということでした」

恭介は動悸が速くなった。

「この道路のカーブの見通しは二百メートルくらいですね。東名高速の約三分の一です。素人考えですが、だいたいRイコール五百メートルくらいだと思うんです」

彼は眼の前のカーブをじっと見て言った。

「中野さんは、東名高速のそういうカーブの現場へ行って調べられたことがあるんですか?」

恭介は中野晋一の表情を眼の端に入れてなに気ないように訊いた。

「いや、わざわざそんなものを見には行きませんよ。東名高速道路を通ればそのつどカーブがふんだんに眼に入るんですからね」

中野の声は平静だった。彼はそのままつづけた。

「ぼくが思うのはね、単車を駆る暴走族は百五十キロくらい出しているんでしょう。そんなすごいスピードで、このカーブが曲り切れるだろうかということですよ」

中野は話を暴走族へ戻した。

「カーブを曲るときは、スピードを落すでしょうね。なにしろ彼らは集団で走っているんですから、一台が道路から飛び出すと、大混乱が起きます」

恭介は云った。

「そこですよ」

「え、何がですか？」

「対立グループとの乱闘ですよ。このカーブだと二百メートル先までしか見えない。お互いの姿はその先でかくれて分らないわけです。スピードは落しているし、衝突して乱闘するにはちょうど格好な場所ではないですか？」

「わたしはまだ暴走族の乱闘を目撃したことがないのでわかりませんがね」

「しかし、その可能性はありますよ。とすれば、カメラはこのカーブの道路から引込んだところに位置したらどうですか？　ちょうどここに林の茂みがありますね。この中に隠れて連中が走ってくるのを待っているんですよ」

そういうと中野はすたすたと歩道へ寄って立ちどまり、腕組みしてカーブのほうを凝視していた。

「うむ、似ている」

彼はひとりごとのように呟いた。

「何が、いや、何に似ているんですか？」

恭介は聞き咎めた。

「ここは東名高速道路のカーブを縮めたような格好じゃないか、とふとそう思ったんです。前は幅二十メートルもあるような道路でしょう。このように車が通ってないからいくらでもスピードは出せる。まるで高速道路と同じですよ」

わざわざあの現場に行って調べたのではない、東名高速を何度も通った経験から得たのだ、という中野の口吻であった。

恭介が適当な返事を探していると、ねえ、山鹿さん、と中野はまた云った。

「暴走族は対立グループを待ち伏せして襲撃することもあるんだそうですね。そうすると、この場所は待ち伏せするにも、ちょうどいいんじゃないですかね？」

「さあ」

よくわからない、というように恭介は首をかしげた。

すると、中野は茂みの墻に近づいた。

「この林の奥は、どうなっているのかな？」

いまにもその中へ運動靴を踏み入れそうにした。

「その奥は何にもありませんよ。草茫々《ぼうぼう》の原っぱです」

恭介は思わず云った。そう口に出してから、はっとなった。前にここへ下見にきたと中野晋一に気づかれては困るのだ。

「いや、ぼくはここに来たことはありませんが、地図を見ると、そうなっているんです」

中野晋一が靴音を立てずに引返してきた。——

タケウマ

「では、もうすこしこの自動車道路をまわって、暴走族の生態がうまく撮れる場所を物色してみましょうか」

恭介が中野を促すと、そうですかと彼は車へついてきた。すこし走ると中野は右のほうへ顔をふりむけて云った。

「あそこは岐《わか》れ道になっているんですね」

五十メートルばかり先に交通信号機があり赤い光を点滅させていた。二人はそこで降りた。

「地図を見たんですが、あの道路はあそこから羽田空港の北向いにあたる城南島という埋立地まで
まっすぐに伸びているんです」

恭介はそっちを眺めている中野に云った。

「ああそう」

「これからわれわれが行こうとするこの道の正面にも陸橋がありますが、そこを西へ渡ると、さっき云いました循環道路になるわけです。暴走族は循環道路ばかりを走るとはかぎらず、陸橋を

逆戻りして埠頭に沿った道路とか、芝浦のほうへ行く海岸通りとか、あるいはこの城南島道路とか、気のむくままに走路の変化を求めて自由自在です」

「前もってそういうことをお調べになったわけですね？」

「そりゃね、暴走族のコースくらいは人に聞いておかないと、どこでカメラを待ちかまえていたらいいかわかりませんからね。それを知っておかないとすっぽかされてしまいます」

「もっともです」

中野は髭面をにこにこさせて、

「では、あのクレーンに近い道路も暴走族は走るんですか」

と、小さな赤い灯が点々とならぶ方向を見た。

「そうなんだそうですよ。とにかくどの場所がよいか回ってみましょう」

車の運転席に戻った恭介は、あとから入ってくる中野のために横のイスを倒してやった。

「面倒をかけます」

中野はかがみこんで後部座席に坐った。ふたたびヘッドライトの光が前面の道路を進んだ。傍に三階建ての小さなビルがあり、「東京税関」と出ていた。右側に倉庫が流れて、それぞれ門を閉めた長い柵がつづく。直線道路である。ほかに通行車はなかった。

「山鹿さん」

うしろで中野がゴルフバッグをがさりと音をさせた。

「はい」

ハンドルを握ったまま恭介は返事する。

「さっきから乗せてもらっていますが、これはいい車ですね。Xですか？」

中野は小豆色の車のメーカーを云い当てた。

「そうです。二年前に買いました」

「お仕事で回られるときいつもこれを使ってらっしゃるんですか？」

「そうです。だから、いたむのが早いですよ。この前も整備に出しました」

「フォードアよりもツードアがお好きですか？」

「仕事で一人で乗り回すにはツードアの車がいいですね。これは小型ですから。狭い道にも入って行けます。それに、値段が安いですからね」

恭介はちょっと笑った。

「それじゃ、お仕事だけじゃなくて撮影で回られるときもこれを愛用されるんですね」

恭介は二秒ほど間をおいて、

「まあそうですね」

と、低く答えた。

去年の十月三日の夜、御殿場と沼津の間の東名高速道路で起きた玉突き衝突事故のときもこの車を乗り回した。そのことを中野が訊いているような気がして、返事が重い声になったのである。

「あそこが、大井北詰陸橋というんです」

恭介は、あとをつづけそうな中野の質問を振り切るように少し大きな声を出した。正面の自動車道路は上り坂となり、それを走り上って左にハンドルを切ると、長い陸橋の上に出た。

「ちょっと降りてみましょうか」

恭介は中野を誘ってドアを開けた。

陸橋は相当に高く、下は新幹線のターミナル線路が走っていた。海底トンネルに入っていく湾岸道路もそれに平行していた。二人はならんで橋の手すりによりかかり、いっしょにあたりを展望した。

たくさんの照明灯がこの広大な埋立地に光っていたが、北の隅にあたるここからでは、それらが重なり合い、群がっているように見えた。それはこの位置と対極にあたる大井南陸橋の上から眺めたのと同じ夜景であった。

「ずいぶん大きな煙突がありますね」

中野が右手の建物に眼をむけて云った。

「清掃工場らしいです」

恭介は云った。煙は出ていなかった。

中野は斜めうしろをふりかえった。

「あの工場は？」

「火力発電所ですね。地図にそう出ています」

前にここへ来たことをかくすために、恭介はすべて地図からの知識にした。

両人はくるりと反対側にむき直り、橋の欄干に背中をもたせて立った。

人のいない、静まり返った倉庫街が照明灯の下にひろがっていた。同じ灯は無人の自動車道路も照らしていた。

空にはうすく星が散らばっていた。その東の下に蝎座《さそりざ》のアンタレスとも見紛《みまが》う赤い小さな光が整列していた。

「ここからだと埠頭のクレーンが近く見えますね」

中野は、点々とした赤い星の連《つら》なりに黒い帽子の下から眼を遣《や》って、煙草を口にくわえた。

「暴走族は、この陸橋の上を通過するんですか？」

中野が煙を吐いてきいた。

「だろうと思います。わたしの想定では、われわれがいま来た道路を走ってきて、この陸橋を渡り、あの清掃工場の前の道路を南へ走って、さきほどの大井南陸橋のところへ戻る。つまり循環コースですね。または、あそこに見える羽田行の有料高速道路とモノレールの高架をくぐって海岸通りを芝浦へと走って往復する。それから、さっき申し上げたように、南の城南島へ行く道路ですね。地図にはいろいろな道路があるようです」

恭介はそれぞれの方向を指でさした。

「暴走族は、どの道路を通って、この埋立地に来ますかね？」

中野が煙草をふかしつづけてきいた。

「いろいろでしょうが、環状七号線を北の方面から南下してくるのが多いようです。幹部連中はドライブ・インなんかに集合して、腹ごしらえをする。そのうち顔が揃うと、ドライブ・インの駐車場に置いた二輪車に乗って環七を走るんです。走っているうちに沿道で二輪車に乗って待つ少年たちが本隊に参加し、おいおい数がふくれあがってくるということです。鉄パイプなどの武器を持って」

「怕《こわ》いですね。……そうだ、腹ごしらえといえば、あなたは夕食はお済みになりましたか？」

中野は思いついたように訊いた。

「済ませました」

「いちどお宅にお帰りになって？」

「いや、会社からまっすぐにここへ来たもんですから、途中の、それこそドライブ・インで食事しましたよ。夕方から保険の勧誘に回るときはいつもそうなんですよ。家の者もわたしが何処《どこ》へ行っているか知りません」

「じゃ、今夜暴走族を撮りにここへおいでになったことも？」

「そうです。女房にも会社の者にも話していません。暴走族を撮るなんて、ちょっと気がさして、云えませんからね」

誰にも話してないのはほんとうであった。それは中野と会う目的が目的だったからである。

「奥さんは、心配なさいませんか？」

「大丈夫です。仕事で夜なかの一時、二時に家へ帰ることがあるんです。馴れていますよ」

中野は帽子の下で微笑し、安心したようにうなずいた。

「中野さんこそお食事は？」

「ぼくも済ませてきました。しかし、暴走族の撮影が終るのは遅くなるでしょうから、そのあとで、どこか二十四時間営業の店へいっしょに行きましょう。腹が減ってるでしょうからね」

「そうしましょう。暴走族が現れるのは、どうしても十一時近くになると思いますからね」

「まだ、八時半ですが」

中野は腕時計を照明灯の光で見て云った。

「撮影の準備があるから、ちょうどいいです。どこにカメラをすえて待つか、その場所択《えら》びがありますからね」

「さっきのカーブのところは、どうです？」

「あそこも悪くはありませんが……」

恭介は埠頭の岸壁方向へ眼をむけた。

「ぼくはね、あの荷役クレーンの上にあがって、前の道路を走る暴走族を俯瞰するアングルで撮りたいんですよ。聞いた話ですが、あそこの道路でよくグループどうしの乱闘があるそうです」

「あんな高いところに登るんですか？」

中野は眼をまるくしていた。

「いや、アームがぴんと上にあがっている先までは登りません。あれは三十メートルくらいありますからね。そこまで行くのはたいへんですし、第一、道路が遠くなりすぎます。その途中にクレーンを動かす機械室があるんです。その屋根が平らになっていますから、そこまで登ってみたいと思っています。地上から十四、五メートルくらいでしょうか。そこに望遠レンズのカメラを据えつけて撮影するんです。変った画になりますよ」

「そりゃ、面白そうですね。カーブで待って平面撮影するよりは、奇抜な構図になりそうですね」

中野は、煙草をすてて、少々昂奮したように両手を擦《こす》り合せた。

「けど、山鹿さん。あんなところからだと、こっちの道路が暗くてよく撮れないでしょう？」

彼はその方角を眺めて云った。クレーンの小さな赤い光は相変らず夜空にきれいにならんでいた。

「大丈夫です。照明灯の光が相当に明るいし、五十台も六十台も集まる二輪車のヘッドライトがこのうえない光源になります」

「なるほど、そうか。でも、クレーンと道路との距離がずいぶんありそうですね。強力な光のストロボを使いますか？」

「ストロボを使ってはなんにもなりません。そんなものを光らせると暴走族に気づかれてしまいます。だから、おそいシャッター速度で撮ります」

「それじゃ、画面の像がズレたり流れたりしてしまうでしょう？」

「そこがいいんですよ。流動感が表現できてね。被写体が止まった画になると、暴走族の疾走も乱闘もその感じが出ません。だから、わたしは、300ミリのレンズで、2・8か3・5の絞り、シャッタースピードは六十分の一か三十分の一で切りたいと思っています。それだと適当に被写体がブレて流動感が得られます」

恭介は早くも現場レクチュアをやった。

「では、行きましょうか」

恭介が車へ歩き出すと、中野はもう一度岸壁のクレーンのほうを見て、

「山鹿さん。道路側に近いとなると、左から三番目あたりのタケウマに登りますかね？」

と、腰に手を当てて云った。

「タケウマ？　タケウマってなんですか？」

きょとんとして恭介は中野に問い返した。

「あ、失敬。あのクレーンのことを岸壁に釣りに行く連中が云っている言葉なんですよ。クレーンの形が竹馬《たけうま》に似てるからでしょうね」

「ほう」

そう云われてみると、荷役クレーンはキリンの形よりも竹馬と形容したほうがぴったりだった。起重機の脚にみられる鉄筋支柱の交差は、竹馬の脚に似ていた。

恭介は、びっくりした。

「中野さんは、あの岸壁に釣りにいらしたことがあるんですか？」

「いや、ぼくは来たことはありません。釣りにはさっぱり趣味がないものですからね。東京の友人に釣り好きの男がいて、それから話を聞いたんです。なんでも釣り仲間が埠頭の岸壁に集合の約束をするときは、クレーンをタケウマの愛称で呼び、左から四番目のタケウマのところで集まろうとか、右から七番目のタケウマの下で集合しようとか云い合っているそうです」

これは油断がならないぞ、と恭介は思った。中野自身は釣りにきたことはないというが、彼の友人からクレーン付近の地形を聞いているかもしれないのだ。

「しかし、魚釣りはあのクレーンのならんだ岸壁へ行けるんでしょうか。というのは、あそこは汽船会社の構内だから外部の者は入れないでしょう。警備員の詰所などがあるはずですし、警備員も見回っているでしょうから」

「いや、そこは抜け道があるんですね」

「抜け道？」

「友人の話では、左から三番目のタケウマの下へ行くには、税関の構内と、なんとかいう公団の構内と両方の仕切りの間が細い小道になっていて、そこは垣がしてないので自由に出入りできるそうです」

それは「横浜植物防疫所」と「京浜外貿埠頭公団」のことだ、と恭介にはわかった。その間にある路地は、四日前に行って見たところである。今夜の狙いも、その左から三番目のタケウマの上だった。

「しかし、釣りをしていても見回りの警備員に追払われませんかね？」

「いや、魚釣りだとわかっているので、警備員も見て見ぬふりをしているそうです。これは友人の話ですけど」

「夜釣りの人間は行きませんか？」

恭介はそれが気がかりだった。

「いや、場所が場所だけに魚釣りも淋しがって夜はあんなところに行かないそうです。ぼくも、いつかタクシーの運転手から聞いたことがあります。ときどき夜間に大井埠頭に碇泊《ていはく》中の貨物船まで船員の客を乗せて行くことがあるけど、帰りは一人だから気味が悪くて、イヤなところだと云っていました。いま、ここから見ても、あんまり気持のいい地域ではありませんな」

中野は、審判服の肩を寒そうにすぼめて云った。

このぶんなら、中野晋一を異常な雰囲気に追いこめそうだ、と恭介は思った。

「じゃ、ぼつぼつ行きましょうか」

恭介は中野に云い、車へ戻った。彼を迎え入れるため、また運転席横のシートを倒してやった。中央分離帯があるのでUターンができず、陸橋を渡って坂道を下り、次の交差点で大回りをした。陸橋下の道路を行くと、赤い灯を点けたタケウマがぐんぐん近づいてきた。

道路は植物防疫所の塀で突き当り、右へ折れた。照明灯が両側にならぶその自動車道路はまたもや直線に延びて眼に先細りとなっていた。

恭介は車を徐行させ、防疫所の塀ぎわに寄せ、静かに停めて、ライトを消した。

「あそこに警備員詰所があるようですね。窓に灯がついていますよ」

中野はフロントガラスをのぞいて云った。高くはないが、黒い大きな建物の下が一角だけ明るかった。この前来て見知った「京浜外貿埠頭公団」であった。警備員詰所は、さいわい向う角にあった。

「ちょっと、わたしが降りてクレーンの下の様子をさぐってきましょう」

恭介は中野を車に残して外に出ると、暗いあたりを見い見いしながら路地の奥へ歩いて行った。

クレーンの上

　山鹿恭介は埠頭岸壁にならぶ荷役起重機の、北の端から三番目の下に立ってみた。だれかが居るとすればそのへんを懐中電灯を持って歩いているはずだが、その光はなかった。眼を凝らしたが、背景の灯をよぎって動く影もなかった。靴音もなく、聞えるのは岸壁を洗う波の音だけであった。

　見上げると、クレーンの赤い警戒灯が点々とヤグラに積み上げられている。近くに来ると、思ったよりその数が多く、当然に下は大きく、上は夜空に接して小さく光っていた。途中に四角い機械小屋がほの白く浮んでいるが、それにも赤い灯が点いていた。眼で測っても地上から十四、五メートルはある。

　その地上に据えられたクレーンの大きな四脚には、鉄梯子がとりつけられていて、簡単に登れるようになっていた。海にむかって岸壁に一列にならぶ三十台近くの荷役クレーンはいずれも稼動してなく、警戒灯だけを光らせて静まり返っていた。貨物船は一隻も碇泊していなかった。

　恭介はこれだけを見きわめると、植物防疫所と外貿埠頭公団との間の狭い路を引返した。

灯を消した車の窓に中野晋一の真黒い姿が坐っていた。

「どうぞ」

ドアを開けた恭介は中をのぞいて云った。

「大丈夫ですか？」

中野が臆病そうに訊いた。

「ＯＫです」

恭介は答えて微笑した。

「現場にはだれも居ません。あ、すみません、その座席に置いてあるバッグを出していただけませんか」

中野は両手で重そうにカメラバッグを抱えてそこからさし出した。

「どうもすみません」

「ずいぶん重いですね。いろいろなカメラが入っているんですね？」

「まあ用意だけはしてきたんですが」

バッグを肩にひっかけた恭介は中野が出てくるのを待ったが、彼は座席に腰をかがめてなにかゴトゴトやっていた。

「お待ちどおさま」

運転席横のシートを倒して中野は長いゴルフバッグを抱えて降りてきた。

「そのバッグを持ってクレーンの上にあがるんですか？」

そのゴルフバッグの中に何が入っているのか恭介には見当がつかなかった。

「そのつもりです」

「高いところにそんなものを持って上がるのは危なくありませんか？」

「いや、軽いから大丈夫です。紐を肩にかけて背負いますから、両手は自由です。あなたこそ、その重いカメラバッグを持って登るんですから、気をつけてくださいよ」

中野は逆に注意した。

「ぼくのほうは心配ありませんが。……いったいそのバッグには何が入っているんですか？」

「照明器具ですよ」

「照明器具？　ライトですか？」

「そうです。暗すぎてよく撮れない場合を考えましてね」

照明器具の支柱《ポール》だの電灯《ライト》だのシェードだのを分解して中野はゴルフバッグに詰めこんでいるらしかった。

「そんなものは必要ありませんよ。さっきもお話ししたように、街路の照明灯もあるし、集まった暴走族の二輪車についたヘッドライトもあるし、それに、明るいレンズにおそいシャッター速度ですからね」

恭介はよけいなものを持ちこむ中野にすこし強く云った。

「そうですか」

中野はちょっと悄気《しよげ》たような様子だったが、

「せっかく持ってきたんだから、とにかく持って上がりましょう。暴走族を撮らなくとも、あとでぼくがこれを使って近くの風景を撮ってもいいです。クレーンの上からの埠頭の夜景も面白いかもわかりません」

と、ぼそぼそと云った。

恭介はカメラバッグを、中野はゴルフバッグを肩にして歩き出したが、アンパイヤー姿の中野はゴルファーのようだった。

向うの外貿公団のあたりに警備員詰所の灯が小さな窓に映っていた。ここからは遠いけれど、恭介を先頭に身体を前に折り、足音を忍ばせて路地へ歩いた。

要心しながらだから、クレーンのそばにくるのに十三分かかった。

「ほう、傍までくると、タケウマもでかいものですなァ」

中野はクレーンを見上げて云った。

「しっ、声を低くしましょう。見回りの警備員の耳に入ったら困りますから」

この注意に中野は恐縮を示した。

「さてと」

恭介は脚に付いている鉄梯子を下から上まで見上げ、機械小屋のところに視線を当てた。

「中野さんは高所恐怖症ではないでしょうね？」

ふりかえって低く訊いた。

「とくにそうでもありませんが、高いところはやはり気持のいいものではありませんね。あの機械小屋もずいぶん高そうですね」

中野は赤い灯がついているほの白い小屋を仰ぎ見て、小さな声で答えた。

「やはり十四、五メートルの高さですね。ですが、昼間と違って夜は下界が見えないので、この鉄梯子を登ってもそれほど怕くはありませんよ。街路や倉庫の灯が見えるだけですからね」

恭介が云うと、

「そうですね。下にいろいろなものが見えると、登るのに足がすくんでくるでしょうからね」

と、中野もうなずいた。

「さあ、では、ぼつぼつ登りましょうか」

恭介が肩から吊ったカメラバッグをひと揺すりすると、中野もゴルフバッグを負いなおした。恭介が用意の作業手袋をはめながら横目でそっと窺《うかが》うと、中野はすでに手袋をしていた。そういえば、さっき車を降りる時からはめていたようだった。

ここでも恭介が先に立って赤ペンキ塗りの鉄梯子を登りはじめた。要所要所に警戒灯が点いており、その赤い光が二人の足もとの照明でもあった。赤い塗料は暗いところでは焦茶色に見えた。鉄梯子は荷役クレーンの垂直の赤い脚に沿ってジグザグに上っていて、途中から斜め上に伸びて反対側の脚の上部に達する。二人はその鉄梯子を上へ上へと登って行った。赤い灯に照らされてどこでも足もとはよく見えた。

中野はゴム底の靴をはいているので音はしないし、柔軟な足の運びであった。審判服も身軽な動きになっている。背に照明器具を入れたゴルフバッグも彼の負担になっていないようだった。年齢《とし》は自分より中野晋一がいくらか下のようだが、と先頭を登る恭介は考えた。彼の足どりが若く見えるのは、その審判服のせいであろう。こんなことなら自分も運動着に着かえてくればよかったと思った。

「ちょっとこのへんでひと休みしましょうか」

恭介は鉄梯子が太い脚に接着したところで小さく云った。鉄梯子はそこで狭い踊り場のように平らになっていた。が、二人いっしょには腰が下ろせず、中野は一段下の梯子のステップで手すりをつかまえて立った。

「なるほどここから下を見ると灯ばかりですね。ほかには何も見えない」

中野は云う。地上から見たのとは逆に照明灯の群れが下の方に光の花畑を咲かせていた。倉庫の屋根の上と、自動車道路とがところどころ照らし出されていた。

「汐の香が強いですな」

一段下にいる中野は鼻をひくひくさせた。風が下から吹き上がってくる。黒ずくめ姿の中野は闇の中に溶けこんでみえた。赤い灯がなかったら、その所在が知れないかもしれない。

「機械小屋まで三分の二くらい登ってきましたかね」

彼は仰向いて云った。

「そんなものでしょう。十五メートルの三分の二だから十メートル近くですね。……中野さん、気分が悪くないですか？」

腰を下ろした恭介は、自分の膝の前にある中野の黒い帽子頭に訊いた。

「そうですね、やはり、あまりいい気持じゃないですね。これで昼間のように下界の車や人間が小さく見えていたら、もういけませんね。何もわからないのが幸いです」

中野は云ったが、その声はすこし震えを帯びていた。口では軽く云っているが、やはり怕いのだ。あの機械小屋の上に行ったら、もっと動揺するだろう、と恭介は思った。

「さて、あともうひと頑張りです。行きましょうか」

しかし、頑張るのは恭介のほうだった。垂直に昇る梯子はもとよりのこと斜めにかけられた梯子も急激な勾配であった。息切れがした。だが、つづく中野の呼吸は平静だった。彼は恭介を追い上げるような姿勢だった。恭介が足を滑らせたとき、それを下から支えるような恰好でもあった。

突然、近い頭上から炸裂音が落ちてきた。恭介は実際に片足を鉄梯子から踏み外すところだった。

た。鼓膜を突き裂くその爆音は、直接に心臓へ電流のように伝わった。

恭介が思わず片手で左耳を押えたとき、巨きな旅客機の両翼と尾翼に付いた赤い灯は、下げた機首にくっついて南の羽田空港のほうへ飛び去りつつあった。

「びっくりさせる」

恭介は旅客機を睨んで中野に聞かせたが、胸の動悸はまだおさまっていなかった。

「木更津《きさらづ》から進入してくる着陸機は、東京湾の上を旋回してこのクレーンの真上を通過するんですなァ。地上で見るよりもすぐ頭の上近くに見えるのは、われわれがこのクレーンの高いところまで登ってきたからでしょう」

中野が落ちついた声で云った。

「高いといっても、この位置はせいぜい地上から十メートルちょっとですからね。飛行機はこのへんで約八百メートル、いや、六百メートルかな、そのくらいの高度で飛んでいると思いますよ。夜は光が強いですから、近いように見えるんですよ」

恭介は不覚な愕《おどろ》きをかくすように云った。

「そうですか。夜は光が強いですか……」

恭介から聞いた言葉を中野は呟いた。

「木更津といえば、あれが木更津の灯ですよ。ここからだとよく見えますね」

恭介は自分で元気を出した。

黒い東京湾には灯をつけた船が一隻、動くか動かないくらいに航行していた。

ついに機械小屋の横に達した。

恭介はそこで荒い息を鎮めるように深い呼吸をした。

白ペンキ塗りの機械小屋の窓は暗く閉まっているし、入口の扉はロックしてある。番人はだれも居ないとわかっていても、それをはっきりと見届けるまでは安心ができなかった。黒服の中野は窓ぎわに忍び寄って聞き耳を立てたり、閉まったドアに横頰をつけたりしていたが、

「やはり、だれも居ない」

と、はじめて声を出した。

「では、さっそくこの小屋の上にあがりましょう。そこにも鉄梯子がありますよ」

恭介はカメラバッグを持ち直した。中野もそれにならってゴルフバッグをゆすった。こっちのほうは中で金属のふれ合う音がした。

恭介が四日前の午後にこのクレーンの下から見上げて見当をつけたとおり、白い機械小屋の上は換気装置《ベンチレーター》の頭がとび出ているほかは展望台のように平坦だった。まわりは柵で囲まれていた。

二人は肩からそれぞれのバッグを降ろして柵に立てかけた。二人とも息を深く吸いこんで、しばらくは黙っていた。

ここ地上十五メートルくらいまで登ると、展望は大きくひらけ、北は新橋、銀座へと光のかたまりが浦安あたりまで尾を曳いている。南は羽田空港を越して川崎、横浜の灯の連なりがゆるやかな彎曲を描き、西は第三京浜や東名高速道路を走る車の灯の行列が遠望できた。対岸千葉県の海ぎわの町は光の粉を一線に撒《ま》いたようであった。

「きれいなものですな」

中野は、アメリカ煙草を取り出し、ならんでいる恭介に一本をすすめて、ライターを鳴らした。

「すこし寒いですな」

彼は匂いのいい煙を吐いて肩をすくめた。

「やはり十五メートルも高いと、東京湾から海の風をまともに受けるんですね」

恭介も煙草を吸った。

「いま、九時すぎですね。そろそろこの下の道路に暴走族がやってくるといいんですけど」

中野は身を乗り出して直下を眺めた。照明灯に照らされた長い道路はまだ空虚だった。

「そうですね。予想より早くくるかもしれない。この一服を吸い終って、ぼつぼつ支度にとりかかりましょう」

恭介はそれとなく中野の様子を見た。夜のクレーンの上でたった二人で居るとは、たしかに異常な環境であった。が、その中野は思ったよりは落ちついてみえた。高いところに登るのは気持がよくないと口では云っているが、鉄梯子を登るときも平気であった。少しでも高所恐怖症があれば、あの垂直や急傾斜の梯子を登るおりから怯《ひる》まなければならない。それなのに、自分よりは中野のほうが元気であった。

こんな場所に来ても中野晋一は何も気味悪さを感じないのだろうか。恭介は少し予想が狂ったような気がした。だが、それも中野が自分といっしょに居るために安心しているのにちがいない。そのうちに、自分が善意の友人でないことが分れば、彼だって不安になるはずだ。逃げ場とてない十五メートルの高所だ。どうしてこんなところに誘いこんだかという疑念が彼に起れば、不安は恐怖に変るにちがいない。異常な環境の中で、彼がどこまであのことを推測しているかを問い詰めるのはそれからだ。——

さて、どこから話をはじめようか。じつはまだその思案が恭介にはできてなくて、その場で考えるつもりであった。アメリカ煙草を吸い終ってもまだ順序がまとまらなかった。下手に口を切ると、先方に上手に逃げられ、聞きたいことも聞き出せなくなる。

恭介は仕方がないので、撮影の準備をしながら思案をまとめることにした。

「じゃ、はじめましょうか」

彼はカメラバッグにしゃがんだ。

「なにかぼくにお手伝いできることがあれば、遠慮なく云ってください。ぼくは今晩あなたの撮影技術の見習いのつもりで来ているんですから」

中野がそばに寄ってきた。

「ありがとう。お願いすることになるかもしれません」

恭介はバッグを開いて中をのぞいた。

「やはり暗いですね。すみませんが懐中電灯を点けていただけませんか。外に光が洩れないように、バッグの中だけを照らしてください」

中野はそのとおりにした。

恭介はカメラの一つ一つを取り出しながら、心は質問の順序で占められていた。

撮影問答

クレーンを動かす機械小屋の屋上、自動車道路側の柵に寄って三脚を立て、三百ミリの長い望遠レンズをすえつける。直下は十五メートルだが、それより地上平面で三十メートルばかり西へ離れた地点、小屋からは三角形の斜め下にあたる自動車道路へ角度を定め、あたかも暴走族の疾駆を追うように望遠レンズを左右に振ってみる。そうした山鹿恭介の動作を、うしろから中野晋一は熱心に見まもっていた。

ひととおりセットが完了したところで、恭介はうしろをふりかえった。

「中野さん。のぞいてごらんになりますか？」

「そうですか。じゃあ」

中野は黒いアンパイヤー帽の廂《ひさし》をちょっと上げてカメラのファインダーをのぞいた。

「ああ、ずいぶん近くに見えますね。道路がすぐそこにあるみたいですな」

中野が声をあげた。

「道路わきに空缶《あきかん》が転がっているでしょう？　街路照明灯の光に照らし出されて」

「見えます、見えます。ビール会社のマークまでわかります」

「いちおうそのへんを中心にして構図を考えてみたんです。もちろん暴走族の状況しだいでは、自在に左右に中心を動かしますがね」

「ははあ。山鹿さん、このレンズはズームではないですね」

「ズーム・レンズではありません。わたしはいま流行《はやり》のズームにどうもなじめないのでしてね」

ファインダーから顔をはなした中野に恭介は云った。

「でも、ズームのほうが便利なのと違いますか？」

「たしかに便利は便利でしょうがね。普通の一眼レフのカメラだと、焦点距離の違う各種のレンズ、超広角から超望遠までの交換レンズを何本も揃えなければならないし、それをかついで歩くのが難儀です。また状況の変化に応じて手早く交換するというのも、たしかに煩わしいですがね。その手間を省くためにはそれぞれのレンズをつけたカメラが三台も四台も要ります。荷厄介ですね。しかし、わたしはズーム・レンズにはまだ全面的に信頼がおけないのです」

「どうしてですか？　ずいぶん性能がよくなってきたと聞いていますが」

「以前にズームを使った経験では、解像力が悪いのですね。おっしゃるように最近ではそれがよほどよくなったという評判ですが、いちどしみついた気持はなかなか抜けないものでしてね。それにズームの便利すぎるところがかえってレンズへの不信感になっているんです。やっぱり普通のレンズは切れ味がよくて信頼できるし、面倒だけどレンズ交換のほうが安心できます」

「お話を聞いていると、あなたはほんとにプロなみなんですね」

「いいえ、近ごろではプロのカメラマンでもズームを使っていますよ。ですが、古家先生のような大家はやはりズームは使いませんね。旧いといわれるかもしれませんが、万事軽便になってゆく傾向の中で、そういう職人気質《かたぎ》も大切だと思うんです」

「敬服すべきご意見ですね。あなたは古家先生の門下ですか？」

「古家先生は弟子を取らない方《かた》ですが、ぼくは自分では弟子のつもりです」

恭介は云ったあと、いそいでつけ加えた。

「そうかといって古家先生は、こと審査に関しては決して依怙《えこ》ひいきなさる方ではありません。絶対に公平なんです」

A新聞社の「読者のニュース写真」選に誤解を受けないためであった。

「古家さんの作品をときどき雑誌で拝見するんですが、このごろは対象が日本の古い伝統というんですか、古社寺や古美術品、それに考古学的な遺物や遺跡といったものが多いようですね」

中野はまた新しい煙草を恭介にすすめた。

「いや、持っていますから」

恭介がセブンスターの入っている自分のポケットをさぐると、

「まあそうおっしゃらずに」

と、中野はなおもすすめてライターの火をつけてくれた。

暴走族がやってくるまでのひととき、気楽な雑談であった。もとより煙草好きの恭介はすぐに喫った。アメリカ製のいい匂いがする。

「いまお話のあった古家先生の最近のテーマについてのことですが」

恭介は、煙草を吐いて云った。

「ああいう古いものに惹かれるのは、やはり先生の転機でしょうね。大家になると、とかく枯れてきて古美術に対象が向かうといわれますが、古家先生のはいわゆる枯淡の芸境というのではないのです。それどころか従来の古いものにたいする新しい美の、もう一つ違った、アンチテーゼ的な美の再発見に努力なさっています。枯淡どころかエネルギッシュなんですよ。非常に意欲的ですね。その点はわれわれ若い者が見習わなければなりません。先生はほかの大家とは違うんです。青山や六本木あたりのディスコにも行かれ、若者たちといっしょに踊られるんです」

恭介は煙草を吸っているうちに、だんだんいい気持になってしゃべった。周囲の下界は光の細粒がきらめいて、あるところではもり上がり、あるところでは細く連なっていた。汐の香をふくむ海からの風は、寒いくらいに涼しかった。

「あなたも、ゆくゆくは古家さんの傾向を志向されるのですか？」

いっしょに煙草を吸いながら中野は訊いた。外国煙草の香りが流れてくる。

「そうなるかもわかりませんが、それはまだまだ先のことです。わたしは若いですからね。目下は報道写真にうちこんでいますよ」

恭介の力強い言葉に中野の黒い顔がうなずいた。ここには赤い警戒灯が当ってなく、すべて闇の場所だったから、下から見上げても発見されるおそれはなかった。

「さっきうかがいましたが、報道写真を撮られるにも、あなたはズーム・レンズを使わないんですか？」

中野は質問を変えた。

「そうです。望遠と標準と広角のレンズで少なくともカメラ三台は持って行きます。それでも状況に応じてほかのレンズと交換します。忙しいですがね」

「なるほど。『激突』を撮影されたときは、どうでしたか？」

何気ない中野の問いであった。だが、恭介は心臓へ指を触れられたようになった。

こちらから質問の手立てを考えていたのに、その案を得ないうちに相手から先に核心へ向かってきた、と思った。

しかし、それならそれでいい。かえって中野の流れに乗ってゆき、彼の言葉から不自然でなくこっちの目的が達せられる、と恭介は思った。

「ああ、あのときですか。あのときは、85ミリレンズをつけたのと35ミリレンズの二個のカメラを交互に使用しました」

「レンズ交換は？」

「どうでしたかな。そうそう、85ミリレンズを105ミリに換えたように思います」

「ほんらいは沼津方面の夜景をあそこから撮られるつもりだったのですね。新聞に出たあなたの受賞の感想の中にそういう言葉があったように記憶していますが」

「そうです。そのとおりです」

「遠望風景だと、広い角度で撮るのが効果的ですから、105ミリの望遠よりも85ミリくらいがいいんでしょうね？」

「85ミリでも105ミリでもそう違いませんが、85ミリのほうが少しでもワイドにとれて、いいかもしれませんね」

「これも受賞のお言葉の中にあったのですが、東名高速道路の切通しの上、台地になっているところから沼津方面の夜景を撮るつもりだったのに、思うような構図が得られなかった、そこで切通し東側の台地から村道に下りられて適当な場所を探されたのですね？」

「そうです」

「村道に下りると、台地よりは位置が低くなって、遠望ができなくなるおそれはなかったですか？」

中野はあのへんの地理を知っている、知っているのは、追突事故のあと、あそこをわざわざ歩いているのだ、と恭介は察した。いよいよもって推測どおりの中野の行動だった。

これはうかつに返事ができないぞ、と思った。彼はこんどは自分のセブンスターをゆっくりと喫った。

「中野さんはあのへんをご存知ですか？」

切り返してみた。

「ええ。一年半くらい前に、静岡県に土木建設の疑惑事件が起りましてね。県庁支所の役人があのへんに住んでいたので訪ねて行ったことがあるんです。新興住宅地でしてね」

だいたい予想したような中野の答えだった。県庁役人を訪問したというのは、むろん口実にちがいない。

「それならおわかりでしょうが、その住宅地は低地で、そこから東へ行くともう一つ丘陵があるんです。その上へ登ってみたら沼津方面もいくらか近くなるし、障害物もないだろうと思って歩いていたんです。新聞に出たわたしの言葉は省略されていましたから、そのへんがわかりにくかったかもしれません」

「そうですか。それでよくのみこめました」

暗くてわからなかったが、長い廂の下の髭面が、この説明に心なしか微笑しているように見えた。

「そのとき、東名高速道路方面に大きな音響を聞かれたのですね？」

「そうです。で、急いでそっちへ引返したんです」

「しかし、さすがに腕はたしかなものですねえ」

「え?」

「新聞に出た『激突』の写真はちっともブレてないですね」

「……」

「音響を聞いて高速道路の切通しの崖上に駆けつけるだけでも、急な坂を登って走るのだから息切れがする。相当な距離ですからね。そうして崖上に立つと、こんどは思いもよらない車の追突大事故で、眼の前で車が何台も横転したり火を噴き上げたりしている。夜だから炎は真赤だし、煙も火の色を映して、すさまじい光景だったでしょう。素人カメラマンだと、いや、素人でなくても普通のカメラマンでも、息せききって走り戻った上に眼前のたいへんな光景ですから、もう気持が動顚してカメラを持つ手が昂奮で震えると思うんですよ。それなのに、画面には手ブレの様子が少しもない。まるで……」

話しながら中野はそこに据えつけられた三脚を指した。

「まるでこの三脚の上にセットしたカメラで撮影したように、画面にブレがなく、鮮明です。あなたの腕に感服します。それと同時に、異常な場に臨んでのあなたの冷静さにも感歎せずにはおられないんですよ」

恭介は中野の言葉を分析した。

——たしかに自分はあのとき、あの場所に三脚を据え、その三つの脚先をしっかりと地面に安定させ、その上に85ミリ望遠をつけたカメラを固定させて、待ちかまえていた。……

中野は画面にブレのないことによせて、三脚という言葉を出したが、それは彼の推察の上に立った皮肉なのだ。というよりも、それによって反応を知ろうとしている。げんに彼はその横眼をちらちらとこっちへ当てていた。

「どうも、ありがとう」

恭介は賞讃されたカメラの腕のほうへ礼を云い、三脚のことにはふれなかった。また、その程度のことでは中野があのことを全部推知しているとはいえなかった。どこまで彼が知っているか、それを見きわめなければならなかった。

「さっきのお話だけど、追突事故現場を撮るのにあなたは85ミリと35ミリのカメラを交互に使用されたが、105ミリの望遠レンズも交換して使われたということでしたね。そうすると何枚ぐらいお撮りになったのですか？」

中野は後進者の心得のように訊いた。

「そうですね。二十四枚どりのフィルムを四本ぐらい撮りましたかね」

「四本？　すると九十六枚もの写真ですか？」

「いや、フィルムのコマ数にしてはそうですが、そのうちには重複もあるし、役に立たないものもありますから、紙焼きして伸ばしたのは十枚ぐらいですよ。その中で気に入ったのを応募したのが、月間賞になり年間最高賞になったんです。われわれはフィルム十本撮っても、気に入ったのが一枚得られれば、いいほうです」

それがアマチュアとプロの違いだと中野に教えるように恭介は云った。

「そういうもんですかね」

中野は感心したように、

「われわれ素人にはフィルムを無駄にしたようで、もったいない気がしますね。その四本のフィルムを現場で撮られるのに、時間的にはどのくらいでしたか？」

「そうですね。無我夢中で撮ったので、よくわかりませんが、それでも三十分はかかったでしょうね」

「三十分……」

中野は少し考えてからきいた。

「その撮影が終るまで、現場に救急車や警察のパトカーは来ませんでしたか？」

「まだ到着しませんでしたね。そのあと二十分ぐらいして救急車などが来たと思います。きっと通報が遅れたんでしょうね」

「弥次馬というか、近くの人が現場を見に集まってきたのは、いつごろでしたか？」

「それもわりあいと遅かったですね。ぼくが撮影を終ってから五分くらいして人が集まってきたと思いますよ」

恭介は記憶のとおりに答えた。

「ほう。撮影後五分だと、あなたが撮影をはじめて三十五分後ですね。あのへんの人は早寝の上に、物音に無頓着なのですかねえ？」

「どうしてですか？」

「だって、あなたが高速道路の音響を聞いたのは、村道か県道かに下りて、もう一つ東のほうにある丘陵へさしかかったときでしょう？　大きな音響を聞いたのはそのへんの住宅の人も同じ条件だったわけです。午後十一時ごろですから、各軒が雨戸を閉めてテレビを見ていたとしても、あれほどの大きな音ですから耳に入らぬはずはなく、すぐに戸外にとび出すはずです。とび出せば高速道路方面の空が赤くなっている。火災が起ったとだれもが思うでしょう。だからそこの人々はあなたとほとんどいっしょくらいに現場に駆けつけるはずですねえ。それなのに、人々があなたから三十五分も遅れて現場にようやく姿を見せたというのは、その人たち、よっぽどうかしていると思うんですよ」

恭介は、内心で失敗《しま》った、と思った。

――あそこでは、はじめから三脚にカメラを据えて待っていた。予定どおりに事故が発生し、撮影をつづけた。そうして三十分ぐらいすると、人の声が崖のほうから聞えてきたので、見られないうちに、急いでカメラを外してバッグに入れ、三脚をたたみ、そこから斜面を隠れて伝わって脱出し、弥次馬の後に加わった。……

その記憶があるものだから「人の集まるのが遅かった」と、つい、ナマのままに云ってしまった。もう少し考えてから答えるべきだった。

恭介は前言を撤回したかったが、ヘタに修正しないほうがいいと思って、

「そうですね。どうしてでしょうねえ」

と、空とぼけることにした。

だが、恭介はいつのまにか守勢に立っている自分を知った。タケウマの足もとから風が吹き上がってくる。

事故現場談

「山鹿さんは、この次もきっとA社のニュース写真年間最高賞ですよ」

中野は煙草の赤い火を闇に呼吸《いき》づかせながら、また云った。

「どうですかね。あまり自信はありませんが」

恭介は謙遜した。実は中野が次に何を云うかを待つためだった。

「きっとまた獲得されますよ。だってテーマがいいですから」

「そうでしょうか。暴走族というのは目新しくもないですからね。新聞にもときどき写真が載っていますし」

「いや、あれは記事の添えもののようなものです。絵解き的な写真ですからね。そんなのと違って、あなたのは本格的な報道写真ですからね。追求精神も違うし、迫力も違いますよ。暴走族というのはたしかに現代の若者の典型的な生態ですからね。その報道写真は、画面の芸術性とともに現代の証言になります。ありふれた材料のようですが、それはカメラマンの鋭い眼によって現代的な好箇のテーマに生かされますね。それに、ありふれた材料というので、ほかの報道写真家の注意をあまりひかないようですが、その盲点をあなたは衝いて、平凡な素材を美事な、いきいきとしたテーマに生かされるわけですよ」

「そんなに賞めていただくと恐縮します。まだ作品ができあがってみないことには何ともわかりません」

「このように万端の準備をなさって、シャッター・チャンスを待ってらっしゃるんですもの、大丈夫期待できますよ」

万端の準備をして、という中野の声を恭介はうっかりと聞き流した。それも賞め言葉の一つとしてこのときは受けとっていたのだった。

「それにね」

中野はつづけた。

「こんどは暴走族が対象です。その写真は誰からも非難されないでしょう」

「非難？」

「たとえ写真に暴走族の残酷な乱闘が写っていても、暴走族には世論が厳しいですから、非難の声が上がらない、という意味ですよ。前回のあなたの最高賞には、A新聞で読んだけど、かなり読者の批判が載っていましたからね」

「………」

「うろ覚えだが、あの写真は悲惨すぎるということでしたね。眼の前に数名の人命を失った玉突き衝突の大事故が発生しているのに、撮影者は冷静にシャッターを押している。シャッターを押す時間があったら、なぜ救助に行かないかと、ずっと前の紫雲丸の写真をひき合いに出したりして非難していましたね」

「わたしもそれはとくと読みましたが、あの論は無理ですよ。それは古家先生やA新聞社写真部長が紙上で答えられたとおりです」

「もちろん無理です。あの批判は、一種の感情論ですからね。それには事故の犠牲者の家族や身内の気持を考えての同情があると思います」

汐風と共に聞えるこの声は恭介の胸へ直接に吹き込んだ。

中野晋一とはいったい何者か。

——詳細な住所も電話番号も云わぬ。泊まっているところは横須賀のホテルだ。ジャーナリストというが、どのような雑誌で仕事をしているのかはっきりしない。もはや中野晋一が偽名であると断定するしかなかった。

その中野の正体、彼がこれまで調査してきたことをどのように追及してゆくべきか、恭介はここで改めて手順を考えた。一瞬に沈黙が落ちた。

すると、中野が、

「山鹿さん」

と、なにげない調子でまた呼びかけた。

「それはそうと、あなたは茗荷谷の山内みよ子さんのところへ行ってくれましたか？」

「いや、まだです」

恭介は唾《つば》をごくりと呑みこんで答えた。

「じゃ、電話で連絡していただけましたか？」

「ご紹介していただいたのに申し訳ないですが、それもまだなんです」

「お忙しいんですか？」

「はあ。いろいろと雑用にとりまぎれていまして」

「でも、あれからだいぶん日が経ちますね」

「そうなんです。ほんとに済みません」

「でも、おかしいですね。保険勧誘が本業のあなたが、半月もその有望な口を放っておかれるなんて。たしか藤沢から東京には保険のことでよく出かけるというお話でしたが、ぼくの紹介先にはそれもなさらないし、電話もかけてくださらない。競争の激しい世界のお仕事なのに、余裕綽々《しゃくしゃく》ですね」

「いや、そういうわけじゃありませんが」

「山鹿さん。あなたが山内みよ子さんを訪問もせず電話もかけないのは、何か山内みよ子さんのことが心にひっかかるのじゃありませんか？」

「そんなことはありません」

「いや、ぼくにはどうもそんな気がしますね。……あの大事故の犠牲者の名が新聞に出ていて、その中に文京区茗荷谷の山内明子さんの名前があった。あなたは当然それを読んでいた。文京区茗荷谷四ノ一〇七という番地も同じなら、山内という姓も同じです。とすると、これは山内明子さんの姉にあたる人かもしれない、あなたはそう考えた。で、山内みよ子さんに会いに行くのが辛《つら》くなった。電話をかければ、保険加入の話だから面会の日を決めてその家を訪問しなければならなくなる。それがあなたにはできなかった。なにしろ妹と思われる山内明子さんが乗った車の炎上写真を撮影しているんですからね。残酷な写真です」

地上十五メートルの櫓《やぐら》の上に湾から吹きつける夜風がさらに冷たくなった。恭介がかすかに身震いした。

「中野さん。あなたは、山内みよ子さんと仕事の上で知合いだということでしたが、ほんとうは、どういうご関係ですか？」

恭介はいよいよ心の中で対決に出た。

だが、言葉は二人とも平静だった。もしここに他人が居たら、世間話を交わしているように見えたろう。声も低いのである。これはクレーンの上の話し声が下に洩れるのを警戒してのことだった。

「山内姉妹とぼくとは従兄妹《いとこ》なんです」

中野はおだやかに云った。

「わたしもそのように想像していました」

恭介も静かに答えた。

「ほほう」

「中野さんは、どうやらあの事故の撮影のことでわたしに疑いをかけていらっしゃるようですが。……従妹の山内明子さんが事故で亡くなったことから、事故の原因を穿鑿《せんさく》してらっしゃるんですね。はじめ保険勧誘にこと寄せてわたしに近づいていらした。あとはカメラ技術のことです」

「あの追突事故の原因を知りたいと望んでいるのは、たしかです。あなたはその事故の撮影者です。しかも、だれよりも早く現場に居られた。あなたから、ほんとうの話を聞くのがいちばんいいと思いましてね」

「わたしは、ただ、高速道路上の音響を聞いて駆けつけただけで、行ったときはもう事故発生のあとです。ですから、わたしの話から原因なんかがわかりようはありません」

「そうですか？」

中野の声には不信の響きが現れていた。これが恭介の気持をいらだたせた。

「中野さんは、事故現場にわざわざ出むいておられますね？」

「どうしてそれがわかります？」

「ここへくる途中の自動車道路にカーブがありましたが、中野さんはそこでわたしの車から降りて、カーブのところに立って地形を見ておられた。そして暴走族の撮影場所はここがいいではないかとわたしに云われましたね。それはカーブという点で東名高速道路の事故現場と一致しているからです。わたしは中野さんがそこのカーブに立ってまわりをじろじろと見ておられたとき、はは あ、これは東名高速の事故現場に中野さんは行っているな、と直感しましたよ」

「さすがに、あなたの直感は鋭いですな」

「それに、十日くらい前に東名高速のあの事故現場に、わたしも行っていますからね。そこで見たのは、道路の路肩に置かれたバラの花束でした。かなり枯れていましたがね」

「遭難現場に花束が置かれるのは、よくあることじゃないですか？」

「ところが、そこからあの切通しの斜面を沼津方面へ引返してくると、そこにもう一つ花束があったんです。こっちのほうは桃と菜の花ですが、ずいぶん枯れていました。しかも、それには紙の折雛が付いていました。そこでわたしは、この桃の花束は先に路肩に置かれていた、それをバラの花束にとりかえて、古くなった桃のほうはこっちへ移した、ということを推量したのです。しかも、古いほうの桃の花束には折雛が付いているので、女性の犠牲者に縁故者が供えたのだとわかりました。……あの事故の死者の中で女性といえば、二人しかいません。新聞によると、一人は三十五歳の人妻ですが、もう一人は二十三歳の独身の女性です。山内明子さんですね。だから占い桃の花束も新しいバラの花束も、山内明子さんの身内の方が現場に二度も訪ねてこられたのだと推測しました。桃に折雛が結んであるからには、それを供えた人は女性だろうと思ったんです。中野さんがぼくに保険加入者として紹介されたことから、それが山内みよ子さんだったと察しがつきました」

恭介は一気にここまで云った。

黒いアンパイヤー服の中野は、じっとそれを聞いていた。感服しているような様子であった。

「中野さんは、山内みよ子さんとあの現場においでになったんですね。二度目はおひとりだったようですが」

「どうしてそれがわかりますか?」

「バラの花束には手作りという感じがなかったからです。最初の桃に折雛を付けるようなひとだったら、あとのバラにも何か女性的な感じが出るはずだと思いましてね」

「感心しました、あなたの推理には。そのとおりです。二度目の現場訪問は、ぼく一人でした。花屋でバラの花束を作らせて持参しました。前に路肩に置いた桃の花束をとりかえたのも、それを斜面に置いたのもぼくです。山つつじの群れが茂っている下ですがね」

「どうして中野さんはそこに眼をつけられたんですか?」

「追突事故の発生現場はバラの花束を置いた地点です。これは同行した沼津署の交通係長が教えてくれたから間違いはない。しかし、それは追突事故が発生した場所であって、原因となった場所ではない……」

中野は急に口を閉じた。下のほうに懐中電灯の光が歩いてくるのを見たからだった。

下界に現れたその小さな光は、地面を匍《は》ってゆっくり進んでいた。警備員の夜回りだった。懐中電灯は路上の左右を照らしはするが、その光を上にあげてクレーンを仰ぐようなことはなかった。ただ、どっしりと据わった頑丈な鉄骨の脚部へ、とおりいっぺんに光を当てただけであった。

警備員は、岸壁に佇《たたず》み、東京湾の夜景を観賞しながら、そこで立ち小便をした。済むと肩をちょっと震わせてズボンの前に手をやり、ふたたび懐中電灯の光を地上に匍わせて路地のほうへ歩いて行った。その先は自動車道路に出るのだが、そこにはライトを消した恭介のツードアの車が駐めてあるはずだった。

小さな光と夜警の姿が消えると、下界は再び無人の闇の世界にもどった。

「追突事故の原因となった高速道路上の場所は……」

上から下の様子を確認した中野は、口を開いて話をつづけた。

「事故が発生した場所から進行方向にむかって、つまり沼津方向にむかってですね、約百メートルの地点でなければならない。それは先頭で転倒したアルミバン・トラック、そして後続車の時速百二十キロのスピードより推して、どうしてもそうなると考えられるからです。それが枯れた桃の花束を再び置いた山つつじのある場所です」

「追突事故の原因は何ですか？」

恭介は、隣りにならんでいる帽子の廂の下にある黒い横顔をぬすみ見てきいた。

『先頭を走っているトラックの運転手が何かを見ておどろき、とっさに急ブレーキをかけたことは確実です。それが原因しての転倒だったんです。それは警察の現場検証でもわかっています。検証でわかっていないのは、トラックの運転手が何を急に見たか、です」

「………」

『トラックの運転手が見たといっても、夜のことですからね。あの辺は道路照明灯がないのです。見たとすれば自分のトラックのヘッドライトの光に出た物です。しかし、東名高速を、しかも夜の十一時ごろに人間が歩いて横断していたとは思えない。トラックがカーブを曲ってきたところ、前方ににわかに眼に入ったのは光だと思います。闇に目につくものといえば、強力な光しかありません」

「強力な光、というとなんでしょうか」

「それがまだよく分ってないのです」

中野は首をかしげて云った。

「しかし、運転手が急ブレーキの冒険を覚悟してでも、本能的にそれをやったのですから、それは危険信号ではなかったか、と思うのです。つまり赤い光ですね。それも道路の側面からではなく、トラックが疾走してくる道路の真正面にです」

「道路の真正面にですって？」

恭介はおどろいた声を上げた。

「そうです。トラックが走ってくる正面です。というのは、その赤い光が側面から見えたなら、トラックは急停車をしないだろうからです」

「その赤い光は、人間がそこに設置していたんですか？」

「そうだとすれば、現場検証のときに、設置のあとが発見されていなければならないですね。しかし、そのあとはなかったのです。大事故ですから警察の現場検証は入念をきわめたといいますからね」

「とすると、人間がその光を持って路上に立っていたのでしょうか？」

「さあ、あの辺には陸橋がありませんからね。陸橋があれば、その橋の上から人間が赤い光を路上近くに紐のようなもので吊り下げていたといえますがね。しかし、陸橋がないから、その推測は不可能になります」

「すると、やっぱり人間が赤い光を持って高速道路の中央に立っていたことになりますね。しかし、時速百キロ以上で飛ばしてくる車の真正面に人間が突立っていられるものでしょうか。危険この上ない。うまく先頭の車が光からはなれたところで停まってくれればよいが、そうでなかったら車に轢《ひ》き殺されるかもしれない。そういう生命の危険まで、その工作者は覚悟していたでしょうか？」

恭介はそう云いながら、信じられないというように首を横に二、三度振った。

「ぼくもそうは思いません。工作者はもっと安全な方法をとっていたと思います。安全で、かつ効果的な方法をね」

「何でしょう、それは？」

こんども中野は絶望的に首を振った。

「わかりません。その方法がどうしてもわかりません。まるきり推測がつかないのです」

下の自動車道路の遠い前方に光が動いて来た。中野は話を中断して、それに眼を凝らした。

「暴走族でしょうか？」

中野が息を詰めた声で云った。九時三十分だった。

恭介は、中野のいまの話を頭の中にひろげながら、視線をヘッドライトに向けた。

姿を現わした一台の車は、このすぐ下の自動車道路ではなく、倉庫街を隔てたもう一つ西側の道路をゆっくりと進んできていた。クレーンの位置から五百メートルくらい離れているので、形が小さく、いくら道路照明灯があってもよくわからなかった。

「なんでしょうね？」

中野が云ったので、恭介もそれへ眼を凝らしていた。

「もしかすると、暴走族の偵察かもわかりませんよ」

「偵察？」

「対立グループがその辺に待ち伏せしているかもしれないと思って、まず乗用車が様子を見に回っているのかもわかりません。暴走族は乗用車に乗った連中が指揮をとっているといいますからね。ああして走りながら、待ち伏せがあるかどうかを探り、安全を確かめてから部下の二輪車の一団を呼ぶつもりじゃないですかね」

「……」

「山鹿さん。シャッター・チャンスは近いですよ」

中野は恭介に用意をすすめた。

事実、その乗用車は非常に徐行していて、ときどき停まったりしていた。その状態は、あたりの様子を見ているとしか思えなかった。

恭介は、双眼鏡がわりに望遠レンズのファインダーを中腰になってのぞきこんだ。300ミリのレンズは遠景を十分に拡大して見せる。

その車はのろのろと走っているので、望遠レンズをそれほど動かさなくてもファインダーに捉えることができた。

はてな、と恭介は思った。車の屋根の上に筒のようなものが乗っていた。なおも瞳を定めると、それは白と黒のツートンカラーで、警察のパトカーだった。

屋根の筒と見えたのは、回転する赤い非常灯だった。いまはその灯を消して、サイレンも鳴らさずに動いているのは、隠密のパトロールだと知れた。

「あれはパトカーですよ」

恭介は中野に云ったが、返事がなかった。望遠レンズから眼をはなして横を見ると、中野の姿はそこになかった。

恭介がきょろきょろすると、ベンチレーターの蔭で、金属のふれ合う音がしていた。何をしているのかとうしろから様子を見に行ってみると、暗いところに中野がしゃがんでいた。ゴルフバッグを開いてパイプをとり出し、長く伸ばしていた。近くに寄って見なくても、中野のさっきの言葉から、照明《ライト》を用意していることがわかった。暴走族が来ると思って、彼なりにその準備にかかっているのだろう。

恭介は、あれほど云ったのに、素人はこれだからしようがないと、むっとなった。

「中野さん、ライトなんか要りませんよ」

低いが、強い調子で云った。

「はあ、でも……」

暗い中に真黒な姿で中野はむこうむきにうずくまって、パイプをつなぎ合せていた。パイプどうしが触れ合う音、コンクリート床に触れる音。――さらにゴルフバッグから照明器具の球や笠《シェード》を出して、パイプに取りつけるらしかった。

「あの車は、パトカーですよ。暴走族なんかじゃありませんよ」

恭介はそこから云った。

「そうですか。……でも、パトカーが来るくらいだったら、暴走族が来る前触れじゃないですかね。その警戒にパトカーが先に来たのじゃないですかね」

そうか、そういう考え方もあるのか。

「もし、そうなれば、劇的な場面になりそうですよ。だって、暴走族はパトカーを襲って火を付けたりしますからね」

中野はまだ向うむきのままだった。器材のふれ合う音はつづいていた。そうして彼は腕時計をのぞいてまた云った。

「山鹿さん。きっとそうですよ。やがて暴走族が大挙して走ってきますよ。いまが九時四十五分ですからね」

「そうかもわかりませんがね。中野さん、その照明具を使用するのはやめてください。そんなものを、ぱあっと道路に照らしたら、暴走族の注意がこっちにむかいますからね」

「わかりました。なるべく使わないつもりだけど、支度だけはしておきたいですな。暴走族が乱闘をはじめたら、連中はそれに夢中になってライトの光なんか忘れてしまうと思うんです。そうなれば、ぼくだって千載一遇のチャンスだから、安カメラで写しておきたいんですよ」

「けど、ライトを点けるなんて、そりゃ、無茶ですよ」

「わかりました。なるべく点けないようにします」

それでも中野はまだごそごそと暗いところで作業をつづけていた。

恭介はその手もとに飛びこんでパイプをもぎ取りたかった。しかし、そうもゆかないし、ままよ、中野がライトの強い光を道路へむかって放てば、そのときは制《と》めるまでだ、と思い、望遠カメラに戻った。

ファインダーをのぞくと、隠密行動のパトカーはさっきの位置から北へ移っていて、いまや大井北詰陸橋の坂へかかっているところだった。

恭介は望遠レンズを反対側へ動かして、大井南陸橋の方角にむけた。が、そこには道路照明灯がならんでいるだけで、動くものは何一つ見えなかった。

中野の影法師のようなアンパイヤー姿がようやく戻ってきた。彼は手に何も持っていなかった。

「パトカーは、あっちへ去って行きました。あと何も変った様子はありませんよ」

恭介は望遠レンズから眼をはなして中野に云った。

「そうですか。じゃ、様子を見ているんですね。きっと警察無線で、暴走族がここへやってくるのをキャッチしているんですよ。もうすこし待ってみたらどうですか。せっかくここへ来て、こんな準備をしているんですから」

中野は下界を眺めまわして云った。

二人はまた柵にもたれてならんだ。

「ねえ、山鹿さん。シャッター・チャンスというのは、ひたすら待つことなんですね」

中野は、しみじみとした調子で云った。

「ええ、そうですよ」

「こうしてあなたがカメラをかまえているのを見ると、そう思いましたよ。一万に一つか、十万に一つの偶然も、要するに、待っているということなんですね」

「……」

恭介は緊張した。

「偶然を待つということは、その偶然が予知されない偶然ではなくて、かならず起きるという偶然、つまり必然ですね。必然だから、待っていられるんですね」

「というと、どういうことですか？」

「追突事故が発生した東名高速道路のあの地点に、あなたはカメラをかまえて待っていたんです。あなたが東側の村道で音響を聞いて引返したというのは嘘ですね。それはさっきぼくが云ったように、あなたの話の辻褄《つじつま》が合わないことでわかりました」

「それじゃ、その追突事故は、わたしが仕掛けたというんですか？」

「そうです。十万分の一の偶然は、あなたが作ったんです。自分の功名心を満足させるためにね」

「先刻からの中野さんの話だと、追突事故の原因となった地点は、その事故発生の現場から百メートルばかり沼津方面に寄ったところ、つまりあなたが桃の花束を置いた山つつじのある地点の道路上ということになりそうですね？」

「そんな道路上に、人間が光を出す物体を持って立ってはいられないということでしたね、あなたのお話では？」

「そうですよ。それはさきほど検討したとおりです」

「ところが方法があるんです。人間が道路の側面に立って、赤い光を道路のまん中に突き出していたんですよ」

中野は、そこまで云うと、ベンチレーターの蔭へ歩いた。またしても金属性の音がしばらく聞えていた。と思うと、突如としてその暗い中から、赤い光が輝きだした。赤い光は二つあって、一つが消えると、その横からもう一つの赤い光が出た。それは、あたかも車を止める線路の踏切にとりつけられた信号灯のように、交互に明滅した。

よく見ると、長いパイプを中野が片手に持って、柵の外へ突き出していた。一方の手は、箱形乾電池《バッテリー》に結んだ紐《コード》のスイッチ・ボタン二つを交互に押していた。そのスイッチを代る代る押すたびに、パイプの先から赤い光が明滅するのである。

照明器《ライト》ではなかった。パイプの先には、ストロボが二つ取り付けてあった。ストロボは赤いセロハン紙に蔽われているために、赤い発光となっている。そのストロボの後ろにはかなり大きな黒の羅紗紙が貼りつけてあった。

「このポールキャットは長さが約四メートルです。東名高速道路の事故現場の片側の幅が約八メートルですから、これを側面からつき出すと、ちょうど道路の中央でこの危険信号灯が交互に明滅することになります。いいですか。ストロボ一つだと、充電に三、四秒はかかります。それでは連続発光とはならない。だが、こうしてストロボを二つポールキャットにとりつけて、発光体に接続したコードの手もとに一個ずつスイッチを付ける。ほら、こんなふうにね。そうして、このように代る代るスイッチを押すと、バッテリーの充電時間の間隔が一秒半くらいになって、ほとんど連続して明滅することになるんです」

中野は、話しつづけながら、二つのスイッチ・ボタンをまるで悪戯《いたずら》するような指つきで代りばんこに押して、長いパイプの先にあるストロボの赤い光を明滅させていた。

「この赤い光を見て、御殿場方面から走ってきたアルミバン・トラックの運転手が百メートル手前で急ブレーキをかけたんです。カーブを曲ってきたところで、突然、危険信号灯を見たので、運転者心理から本能的に急ブレーキをかけてハンドルを右へ切った。その衝撃でトラックは横転した。スピードを出しすぎた後続車の追突と炎上が一瞬のうちに起ったんです。山鹿さん。あなたはそれを見ると、このストロボのポールキャットを仕舞って、炎上する車を撮りにその地点へ移動したのです」

急に、闇の空から炸裂音が落ちた。それが恭介の心臓を襲った。

両翼と尾翼に赤い灯を点けた旅客機の爆音が通過するまで、中野はストロボの明滅をつづけたまま、話を休めて空を見上げた。真上にきたときの機影は頭上すれすれといった近さだった。客席の丸窓の照明が一線の白い光となって流れ過ぎた。恭介はまだ胸の動悸が鳴っていた。

爆音が羽田空港のほうへ飛び去ると、中野は再び口を開いた。

「……そこでね、ここまではわかったが、ぼくに解けなかったのは、高速道路の上り線を走っていた車が、対向線の下り線に明滅するこの赤い光を見てなかったことです。けど、そのトリックはかんたんにわかりましたよ。この黒い羅紗紙です。紙屋から全紙を一枚買ってきて、適当な大きさに切ってストロボのうしろを蔽っておけば、ほれ、このとおり、赤い光は反対側には洩れませんね。エフコテープを使って簡単に細工できました」

そのとおりストロボの背後は、黒い紙の幕に遮蔽されて真暗だった。前はさかんに二つの赤い発光がつづいているのに。

「あなたとしては、上り線を走る車に赤信号を見られると、その車が、下り線の疾走車よりも前に停車するかもしれないので、そうなると困るからです。対向車が停止したのを見れば、下り線の車の運転手も急ブレーキをかけないで停めますからね。それだと追突が起らないから、あなたの目的は達せられない。だから、どうしても対向車にむけては、こういう黒い羅紗紙の眼隠しが必要だったわけですよ」

恭介は騒ぐ胸を押えるようにして、中野のそうしたしぐさを見詰め、大きくうなずいた。

「よく、そこまで推察されましたね。わたしは、中野さんがあの現場を調べに行かれたことを知っていたが、あなたの推測がどこまで達しているかを知りたかったんですよ。それで、この大井埠頭に来ていただいたんですよ。こんな話は、めったな場所では云えませんからね」

「あなたが大井埠頭へぼくを誘ったときから、あなたの気持はわかっていましたよ。あの電話があったのが火曜日です。この土曜日までの三日間、じつはぼくは昼間この大井埠頭に下調べに来ているんです」

「……」

「このクレーンのことを魚釣りの連中がタケウマと呼んでいるというのは、そのとき、あの倉庫の事務員から聞いたことなんです」

恭介は両手を握りしめた。夜の海から吹きつける強風が恭介の足もとをよろめかせた。

「それでも……」

恭介は、乾いた咽喉から声をふり絞った。

「それでも、それはあんたの推測です。なんの証拠もない。物的証拠はなにもない。わたしがその奇妙なストロボを使って追突事故を起したというのは、あくまでもあんたの想像でね、その証拠はありませんよ」

「そうです。証拠はありません」

中野がうつむいて、かなしげに呟いた。

「だから、ぼくはあなたを訴えることはできません。山鹿さん、ただ、ぼくの推測が当っているかどうかを聞かせてください」

「あんたは、非常によく考えた、とだけお答えしておきましょう。しかし、それが当っているかどうかまでは云えませんよ」

恭介に、勝ちが見えてきた。

「そうですか。ぼくとしてはあなたのその返事で満足するよりほか仕方がなさそうですね。なにしろ証拠がないことですからね」

敗者は力なく云った。

その中野が、ふいと何かを前方に見たように眼を遠くへ投げた。

「山鹿さん。あの道路の車がこっちへ向かって来ているようですよ」

「え？」

恭介はふり返った。

「ぼくの点けたストロボの明滅を見て、クレーンの上から危険信号を出していると思い違いしたのでしょう。警備員の車かもわかりませんよ。望遠レンズでよくたしかめてください」

恭介は三脚にとりつけたカメラのファインダーをのぞきこんだ。すぐにはその車がレンズに捉えられなかった。中腰になっていた。

「あ、あ」

中野が柵の横で異様な声で叫んだ。

「ヘビだ、ヘビがあなたの足もとにいる！　あ、動かないで。そのまま右足を静かに上げてください」

恭介は思わず足もとを見た。クレーンの赤い警戒灯が、ヘビの光った背を映した。それはゆっくりと動いているように見えた。

恭介は悲鳴を発して、右足を上げた。

「いいですか。そのまま、そのまま。ぼくがいまヘビをとり押えますからね。じっとしていてください。動くと危ないです。咬みつかれるかわからない」

中野は恭介の足もとにしゃがみこんだ。恭介の背中から汗が噴き出た。

「いま、捕えます。そのまま、じっとしていて」

中野が捉えたのは、床についたほうの恭介の片足であった。それを力いっぱいに胸のところまで持ち上げた。恭介の身体は浮き、前の闇の空間に傾いた。恭介は両手を泳がせたが、動顚して声も出なかった。重心を失った彼は、柵を越え、クレーン上から十五メートルの闇の下へ落下して行った。十時十六分であった。

――髭の男は、地上の鈍い衝突音を聞くと、玩具のヘビを拾い上げてポケットにしまった。

現場検証

五月二十五日、朝七時、転落した死体を発見したのは、大井埠頭の或る船会社倉庫の警備員であった。場所は第三号起重機の下だった。頭が割れて顔が血溜りの中にあった。この日は日曜日だった。

所轄署から救急車とパトカーが到着したのは一時間後だった。死体は、すでに硬直が半分すすんでいた。

開衿シャツに紺の上下、片方の靴は脱げて一メートル先に飛んでいた。コンクリートの地面だった。

かんたんな検屍を終え、署員による撮影が済むと、死体を救急車で警視庁監察医務院へ送った。とりあえず自殺・事故死を検《しら》べる行政解剖に付すことにした。

上衣やズボンのポケットからとり出した所持品は、コンクリートの地面にひろげた新聞紙の上にならべた。名刺入れ一個、財布一個、車のキイ一個、手帖一冊、生命保険会社が加入者に出す領収書の綴り一冊、ボールペン二本、開封してないフィルム三本、煙草一函、ライター一個、ハンカチ二枚。

　煙草は六本残っている。ハンカチは汗でよごれていた。

　それらもいちいち写真に撮ったあと、捜査課員が調べては記録している。

　横の地面には白チョークで、死体の輪廓が描かれていた。

　上のほうで声がした。見あげると、クレーンの上の機械小屋のところから二つの顔がのぞいていた。一人は黒の運動帽に黒の作業服のようなのをきた捜査員だった。ならんでいるもう一つの顔は、このクレーンを所有している船会社の社員であった。昨夜からの宿直だった。

　捜査員が上から大きな声で何か云った。下にいる小池という係長が、首筋が痛くなるほど顔を仰ぎ上げ、耳のうしろに手を当てて上の声を聞きとろうとしていた。高すぎるのと、横に吹く海の風が声を消した。

「カ、メ、ラ、がある」

　クレーン上の捜査員は、両手で口にラッパの形をつくった。

「なにィ？　カ……なんだって？」

　上では、シャッターを押す手つきをして見せた。

「ああカメラか」

　登ってこい、と上から手招きしていた。

「高いなァ」

　小池はクレーンをあらためて仰ぎ見た。

「あんた、あそこまで何メートルある？」

　横にぼんやり立っている船会社の警備員にきいた。

「上に伸ばしたアームの先端までは三十メートルです。機械小屋が乗っている位置はその約半分ですから、ほぼ十五メートルですね」

そこまでクレーンの脚にまつわりついたり斜めに伸びたりしている狭い裸の鉄梯子を登って行くと思うと、四十歳近い身体が竦《すく》む。もともと高所が好きでない男だった。クレーンは遠くから眺めると、それほどの高さではないが、こうして巨大な直下に立つと、中天に層々と鉄骨で組み上げられた建築工学の威圧感と、眼に遮るものとてない高い空間距離に打たれる。

なんだってあんなところにカメラが置いてあるというのか。

「生命保険会社に勤めているらしいですね、落ちた人は」

部下が新聞紙の上から名刺入れを持ってきた。

《福寿生命保険株式会社藤沢支社外務部　山鹿恭介》

中に入っているのはこの名刺が二十五枚だった。あと十二枚がそれぞれ違った名前で、交換先の名刺とわかる。捜査員がそれを一覧表に記録していた。

「そのへんの事務所で電話を借りて、藤沢のその保険会社に電話するんだな。家族にはそこから連絡してもらおう」

営業用名刺だから勤務先の所在地と電話番号があるだけで、自宅の住所も電話番号も刷りこんでなかった。

「ああ今日は日曜日か」

小池は気がついたように云った。

「それにまだ八時すぎですからね。でも当直が居るでしょう」

「家族には大ケガだと伝えるようにとね。いちおう署に来てもらおう。それから監察医務院に案内する」

電話はわたしのほうの警備室のを使ってください、と警備員が云った。

「ちょっと、あんた。転落した人は昨夜このクレーンの上に登ったらしいけど、だれでも登っていいんですか？」

小池は警備員にきいた。

「そんなことはありません。禁止してあります」

「でも、囲いの柵なんかがないようだけど」

「柵を付けると、作業の邪魔になるからです」

「表の自動車道路からここにくるまでの狭い路ね、その入口にも遮断する門がないですね。ここへはだれでも入って来られますね？」

「関係者以外の者が入りこめば、見つけしだいわれわれ警備員が追払います。船が着岸して貨物の積降ろしや積込み作業のときはもちろんですが、こうしてクレーンが休んでいるときでも寄せつけません。以前はこの岸壁に魚釣りの人たちがきていましたが、いまは全面禁止になっています」

「ははあ、魚釣りがね」

小池は海を眺めた。

「昨夜、クレーンの上に人が居るのがわからなかったですか？」

「はあ、それがどうも」

警備員は帽子の庇に手をかけた。

「夜間の見回りはないのですか？」

「あります。昨夜も、十時ごろに見回ったのですが、まるで気がつかなかったです。まさかクレーンの上に人が登っているとは思いませんでしたから」

小池係長は鉄梯子を伝って登った。下の風景を見ないように努め、眼を上にむけた。クレーンの鉄骨組織は上が先細りになって見える。その先に雲が流れていた。すこし肥っている彼の後には鑑識課撮影係の署員がカメラを肩にかけてすぐにつづいた。これは係長が足を滑らせたときは下から受けとめる姿勢だった。東京湾の船がだんだん下へ見えてくる。鉄梯子がひと区切り終るごとに休んで呼吸を整えた。

ようやく最後の鉄梯子を登り切ったところに捜査員と船会社の事務員とが待っていて、両方から手をさし伸べて引張りあげてくれた。

小池は大きな息を吐く。

「もうひと息です。これが機械小屋ですが、この鉄梯子を上ると、屋上になります。そこに遺留品があるのです」

小屋に付いた垂直の短い梯子を登ると屋上になった。コンクリート床で、まわりに金属棒の柵がついていた。屋上は大きなベンチレーターが二つとび出しているが、見晴らしのよい展望台であった。足もとが平面だから、裸の鉄梯子を登るときのような不安はなかった。

「小池さん。あれです」

捜査員が指さした。

柵の一方に寄ったところに三脚が据えてあり、それに長い筒を付けたカメラが乗っていた。

「望遠レンズです」

先に来ていた部下は云い、

「横にカメラバッグが置いてあります」

と示した。

小池は中腰になってカメラのファインダーをのぞいた。

「うわァ、こら、大きく見える」

びっくりして眼をはなし、その方向を見直した。そしてまたファインダーに眼を寄せた。

「向うの自動車道路が、すぐ前にあるようだな。道路のわきに転がっているビールの空缶のマークまではっきり見えるよ」

「300ミリのレンズですからね」

途中にある倉庫街の屋根は消し飛んで、自動車道路が至近距離で直接迫っていた。

小池は望遠レンズのファインダーと肉眼と交互に三、四回くり返して、カメラの向かっている方向を見くらべた。大井北詰陸橋と大井南陸橋とを結ぶ直線コースの自動車道路だが、カメラの焦点は北詰陸橋寄りで、この三号クレーンの西側真正面であった。

「何を撮ろうとしたのかな？」

レンズに映っているのは、何の変哲もない自動車道路なので、係長は首をひねった。

「レンズのキャップははずしてありますが、装塡《そうてん》したフィルムはまだ一コマも撮っていません」

「どうしてわかる？」

「カメラの窓に出ているフィルム・ナンバーです」

「うむ。すると一枚も撮らずに、本人は下へ落ちたのか」

「そうですね」

「死体は半分以上硬直がすすんでいたね。下顎、項《うなじ》など上部筋肉からはじまって肩、胸、手に及んでいた。腹部や脚にはまだ硬直が及んでいなかったね。個人差もあるけれど、あの状態だと普通に云って死後九時間か十時間経ったところだな。死体を検べたのが八時十分だから、落ちて死んだのが昨夜の十時か十一時ごろということになる。解剖してみれば正確なところがわかるだろうがね。そうすると、本人は昨夜このクレーンの上に登って撮影しようとしていたのだ。夜間撮影で何を撮る目的だったのかな？」

ひとりごとを云って小池は宿直の事務員を見返った。

「夜の十時か十一時ごろ、あの自動車道路に何が通るんですか？」

「ほとんど何も通りません。人はもちろん歩いていません。そんな遅い時間だと、乗用車も走りません。ときたまトラックが通る程度です」

「トラックを写真に撮っても仕方がないようだけどな。どうもよくわからん」

「小池さん。死んだ人はよほどの写真好きですね」

撮影係が云った。

「バッグの中をのぞいたんですが、200ミリと105ミリの交換レンズと、函を開けてないフィルムが二十個も入っていますよ。みんなASA400の高感度フィルムばかりですから、はじめから夜間撮影にここへ来たのですね」

「どういうのだ、その高感度フィルムというのは？」

「少々暗いところでも、ストロボなしに写せるんです。このあたりは街路照明灯がたくさんならんでいるから、その明りだけでも被写体を撮るのに十分だったでしょうね」

「さすがにカメラのことは詳しいね」

「それくらい常識ですよ。……バッグにローマ字がついています。K.YAMAGA とあります」

「ああ、本人の名前だ。ポケットに名刺が入っていた。福寿生命藤沢支社の人で、山鹿恭介というんだ」

「山鹿恭介ですって？　はてな、どこかで聞いたような名前だが……」

撮影係は額に手を当てた。

「ああ、思い出しました」

捜査員は、額からぱっと手を放した。

「山鹿恭介といえば、A新聞社のニュース写真公募では去年の年間最高賞を取った人です。『激突』という題で、去年十月に東名高速道路で起った玉突き衝突の大事故を撮っていて評判になりました」

「へえ、ホトケさんがあの山鹿恭介とは知らなかった」

彼はそう話してから、おどろきを自分の顔に出し、

「保険会社の外務部員と名刺の肩書にあったよ」

と云った。

さすが撮影が仕事だけに、その知識があった。

小池が云った。

「A社のニュース写真は公募ですから、いろんな職業のアマチュアが応募します。同じような公募は、B新聞社でもC新聞社でもやっていますが、A社のほうが権威があるとされています。『激突』という題の自動車事故の現場写真はすごく迫力があったので、ぼくも憶えています。この山鹿恭介という人は、これまでたびたび月間賞の佳作に入ったりして、常連のようです。それ

で、こんなふうにプロカメラマンのように撮影器材を揃えているのがわかりますね。……そうですか。保険会社につとめている人とは知らなかったですね」

「玉突き衝突は東名高速道路、このカメラを向けている先も自動車道路。道路ばかり撮る人なんだな」

小池が呟いた。

この問答を聞いていた船会社の事務員が口を入れた。

「余計なことかもわかりませんが、もしかしたら山鹿という人は、ここから暴走族を撮ろうとしたのじゃないでしょうか？」

「暴走族？」

「昨夜が土曜日ですからね。暴走族は土曜日の夜の十一時ごろになると、この自動車道路にやってきては、わがもの顔に走り回っていましたから」

「ああなるほど」

係長はうなずいて愛想笑いをした。

「それはよいところを気づかせてもらいました。

「しかし、それは春までのことで、なぜか最近は暴走族が姿を見せなくなりましたよ」

「ほほう」

「山鹿という人は、それを知らないでここに来て暴走族を撮ろうとしてたんじゃないですかね。

藤沢の人だと、無理もありませんが」

「そうかもしれませんよ」

聞いていた撮影係が小池に云った。

「本人は今年もA社のニュース写真公募に応募するつもりで、暴走族をテーマに択んだのでしょうね、きっと」

「それがなんで、こんな高いクレーンの上から撮影しなくちゃならんのかね？　道路わきで撮ればいいものを」

「カメラアングルによって意表をついた写真を狙ったのでしょう。道路わきで撮れば、平面になって、ありふれた構図になると思ったからでしょうね」

「うむ。たしかにクレーンの上から撮影するというのは奇想天外だな。だれも気がつかんだろう」

係長はカメラの据えられている柵の前に行き、下をのぞきこんだ。直下のはるかな地上に白い線で死体の輪廓が描かれていた。署員四人の小さな姿がその横にかたまっている。小池は、ずうんと身体に寒気が走った。

「落ちたのは、この柵を越した箇所だよ」

高所恐怖を隠して彼は部下二人に云った。二人もいっしょにのぞきにきた。下では同僚が一斉に顔を上げた。

柵は小池の胸の上まであった。高さ一メートル十センチくらいある。

「どうして、こんな柵なんかを本人はまたいだのだろう？」

柵の外側には十五センチ幅のふちがテラスのようについていた。

「きっと、もっといい撮影位置はないかと思って、さがしていたんじゃないですかね。凝《こ》り性のカメラマンは、つい、わが身の危険を忘れるものです。この柵をまたいでから、下界の恐ろしさにはっと気がつき、瞬間、脳貧血を起してふらふらと柵にかけた手を放したと思われますね」

自殺ではないことは明瞭だった。過失死が確定的となった。

小池は柵から離れて、コンクリート床に眼を落し、そのへんを見まわした。

「煙草の吸殻が一本も落ちてない」

おかしいな、と彼は首をかしげた。

「ポケットからとり出した函には六本残っていた。二十本入りだから十四本喫っている。十四本全部をここで喫わなかったにしても、一本も吸殻が落ちてないのは妙だな。暴走族を待っていたんだから、その間には三本や四本は喫っただろうにね」

吸殻と妻

小池係長は煙草の吸殻が一本もそこに落ちていないのを気にしていた。

「なあ、おい」

小池は、船会社の社員とこのクレーンに先に上がっていた小柄な部下に云った。

「きみは煙草をよく喫うほうか？」

「ヘビースモーカーというほどではないけれど、わりあいに喫いますね」

「下に落ちた人……山鹿という人はここにカメラを三脚にセットして暴走族がやってくるのを待っていた。暴走族かどうかはまだわからないけど、ま、とにかく何かを写そうとして待ちかまえていた。それには時間があった。そういうときには煙草を吸うわな？」

「吸いますね、当然。手持ち無沙汰だからよけいに煙草をふかすんじゃないですか」

「本人の服のポケットにあった煙草の函には六本残っていて、十四本が消えている。ところがこのコンクリート床には一本も吸殻が落ちてないね」

小池は、部下よりも自分に問うように云った。

「十四本を全部ここで吸ったとはかぎらないでしょう。このクレーンの上に登ってくる前に、どこかで吸ってきたかもわかりませんよ」

煙草好きな部下は答えた。

「うむ。それを十四本の半分としよう。すると七本ぐらいの吸殻がここに落ちていなければならない」

「吸殻を、この上から下へ投げ捨てたということも考えられますね」

「あり得る。この床に捨てるのが悪いと思ってね。なにぶん無断で登ってきたんだからな」

小池はその言葉にうなずいた。

「すると、このクレーンの下に吸殻が落ちているかな」

「さあ、どうですかね。風が強いですから飛ばされているかもわかりませんよ」

「うむ。海からの風が強いなあ。ここは高いからよけいに強い」

小池は自分のポケットから煙草をとり出した。一本くわえたところを小柄な部下が寄ってきてライターを鳴らした。火はすぐに消えた。部下は風を身体で防ぎ、次の火を手で囲ったが、これも消えた。船会社の社員も寄ってきて、二人がかりで風除《かぜよ》けになった。

「相当に強く吹くね」

一口吸ったが、煙はすぐに真横に流れた。

「この風のせいだな、埃が溜まってない」

眼を下にむけて小池は云った。コンクリート床は、掃いたように地肌が出ていた。埃が溜まってないので、そこから靴痕を見つけることはできなかった。

小池は口から煙草をはずして指で軽くたたいた。灰は床に落ちるまでもなく風に吹き飛んで散った。

「ひどいもんだ」

爆音が聞えたので、この機械小屋の屋上に立っている四人は空を見上げた。機首を下げたジャンボ機が近づいていた。西側に外《そ》れてはいるが、まるで頭上を圧して通過しているようであった。鋭い炸裂音が鼓膜を撃った。

「でかいもんだなァ」

カメラの撮影係が口を開けたままで云った。機はたちまち羽田空港のほうへ去った。遠のいてゆくジェット音だけが残った。小池は煙草を吸いつづけながら、空港へ降りて行く機影を見つめていた。

「ここが旅客機の着陸コースになっているんです」

船会社の社員が小池に云った。

「木更津方面からくるんですね」

小池が煙草の灰を落す。瞬間に灰は風が持って行った。

「そうです。着陸のための進入コースはいくつかあるけど、この上空付近を通るのはC滑走路に着陸するときだそうです。南風が吹く夏場がことにそうで、木更津方面から東京湾の上空で南へ旋回して、そのまま着陸態勢で一直線に羽田へ進入する。つまり機を減速させるために南風の逆風に向かって行くわけです。だいたいモノレールの外側に沿って空港へ入るようですね」

大井埠頭事務所勤務の船会社社員はさすがにそのへんの知識があった。

「頭の上をすれすれに通るような感じだけど、高度はどれくらいですかね？」

小池が煙草をすぱすぱ吸いつづけながら訊いた。

「このへんで地上五、六百メートルくらいだといいますね」

「五、六百メートルとは近いですね。クレーンのこの場所が十五メートルだから、そのぶんよけいに近い……旅客機は頻繁にここを通るんでしょうね？」

「朝から晩までですよ。夜は十時ごろが着陸の最終のようです。事務所ではその爆音をしょっちゅう聞いているわけです。住宅街だと騒音公害で住民の抗議運動になるところですが、ここは倉庫ばかりですからね。もっともわれわれは爆音には馴れっこになっていますが」

「そんなもんですかね」

小池の指にはさまれた煙草が短くなった。彼はそれを床に捨てた。飛行機問答のムダ話も、この煙草が短くなるのを待つためだった。

軽い吸殻は風にあおられて床の上をころころと転がったが、やがて吹き上げられると柵の間から外へ飛び出して行った。

小池は柵に寄ってきて、下をのぞいた。吸殻の行方はわからなくなっていた。

小柄な部下もいっしょに横にならんで下を見た。

「これじゃ、このコンクリート床に吸殻が残ってないわけですね。こんな高い場所だと、とくに夜は風が強いでしょうからね」

「うむ」

下にいる捜査課の連中が、こっちを見上げていた。一人が口を両手で囲いラッパをつくって何か叫んでいた。

「聞えんな。なんと云っているんだ？」

十五メートルの高さだし、風が声を奪っていた。

部下が耳に手をあてていたが、やっと聞き取った。

「奥さんが署に来た、と云っています」

「奥さん？　ああ、落ちた人の奥さんか。……よし、間もなくここを降りるよ」

ベンチレーターの蔭にまわっていた撮影係が、小池さん、ちょっと来てください、と云った。

「ここに何かで擦《こす》った跡があります」

撮影係は肩のカメラを背中に回して床にしゃがみこんでいた。

小池も腰をかがめた。眼を近づけないとわからないが、埃のない床面に数条の白いキズが細い線でわずかに付いていた。

「何で擦れたのだろう？」

「カメラの三脚だと思いますよ。ここで組み立てたんでしょう。三脚の台や脚の先など尖ってますからね。ここでがたがたやっているうちに、そいつが触れてこすったんでしょうね」

小池は柵の傍に据えつけられた三脚上のカメラに眼を遣った。その下にはカメラバッグと三脚を入れる革製ケースとが置いてある。

「ここからあそこまでは七メートルくらい離れているね。三脚をここで組み立てて、それをあの柵の前まで運んだのか？」

「そうですね」

「三脚を組み立てるなら、どうして柵の前でしなかったのだろう？　そうすれば、ここからわざわざ運んで持って行くこともなかろうに。カメラバッグも、三脚を入れるケースもいっしょにあそこにあるじゃないか」

「そうなんですけれどね。当人の癖でしょうか」

「癖かね?」

「癖というか習性というか、カメラをやる奴の個性ですね。ぼくの知っているカメラ仲間にも、そんな能率の悪いことをするのがいますよ」

「芸術家気質《かたぎ》というやつか」

話はそれきりになった。

——小池係長は惜しいところで疑問を捨てた。煙草の吸殻が落ちてない問題もそうだった。

「こんな高いところへ夜間に一人で上がってきて、山鹿という人は寂しくなかったのかねえ?」

小池は下界を見まわしながら云った。展望台に上がったように風景は絶佳だが、夜は灯が輝くだけだったろう。

一人というのは、複数の人間の指紋がないからである。柵などに残っているのは本人の指紋だけであった。脱いだ厚い木綿製手袋——軍手は転落した山鹿恭介のポケットに突込んであった。クレーンの鉄梯子をよじ登ってくるには軍手をはめなければならない。撮影準備にとりかかるとき山鹿はそれを脱いだのだろう。

「カメラマンは撮影となると我を忘れるものですよ。日ごろは小心な人間でも、その場合には大胆になりますね。とくに山鹿恭介のような功名心が強いアマチュア・カメラマンはね」

「功名心が強い、ね。どうしてわかる?」

「そりゃ、彼の『激突』一つ見ても想像できますよ。ああいう迫力のある写真を撮るからには、相当な功名心ですな。新聞社主催のああいう報道写真に応募するアマチュア・カメラマンは競争心が激しいですからね。なにしろ栄誉と金とがいっしょですから、たまりません。功名心に燃えるわけですよ。こんな高いクレーンの上に夜間ひとりで上がってくるのも、その野心がなせる業《わざ》ですね」

「そういうものかね。……じゃ、ぼつぼつ降りようか。二人であのカメラと道具いっさいを下へ運び降ろしてくれ」

「ぼくも手伝いましょう」

汽船会社の社員が申し出た。

「そうですか。すみませんねえ」

高所から下へ降りるのは、登るときよりも気味が悪い。登るさいは上だけを見ればよいが、降りるにはいやでも下が眼に入ってくる。小池は鉄梯子の手すりを指が痺《しび》れるくらいに摑《つか》み、一段ずつにしっかりと靴を乗せて下降した。横風が身体を揺すった。踏みはずすと、山鹿恭介の例になる。

地上に脚をつけたとき背に汗を搔いていた。

その地面を小池はきょろきょろと見まわした。

「何を探してるんですか？」

下で待っていた部下たちが寄ってきた。

「煙草の吸殻は落ちてないかね？」

吸殻は五、六本落ちていた。新しいものばかりで、部下らが吸ったのである。

「昨夜、このクレーンの上から落した吸殻だよ」

小池は高所恐怖にかかった弱味を部下らに隠してなるべく落ちついた声でいった。

部下らはそのへんに散ったが、すぐに戻ってきた。

「ありませんねえ、一つも」

「うむ、ないか。まあ仕方がないね。風に散って行ったんだろう」

クレーンを見上げると、部下二人と汽船会社の事務員とが山鹿恭介のカメラ、三脚、カメラバッグをそれぞれ持って鉄梯子を敏捷《びんしょう》に降りてきていた。若い者にはかなわなかった。

表の道路には、ツードアの小豆色の乗用車が昨夜から置き放しになっていた。死んだ山鹿恭介のものだった。クレーンから降ろした彼のカメラ器材をこれに積み、署員がその車を運転して署に帰った。

小池は捜査課長に報告した。

山鹿恭介は過《あやま》ってクレーンの機械小屋から転落したと推定するしかないと話した。課長はうなずいて、監察医務院での行政解剖がさっき終って、出向いた署員から電話でその結果通知があったばかりだと云った。

死因は墜落による後頭部の頭蓋骨折。全身の打撲傷は地上に叩きつけられたときに生じたもので、そのほか生前の外傷はない。窒息（扼殺《やくさつ》・絞殺などによる）もない。体内からは睡眠薬その他毒物の検出なし。死後経過からして転落時に即死したものと推定。——つまり死体をよそから運んでクレーンの上から投げ落したのではないというのである。

これで山鹿恭介の過失死が決まった。

「亡くなった山鹿さんの奥さんが見えている。別室に待たせてあるから、会ってくれたまえ。監察医務院で遺体を確認してこっちに回ってくれたんだそうだ」

「わかりました」

別室へ行くと、三十二、三のどちらかというと派手な洋装の女がひとりで椅子に坐っていた。小池が入ってくるのを見ても立ち上がりもせず、ぐったりとなっていた。

小池は名刺を出して、悔やみを述べた。

山鹿の妻安子は涙で眼も顔も真赤にしていた。手に握りしめたハンカチは涙で水に漬けたように濡れていた。二、三質問させてくださいと小池は悲しみの妻に云った。

「ご主人は昨夜大井埠頭の第三号クレーンの上から写真を撮ろうとなさって、過って転落なさったと思われますが、昨夜はおひとりであそこへおいでになったのですか？」

安子はハンカチを顔に当てて首を横に振った。

「それはわかりませんが、たぶんひとりだったと思います。主人はわたしには何も云わなかったものですから」

安子はとぎれがちな声で答えた。

「撮影のときは、いつもおひとりでお出かけになってましたか？」

「はい。カメラ仲間の方は居られますが、撮影はいつも自分ひとりでした。そのほうが心の集中ができるとかいって……」

「奥さんに行先をおっしゃらないこともあるんですね？」

「それは始終でございます。主人は生命保険会社に勤めていて、加入勧誘の仕事をしておりました。そういう外務の仕事ですから、いちいち行先は申しません。夜間に先様を訪問することも多うございますので、家には連絡しないのが長い間の習慣になっていました」

小池は、転落死者のポケットから出た名刺に「福寿生命保険株式会社藤沢支社外務部」の肩書があったのを思い出した。

「いえ、ぼくがおたずねしているのは、ご主人が撮影に行かれるときですが」

「はい。それも仕事に出ているついでに撮影をやってるものですから。主人は報道写真がおもなので、いつどこにそういう撮影チャンスがあるかわからないといって、勧誘の仕事にはいつもカメラバッグを担いでまわっておりました」

「ああ、そういうことですか。……ご主人はA新聞社の年間最高賞をおとりになったそうですね。『激突』という題で、車の追突事故の現場写真だそうですが。ぼくは知りませんでしたが、ウチの課員がそう云っていました」

「はい。あれは皆さまからたいへんな評判をいただきまして」

安子は想い出してか、肩を慄わせて嗚咽《おえつ》した。

「そうすると、昨夜もご主人は、大井埠頭に行くということは、お出かけのときにはおっしゃらなかったのですね？」

「はい。昨日は保険の仕事でいつものように午前九時ごろには家を出ましたから」

「途中でご主人から連絡もないのですか？」

「それもございません」

「ご主人が昨夜あの高いクレーンの上で何を撮ろうとなさったか、それも奥さんにはわかりませんか？」

未亡人になったばかりの妻は首を振った。

「昨夜は土曜日で、以前だと大井埠頭に暴走族がよく集まってきていました。ご主人はそれを撮ろうとなさったのじゃないですか？」

「いまも申し上げたように、主人は何もわたしに云わずに出かけるものですから。東名高速で玉突き衝突事故を撮った『激突』のときも同じでした。どんなものを撮るとも云わないで黙って出かけました。あとであういう賞になって新聞に発表されて、わたしも初めて知ったようなわけでございます」

安子はまた肩をしゃくり上げた。

いつもひとり

解剖の終った遺体は監察医務院から藤沢の自宅へ運搬する。そのばあい遺族が近くの葬儀屋にたのんで霊柩車を手配してもらうのである。むろん遺族はそれに付き添って帰る。

埠頭に置き放しになっていたのを署の裏手に運んできた山鹿恭介の乗用車は、山鹿家から引取人が来るまで署に置かれることになった。車には故人のカメラ器材が積込まれていた。

「では、車はわたしのほうからお宅にお届けしましょう」

小池は山鹿の妻安子に云った。

「じつをいうと、署のほうも駐車が多くて、おたくの車をいつまでもお預かりしているわけにはゆかないのです。大船から通勤している署員がいますから、その者に運転させて、今日中に藤沢のお宅へ車をお届けします」

「申しわけございません」

「ときに、ご主人は煙草は何を喫っておられましたか？」

「セブンスターでございます」

「一日にどのくらい？」

「家にいるときは十本くらいですが、外に出ている時が多うございますから、日に四十本くらいは喫っていると思います」

「もちろん車を運転中も喫ってらしたでしょうね？」

「はい。それはよく喫っておりました」

「そうすると、運転席の前についている灰皿には吸殻がいつも入っているわけですね？」

「はい。灰皿には吸殻が詰まっていることが多うございました」

「灰皿は、ご主人はよく掃除なさるほうですか？」

「ときどきはやっていたようですが、どちらかというとそういうことは無精《ぶしょう》なほうでした。帰ってきた車の灰皿をわたくしが掃除しておりました」

「後部座席の灰皿はどうですか。お客さんを乗せたとき、そのお客さんが煙草喫いだったら、座席の灰皿には吸殻が入っていたでしょうね？」

「はい。それもわたくしが掃除しておりました」

「最近、座席の灰皿をきれいになすったのは、いつごろですか？」

「そうですね。一週間ぐらい前でしたかしら」

「その一週間前、座席の灰皿に最後に残っていた吸殻は何という煙草だったか憶えておられませんか？」

「さあ、そこまでは……」

「喫い口のところが白だったか茶色だったかも？」

茶色の喫い口には外国煙草が多い。

「たぶん白だったと思いますけれど、はっきりとはわかりません。……それが何か？」

「いや、それならいいんです。なんでもありません」

埠頭の現場に放置されていた山鹿の車は、引きあげる前に小池が調べていた。運転席の灰皿にはセブンスターの吸殻が七つ残っていた。後部座席の灰皿は吸殻が一つも入っていなかった。

運転席の灰皿にセブンスターの吸殻が七つ残っているのは、山鹿恭介が喫ったものにちがいない。一日に四十本ほど喫うというから、運転中にそのぐらいはふかすだろう。助手席にだれかが乗っていて喫ったのだったら、灰皿には吸殻がもっと残っていなければならない。

――クレーン上の機械小屋のまわりに吸殻が一本もなかったのは、やはり強い風に吹き飛ばされたのか。

「ご主人は、カメラの腕はプロ級だったようですから、さぞかしカメラ仲間のお友だちが多かったでしょうね？」

「そうでもありません。主人はどちらかというと、気むずかしい性質ですから、つき合い下手《べた》といいますか、そういう仲間との交際は少なかったのです。藤沢市のカメラ仲間の人たちともあまりつき合っておりませんでした」

「やはり芸術家肌なんですな、孤独がお好きだったところは……」

悲しみを抑えて安子は礼を述べ、再び監察医務院に向かった。そのあと小池は鑑識係を呼んだ。

「念のためだけど、埠頭から持ってきた車から指紋を採ってくれないか」

「小豆色の、ツードアの車ですね」

過失死と決まっているものを、という顔を鑑識係はちらりと見せたが、検出道具の箱を提げて裏手へ出て行った。

今朝埠頭へいっしょに行った中田という写真係を小池は呼んだ。

「山鹿という人は一枚も撮影していなかったね？」

「そうです。カメラに装塡したままで、フィルムカウンターの数字では一コマも撮影していません」

「まあ念のためだけどね、フィルムを現像してみてくれないか」

「はあ。……」

フィルムカウンターの数字で一コマも撮ってないとわかっているのに現像するのは余計な手間だ、と写真係の表情はいっていた。いったいに小池係長は無駄だと思われるくらい叮寧すぎるほうである。

四日前に捕まった強盗犯人を送検するために必要書類を小池が書いていると、ツードアの車に残っている指紋を採ってきた鑑識係が四十分くらいで戻ってきた。

彼は二枚の写真を小池の前にならべた。

「こっちがクレーンで採取した指紋です。こっちは車のです」

同じ指紋であった。どちらも山鹿恭介のものだった。

「車にはほかの指紋はなかったかね？」

「古くて採取不能なのはいくつかありましたが、新しいのはこれだけです。車のドア、ハンドル、運転席、それにカメラ、三脚、カメラバッグ、バッグの中のカメラや交換レンズなどに付いていました。これでみると、昨日の昼から夜にかけてあの車の中にいたのは、運転者の山鹿という人がひとりだけですね」

今朝、灰皿を調べるとき、むろん小池は手袋をはめていた。写真係の中田が、真白な、長いフィルムを持ってきた。

「現像しましたが、このとおり、何も写っていません。やはり一枚も撮ってなかったですね」

小池は、鼻をふくらませ、そのフィルムを捨てていいよ、と云った。

「あ、それからね」

離れて行く中田に小池は云った。

「山鹿さんの車は、大船から通勤の山口君が運転して今日の夕方には藤沢の先方宅へ届けることになっている。それで、いますぐあの車をカラー写真で撮っておいてくれ。そうだ、普通の写真とポラロイドと二種類にね」

ポラロイドはもちろん即刻にカラー写真になって、中田が小池へ届けてきた。車体を横、前部、後部と三方向から撮っていた。X社製の××年型ツードア車の特徴がカタログ写真のようによく出ていた。

小池は別な部下にそのポラロイド写真を渡した。

「この車は昨夜から今朝まであの場所に放置されていた。だから、誰かがこの車をその場所で見ているはずだ。といって通行人はいないから、さしあたりあの付近の警備員だな。警備員なら夜間の巡回をしていただろうから、この車を見ているかもしれない。聞込みに行ってくれ」

クソ叮寧だと陰口される小池の本領がここに出ていた。

一時間半もすると、その捜査課員が戻ってきた。

「小池さんの見込みどおり、あの車を昨夜見たという警備員が一人居ました」

彼が報告をはじめた。

「その人は外貿埠頭公団の所属で四十五歳の警備員ですが、昨夜は夜勤でした。彼が云うには、九時ごろ詰所を出て見回りに出たが、第三号クレーンには別に異状はなかったそうです。その辺を見回ったが夜釣りにきている人影もないので、安心して岸壁から小便をしました」

「小便を？　うむ、東京湾の夜景を前にして、さぞ気持がよかったろうな」

小池はくすりと笑った。

「もっとも、あとで転落事故があったと知って、あのとき海なんか見ないで、クレーンの上に眼をむけていたら、そこに人が上がっているのが分ったかもしれないとこぼしていました。けど、まさかあんなところに人が居るとは想像もしなかったので、用を足すと、懐中電灯でその辺を照らしながら、小路から表の広い道路に出ました。そこにはライトを消した車が置いてあったので、懐中電灯で窓越しに内部《なか》をのぞきこんで見たが、運転席にも後部座席にも人が居なかったといいます」

「ポラロイドに写っている車の写真をその人に見せたのだろうな？」

「もちろんです。警備員は、この写真のとおり小豆色の車体で、ツードアだった、懐中電灯でよく見たから間違いはないと云いました」

「そうか。その警備員は、無人の車がそこに置き放しになっていても、不審は起さなかったのかね？」

「ときどき、そういうことはあるそうですよ。アベックが乗りつけてきてね、車を置き去りにして、どこか暗いところでいいことをしているそうです。あそこは、暗い場所にこと欠きませんから」

「車の中ではやらないのか？」

「ぼくもそれを訊きましたが、広い道路には照明灯があかあかと点《つ》いているし、たまにトラックなどが通るので、カーセックスは無理だそうです」

彼は笑って云った。

「で、そのまま通り過ぎたのか？」

「わざわざ暗いところを探しに行ってアベックをつまみ出すこともないでしょうからね。見回りをつづけて詰所に戻ったのが十時ごろだったといいます」

「警備詰所は夜どおし起きているんだろう？」

「四人ですが、二人組が二時間ずつ交替で仮眠するそうです」

「クレーンの上から人が落ちたんだから、地上で音がしたはずだがね。それを耳にしてなかったのかね？」

「第三号クレーンと外貿埠頭公団の警備詰所とは三百メートルくらいも離れています。音は聞えなかったそうです。それに、仮眠を交替して起きていた二人とも二時までテレビを見ていたそうですから」

「深夜の二時までだって？　テレビがそんなに遅くまであるのか？」

「昨夜は土曜日ですからね。テレビはその時間まで劇映画をやっていたそうです」

「そうか。土曜日の晩だったな」

小池は、山鹿がクレーンの上に登ったのは、毎土曜日の夜に大井埠頭にくる暴走族を撮るためだったのではないか、とこのときも思い出した。しかし、暴走族は近ごろここには来なくなり、よそへ河岸《かし》を変えている。もし暴走族を撮るつもりだったら、山鹿はそれを知らなかったことになるが。

午後七時のテレビのローカルニュースが転落死者のことを流した。テレビ局のサツ回りの記者が来たので小池が材料を与えると、埠頭の大クレーンの上から落ちたとは珍しいといって記者は張り切って取材していた。しかもその人がA新聞社の「読者のニュース写真」年間最高賞を受賞した人物だったというので、余計にニュース性があった。そのとき、小池は記者に材料の一つとしてポラロイドの車の写真も付けてやったのだが、それも画面に出た。

翌朝、小池が署に出てくると、昨夜七時のテレビニュースを見たと云う人から電話がかかってきた。

「あの写真の車をぼくは六日ほど前に、大井埠頭の道路で見かけましたよ」

若い男の声だった。

「あなたは、どういう方ですか？」

「競輪の選手をしています。六日前の午後一時ごろでした。ぼくは練習であの道路を自転車で漕いでいました。自動車の古タイヤを曳きずってね。そのとき、テレビの画面に出たのとそっくりの小豆色のツードアの車がぼくを追い抜いて行ったんです。ぼくがタイヤを引張っているのが珍しいとみえて、それを見るためかスピードを落していましたよ」

「そのとき運転していた人の顔をあなたは見ましたか？」

小池はていねいにきいた。

「見ました。横顔ですがね。三十二、三くらいの人でした。テレビに出た写真の人そっくりでした」

テレビに出たという山鹿恭介の顔写真は、A紙に載っていた「激突」が受賞したときのもので、これはテレビ局が当時の新聞を繰って出したのである。転落者がA社の昨年度ニュース写真年間最高賞を獲得したことも、テレビ局は抜かりなく放送した。

「そのときは写真の人が運転していましたか？」

「そうです」

「ほかに、いっしょに乗っている人がいましたか？」

「いや、ほかの人は乗っていなかったです。その人が運転していただけです」

テレビの反響の速さに小池はおどろいた。

それにしても、六日前に山鹿があの道路をひとりで車を走らせていたとなると、それはたぶん撮影場所を探すためだったのだろう。そのあげくに山鹿はクレーンの上を思いついたにちがいない。

同乗者がなかったというから、いよいよ彼の転落死は間違いないものとなった。

小池は追いかけるように最後に訊《たず》ねた。

「そのとき、運転していた人は、ハンドルを握りながら煙草をくわえていましたか？」

「ええ、くわえ煙草で運転していましたよ」

「どうもありがとう」

三十分してまた電話がかかってきた。こんどは中年の声であった。

「ぼくは、大井埠頭の倉庫に出入りするトラック業者の運転手ですがね。昨夜七時のテレビニュースを見てこの電話をしているんです。一昨日の午後七時半ごろでしたな、テレビに出た写真と同じ小豆色のツードアの車が大井南陸橋のところに停まっているのを見ましたよ。ええ、三十前後の男の人が外に佇んで、あたりを見まわしていました。何か場所でも探すようなふうでした。

その人の顔ですか。顔まではよく見なかったです。ぼくは急いでいたのでスピードを出していましたから。ちらりとその車を見ただけです。ええ、その人は車の傍に立って煙草を喫っていました。いや、ほかにはだれも居ませんでした。その人だけでしたよ。けど、おどろきましたね、あそこに立っていた人がその夜のうちにクレーンの上から墜落したとはねえ。ぼくは陸橋のところで目撃しただけですが、あんまりびっくりしたので、ちょっと電話してみたくなったんですよ」

山鹿恭介が過ってクレーンの上から転落したのは確実となった。

大麻の季節

六月下旬のことである。警視庁管下の各警察署に、本庁から次のような通達があった。

《栃木県警より本日左の通り本庁に連絡あり。

六月二十日午後九時ごろ栃木県上都賀《かみつが》郡西方《にしかた》村より鹿沼市方面へ向けて国道を疾走した中型乗用車があり、フロントガラスに同地域居住民のステッカーが貼付してあったので、検問のパトロールもこれを誰何《すいか》せずに通過させた。ところが翌二十一日朝になって、西方村農業白井仙平さんが自耕地の大麻《たいま》が昨夜のうちに相当量刈り取られているのを発見して所轄署に届け出た。同郡の粟野《あわの》町、西方村、鹿沼市の上久我、板荷《いたが》、草久《くさぎゅう》などは、全国一の大麻（麻織物や麻紐の原料）の産地で、目下収穫期を控えて盗伐を警戒していた。都会などから大麻吸引の常習者または密売者が夜間、車で村に入りこみ、闇にまぎれて大麻をひそかに刈って車のトランクに隠して逃走することがたびたび発生している。このため大麻の収穫期近くなると、所轄署の署員のみならず、保健所員や住民の有志がパトロールに当っているが、同地域内の居住者にはステッカーを交付して、これをフロントガラスに掲示した車は無検問で通していた。ここにおいて二十日午後九時ごろ国道を鹿沼方面に疾走した車は、西方村白井仙平さんの大麻畑から大麻を窃取して逃走したもので、ステッカーも偽造との推定が強くなった。夜間のことで目撃者は運転者の顔も分らず、車の型も色も確認していない。鹿沼市より東京方面へ逃走した疑いが強いので、警視庁管内に於ては厳重に警戒されたし》

——なァんだ、大麻泥棒か。……

小池は一瞥《いちべつ》しただけで興味もなく、タイプ印刷の通達を机の上にほうり投げた。

栃木県は大麻の産地として、日本で唯一といってもよい。

だが、近年は作付面積、生産量ともに激減している。原因は、麻の繊維からとる麻布《あさぬの》、麻ロープ、麻紐、それにニスや工業用石鹼の製油原料としての需要が減少したことによる。

最近の農林省の調べでは、作付面積が五十七ヘクタール、生産量が三十四トンとなっている（五、六年前は作付面積二百ヘクタール、生産量百トン）。

生産地としては、鹿沼市、上都賀郡粟野町、同郡西方村ならびに栃木市などである。

鹿沼市では、西北部の山間《やまあい》地帯、おもに山峡の畑地で生産される。下久我、上久我、上南摩《かみなんま》、草久、板荷などだ。

大麻畑から大麻の盗難が少なくないために、県環境衛生部薬務課と地区大麻対策協議会は、毎年大麻収穫期が近づくと、大麻取扱者（栽培者）に注意書を配布している。

〈日ごろ皆さまには、大麻対策協議会を通じ、大麻の濫用《らんよう》による保健衛生上の危害の防止等についてご協力をいただき、厚くお礼を申し上げます。

大麻の濫用は、昭和四十五年頃から年々増加しており、昨年中は、大麻事犯で検挙された者が全国で一千名近くで、これまでの最高を記録しております。

大麻栽培者の皆さまは、つぎの事項に御留意のうえ、大麻草盗難防止に御協力ください。

(1)大麻栽培者は、免許を取らなければなりません。

――大麻取扱者となるには、大麻取締法によって、知事の免許を必要とします。無免許で大麻を取扱うと処罰されます。許可なく栽培した者は懲役七年以下、不正に所持した者、不正に譲渡した者、不正に使用した者等は、懲役五年以下の厳罰に処せられますから、御注意ください。近所に免許を取らずに大麻を栽培している人がいたら、保健所に連絡してください。

(2)大麻を栽培する場所。

――①国道、県道等に面したところは避けて、播種《はしゅ》してください。②とくに種子採取用大麻は、長いあいだ畑に残るので、住居の前か、住居の近くで、常時監視できる場所に播種してください。③原則として申請地に栽培することになっていますが、変更するときは変更届を保健所に必ず出してください。

(3)大麻の茎や葉の処理。

――大麻採取後の葉や茎は、畑に置きざりにせず、すぐ焼くか、畑にすきこんでしまうようにしてください。

(4)大麻畑は、ときどき見まわってください。

――大麻草が正常に生育しているかどうかを見ると同時に、いたずらされていないかも見てください。

とくに、他県ナンバーの自動車や、見知らぬ人が、大麻畑の近くでうろうろしている時は気をつけて、葉など盗まれないように、栽培者どうしが連絡しあってください。このとき、車のナンバーなど特徴を記憶しておいてください。

(5)大麻草が盗まれたときは、警察、保健所へ。
——大麻畑が荒らされたり、大麻草が盗まれたりしたときは、すぐ保健所か警察署に連絡してください。と同時に、みだりに現場に立ち入らないでください。
(6)野生大麻を発見した場合。
——野生大麻を発見したときは、すぐ保健所へ連絡のうえ、除去し、埋没してください。
(7)大麻種子の取扱いは慎重に。
——大麻の種子は、知らない人にはみだりに渡さないでください。大麻取扱者に譲渡することは、さしつかえありません》

このように大麻栽培者に対して厳重な規制と、警戒の要請が県から出されているのは、大麻の吸引者がふえたからである。

外国産の大麻は、その持込みに際して空港できびしい荷物検査によって税関に発見されることが多いので、これを国内の栽培地にひそかに求めるようになった。日本の麻にも、熱帯産大麻ほどではないが、麻酔的要素が含まれているのがわかったからである。

芸能人やレーサーなどがマリファナを吸引して検挙され、新聞を賑わす事件がしきりと起るようになった。逮捕理由は「大麻取締法違反容疑」である。

つまりマリファナの実体は、麻の葉か、その雌花《めばな》の樹脂《レジン》である。以前はどこでも栽培されたり、路傍に野生していたものだ。

戦前は、日本の麻に陶酔性や麻酔性があることは、一般にあまり知られてなかった。「大麻取締法」は昭和二十三年に制定された(その後幾度も改正された)。当時は、アメリカ占領軍の駐留時代で、この法律ができたのは、ＧＩ(アメリカ兵士)などが軍用機で東南アジアあたりから持ちこんでは、煙草に詰めるなどしてさかんに吸い、それが米兵相手の女たちや基地の若者らの間に流行するようになったからである。

大麻取締法の第一条には、

《この法律で「大麻」とは、大麻草（カンナビス・サティバ・エル）及びその製品をいう。但し、大麻草の成熟した茎及びその製品（樹脂を除く）を除く》

とある。

大麻草と普通の麻との区別は困難である。熱帯地方で多く栽培される大麻は麻の地方的変種である。インド大麻もそうで、学名を Cannabis sativa *Linne* といい、分類学上は「麻」と同じである。

日本では上代から麻の繊維を取って布を織り、緒《お》を作っていたのは、万葉集の「麻衣《あさごろもけ》着ればなつかし紀の国の」（一一九五）、「たへの穂の麻衣《あさぎぬけ》着れば」（三三二四）などや、播磨国《はりまのくに》風土記に「麻打山。二《ふたり》の女《おみな》、夜、麻を打つに」（揖保《いぼ》郡の条）などによってわかる。が、当時でも麻に陶酔性のあることは知られていなかった。江戸時代になってから、それに気がつく人は一部に多少いたが、一般には依然としてわかっていなかった。

中国ではずいぶん早くから麻に麻酔性があることが気づかれ、後漢末には華陀《かだ》という外科医が麻沸散《まふつさん》という薬で患者に全身麻酔を施し、外科手術をおこなっている。日本では幕末期に華岡青洲《はなおかせいしゅう》が全身麻酔による手術をしているが、華陀のそれは青洲より千六百年も早い。世界最初の全身麻酔手術医だが、麻沸散が大麻から精製されたことは疑いない。

華陀はおそらくイラン系の胡人であろう。イラン高原には野生の大麻が繁殖し、イラン人は早くからそれに麻酔性のあることを知っていた。マルコ・ポーロの「東方見聞録」に出ている十三世紀のペルシアの「山の長老」が若者にハシッシュ（大麻）を与えて、恍惚《こうこつ》状態をおぼえさせ、若者たちはその薬欲しさに「山の長老」の命令どおりに政敵や宗教上の敵を暗殺した。「山の長老」はエルブルズ山脈の一峰アラムート山に城砦《じょうさい》をかまえたイスラム教徒の急進尖鋭たるイスマイル派の「暗殺教団」であった。イスマイル派はイランのシーア派の分派であった。ハシッシュが訛《なま》ってアサシンの名でヨーロッパに伝えられ、アサシネーション（暗殺）の語源となったのはよく知られている。

しかし、ふしぎにも、中国では大麻を陶酔用として吸引する風習はなかった。古くから、日本で大麻を吸引しなかったのは、中国の影響かもわからない。

厚生省薬務局麻薬課が昭和五十一年に部内用に編集した「大麻」から、必要な箇所を要約してみる。

《大麻草は、くわ科の植物で、雌雄異株の一年生草木である。茎は緑色の鈍い四角形で、直径は二センチほどであり、直立して、高さは二〜三メートルに達する。成長期には日に十センチくらい伸びることがある。葉は三〜九枚の小葉が集まって掌状をなし、辺縁は鋸歯《きょし》状をなしている。葉は茎の下部では対生し、上部では互生している。小葉だけでなく苞《ほう》、托葉などほとんどすべての部分にある腺毛が、大麻を顕微鏡で鑑定するときに役立つ。

花期は夏で、雄花穂は円錐形、雄花《おばな》は淡黄色の五弁で、五本の雄蕊《おしべ》があり、葯《やく》は黄色で懸垂し、黄白色の花粉を多量につける。雌花《めばな》は緑色で葉腋に密生し、花弁はなく、柱頭は二つに分れているが子房は一つである。花序は穂状をなし、そのために花穂と呼ばれる。また、雌花の柱頭のまわりに樹脂を分泌する。

わが国では大麻草を通常「大麻」又は「麻」と呼んでいる。古くは「こおりぐさ」「きぬぐさ」「ふさ」などといい、通称を「を」又は「そ」ともいわれた。

後に「あさ」をもって通り名にされたが、この「あさ」は「糾《あざな》ふ」等の言葉から派生したもの、また中央アジア、トルキスタンの土名 Nasha, Asarath の語源 Asa, Asha に由来したともいわれている。更にその後インドから移入した胡麻、苧《ちょ》麻《ま》、黄麻、亜麻等と区別するために「大麻」と呼ばれるようになった。

大麻は世界的にみると、阿片《アヘン》、ヘロイン、コカ葉等の麻薬よりも広範囲の地域にわたって乱用されており、その形状や方法もさまざまである。

形状は次の三つに大別される。

(1)葉や花穂を乾燥して粉砕したもの
(2)葉や花穂等を樹脂で固めたもの
(3)樹脂分のみを固めたもの

使用法としては次の三つに大別される。

(1)煙を吸う方法
(2)そのまま食べる方法
(3)溶液として飲む方法

インドやエジプト等では、樹脂含量が多いため樹脂を抽出して塊状とし、それを吸煙したり、或いは葉や茎を粉砕して調味料、香料を加えて飲物や菓子として乱用している。アメリカ大陸に成育する大麻草は樹脂量が少ないため、専ら煙草の形で乱用されている。

大麻の毒性。

マウス（鼠）を用いて大麻抽出物の毒性を調べた実験によると、五〇パーセント致死量は、経口投与で二一・六グラム、皮下注射では一一・〇グラム、腹腔内注射では一・五グラム、静脈注射では〇・一八グラムとなっている。マウスが死に至るまでの徴候を観察すると、運動失調、異常興奮、抑鬱《よくうつ》状態、正向反射の消失、呼吸停止につながる呼吸困難、震戦、流涙、下痢がみられている。

短期摂取による影響（急性中毒）。

大麻の作用は、その製品の種類、摂取方法、摂取量、摂取時の環境により左右されるが、一般的に内服するよりは吸煙するほうが三〜四倍強いといわれている。

たとえば、吸煙した場合、その主観的作用は非常に早く、経験を積んだ者では数分以内に現れ、持続時間は三〜四時間と比較的に短い。内服した場合には、作用発現は三十分〜一時間後で、八時間くらい持続する。

一、身体に及ぼす作用。

眼――眼球結膜の充血が見られる。瞳孔の大きさは変化しない。

消化器系――悪心《おしん》、嘔吐、口渇、鼻咽頭粘膜の渇きがみられ、食欲が亢進《こうしん》する。

呼吸器系――呼吸数は通常減少する。

循環器系――血圧は上昇、あるいは下降の両方の意見がある。

筋肉系――筋力の減退がある。さらには筋力障害を起したり、眼瞼《がんけん》下垂を引き起す。

神経系――触覚、味覚、嗅覚が強化され、さらに知覚・感覚の変容、特に時間・空間感覚の変容があげられ、多くの場合、実際に時計が示す時間よりも長く感じたり、空間が実際より広く感じたりする。聴覚の鋭敏さの増大が多くの実験でわかっている。多量になると幻覚があらわれ、神経が錯乱する。

泌尿器系――尿量は増えないが、頻尿になる。

性腺系――性感に関しては意見が一致しないが、いわゆる催淫効果はなく、性能力亢進感と時間・空間感覚が狂うので、オルガスムスが長く強いように錯覚するのではないかと思われる。

二、精神に及ぼす作用。

大麻摂取による最も特徴的な作用は、その精神作用にあるといえる。一八四五年、フランスの精神科医 J. J. Moreau はハシッシュでの実験等により、その精神症状を次の十に分類し、説明を行なっている。

①多幸感、すなわち何とも形容し難い幸福な感じが起る。また、饒舌となり、衝動的な哄笑が起る。

②興奮状態となり、思考が分裂し、現在と過去・未来が入り混じった観念の混乱を生じる。

③聴感覚の過敏により音楽への影響がある。すなわち一つの音楽を聞くことにより潜在していた悲しみが表出し、その悲しみが耐え難くなる。

④大麻の中毒状態がさらに進展した場合、固着観念（妄想）が生れる。

⑤情動障害（感情不安定）を起す。

⑥衝動的行為に出る。これは過度の興奮により狂乱し、挑発的、暴力的となり、無責任な行為になる。

⑦幻視、幻覚が発現し、恐怖状態を引き起す。

⑧これらの症状は一時的なもので、数時間で消失することが多いが、なかには一～三日間持続した例もあり、ひどい場合一週間も症状が消失しなかった例もある。また、これらの症状は、感

受性の高い人の場合、たとえば大麻煙草一本という少量でも出現する。

⑨連続した指拡張の繰り返しのような非常に単純な仕事の場合、混乱した結果が得られている。瞬間的に対象者に或る物を見せた後、その物体を思い出させたり、図形を再現させたりする能力は中等程度まで損傷される。一定の結果に達すべき算術計算では、明らかに低下する。連続加算の正確度が低下し、また読解力にも損傷を与える。

⑩話のまとまり、明瞭さ、時間の認識に、より著明な低下が見られ、自由連想や夢に似た想像力が豊かになっている》

栃木県の関係当局では、初夏になって、「大麻栽培の皆さんへ」と題する愬《うった》えの赤い紙を撒《ま》いた。

《今年も大麻のシーズンになりましたが、昨年は皆さん方のご協力にもかかわらず県内で二十五件の盗難事件が発生しました。

盗まれた大麻が悪用されますと、幻覚によって精神障害をおこしたり、狂乱状態となり、犯罪をおこしたりすることにもなります。

このため大麻栽培者は、朝夕大麻畑を見回ったり、自警団を組織して、夜間のパトロールなどを行なっておりますが、何しろ広い範囲を限られた人数で行なっているため十分ではありません。大麻栽培者だけでなく、一般の皆さんにもぜひ、ご協力をお願いしたいのです。どうぞ皆さん一人一人がGメンになったつもりで、次のようなことを発見したときは、最寄りの駐在所・警察署・保健所または農協に連絡してください。

⑴見知らぬ人が大麻畑をうろついていた場合。

(2)不審な車が、大麻畑の近くに止めてある場合。とくに他県ナンバーの自動車の場合は、車のナンバー、車種など、特徴を憶えておいてください。

(ただし、地区によっては、地区内居住者所有の車であるとの証明のために、一定のステッカーを発行し、これを車の見やすいところに貼っています)》

——品川区大井の××署の小池捜査係長が、栃木県警より連絡をうけた「大麻窃盗の車」についての本庁からの通達を一瞥したのは、こういう「大麻の季節」であった。

鹿野山行

東京発十四時三十分「さざなみ11号」のグリーン車は、泊まりがけの海水浴客やゴルフ客が多かった。網棚にはスーツケースがならび、ゴルフバッグが横たわっている。家族連れと、日焼けした紳士たちで車内の半分は占められていた。子供たちは躁《はしゃ》ぎ、紳士らはウイスキーを酌み交わしていた。

房総半島の東京湾沿いを走るこの内房線には海水浴場とゴルフ場とが散らばっている。それらは半島の突端を回って外房までつづく。鉄道に平行した国道にも車が列をなして走っていた。ほとんどが海水浴場行とゴルフ場行であった。強い太陽に車の屋根はきらきらと光り、それが対岸の三浦半島の細長い丘陵を乗せる東京湾の海の輝きを背景にしていた。

古家庫之助は窓ぎわの席にひとりですわっていた。横に五十年配の婦人がどこか寂しそうな様子で腰かけていたが、これは前の席に背を見せてならんでいる若い夫婦者の、男のほうの母親らしかった。夫婦は肩を寄せて面白そうに話しているが、母親へはめったにふりむかなかった。

列車は五井と木更津の間を走っていた。佐貫町《さぬきまち》まであと三十分ほどだった。

古家の手荷物は、小さな旅行カバン一つに茶色革のカメラバッグが一つ。カバンの中には一泊用にかんたんな着更えのものを入れた。カメラバッグには、カメラ二台に交換レンズが四本、短い伸縮用三脚、ストロボ、それにフィルムを四ダースほど入れた。

古家はカメラバッグを重そうに肩に担ぐものものしさがあまり好きでなく、あれは素人がするプロ気どりの見栄《みえ》だと思っているが、こんどは古建築や仏像を撮るつもりだったから仕方がなかった。

館山《たてやま》写真同好会というのから七月十二日の撮影会に古家が指導講師を頼まれたのは、十日前であった。館山写真同好会とは初めて聞く名だったが、アマチュアのカメラクラブは全国いたるところにある。

ふた月前の五月に古家は北鎌倉での撮影会に指導講師として行っている。これは前から関係している日本橋の若旦那衆によるカメラ同好会だ。そういう因縁の深いものもあれば、未知のグループから初めて依頼されることもある。古家はそれにも気軽に応じた。どこへ行っても写真界の大家として尊敬される。それに謝礼がばかにならない。かなりの金額でも源泉徴収税無しの「御礼」だから、税務署に申告しなくても済む。これが魅力であった。

その日、古家はA新聞社の写真部に行っていた。「読者のニュース写真」の月間締切が終って、集まった応募作品をひととおり下見するためだった。本格的な審査は五日後に他の審査員を集めて行なわれるが、審査委員長の古家は写真部長とともに、集まった六百枚からの写真をざっと見た。月間優秀賞作品は年間最高賞の選考にもつながるので、気になるからだった。半ば予想したように、これはと思うような作品がなかった。技術は上がっているのに、質がだんだん落ちている。中には、あきらかにどぎつい演出写真もあって、写真部長の顔をしかめさせた。いいのがないので部長はいらいらしていた。

そこへ外部から古家に電話がかかってきた。館山写真同好会の世話人で川原俊吉という者ですが、お宅にお電話したところ、いまA新聞社の写真部に行っておられるということなので、失礼ですがそちらにお電話しました、われわれのカメラクラブで七月十二日に撮影会を行なうことにしています、つきましては全員の要望で、ぜひ先生に指導講師をおねがいしたいのですが、電話ではなんですから新聞社付近の喫茶店ででもお眼にかかれませんでしょうか、じつはわたしも社の近くまで参っております、と云った。

三十分後、古家が指定した喫茶店に行くと、奥の席から立ち上がって腰を折った男がいる。二十七、八歳くらいの、夏の背広をきちんと着た男だった。古家先生ですか、さきほど無躾《ぶしつけ》なお電話を申し上げた館山写真同好会の川原でございますとテーブルに両手を突き、慇懃《いんぎん》に頸をたれた。出した名刺には「館山写真同好会世話人　川原俊吉」とあり、住所も館山市内になっていた。電話番号の活字は、どういうわけかペンで筋を引いて抹消してあった。

川原俊吉は涼やかな眼をしていて、口辺から顎にかけて髭剃りのあとが顔料を塗ったように青々としていた。ものの云い方もしっかりとしていて、知性がうかがえた。

お忙しいところをお呼び出し申しあげて申し訳ありませんと川原はそう詫びた。そうして新聞社ではニュース写真月間賞のご選考でしたか、とていねいに訊いた。アマチュア・カメラマンなら、だれしもA新聞社の公募には関心を持っている。古家がそうだと答えると、今回もさぞ優秀な作品が集まっていることでしょうと川原俊吉はきいた。もとより審査委員長になっている古家が答える筋ではないので、ええまあね、とあいまいに云っておいた。

それにつけても昨年度の年間最高賞になった「激突」は美事な傑作でしたね、新聞に発表された写真を見て、われわれは魂を奪われました、と川原は云った。「激突」ほど話題にされている作品はないのだ。あれに匹敵するようなものは当分は出てこないでしょうな、と古家は憮然《ぶぜん》として云った。

あの写真家は今回も応募していますか、と川原はきいた。彼は山鹿恭介の死を知っていないらしいのである。新聞には山鹿の転落死の記事が出たが、それを読んでないようだった。あの人は惜しいことに急死しましたよ、と古家が云うと、川原はひどく驚いていた。

川原俊吉は、やがて古家への「お願い」の話に入った。

撮影会は千葉県の鹿野山《かのうざん》で行なわれる、と川原俊吉は古家に云った。鹿野山は君津市の東南端にあって、標高三百五十二メートル、上総《かずさ》では最高の山である。山上には名刹《めいさつ》の聞えある神野寺《じんやじ》が幽邃《ゆうすい》な杉木立に囲まれている。十二日の撮影会には、いまのところ五十人ばかりが参加する予定だが、古家先生に指導に来ていただけるとなると八十人には確実にふえるだろう、モデル嬢も二人ほど東京から呼ぶことにしていると彼は話した。

お暑いときに申し訳ないが、鹿野山の上は下界よりも温度もずっと低いし、格式は成田山新勝寺とならぶ神野寺には重要文化財指定の古い建物もあり、聖徳太子作と伝える軍荼利《ぐんだり》明王の古仏像、江戸城を模したといわれる庭園もあるので、先生のご興味をひくかもしれない、とも云い添えた。

まだ鹿野山に行ったことのない古家はこれに心が動いた。近ごろは古い彫刻や建造物に凝っている。それに興味はもう一つあった。

(先生、神野寺という名に、何か思い当られることはありませんか?)

川原俊吉は、青々とした口のまわりに微笑を浮べてきいた。

（いや……）

（前にトラ騒動で新聞を賑《にぎ》わした寺ですよ）

あ、あの寺か、と古家は云われて気がついた。寺で飼っていた虎三頭が檻《おり》から逃げて、一頭は檻にもどったが、二頭の行方が分らず、それが射殺されるまでの山狩り騒ぎと付近住民の恐怖とを新聞は賑やかに報道していた。そのトラ騒動は古家も記憶していたが、寺の名はろくに憶えていなかった。

（きみ、まだほかにも逃げた虎が山中にひそんでいるんじゃないの？）

（冗談じゃありません。残った虎はみんなよその動物園に移されてしまいました。……しかし、そうですな、寺では虎を可愛がっていましたから、まだ一頭ぐらい山の中にこっそりと逃がしていれば、これはスリルがありますね）

川原俊吉は健康そうな歯を出して笑った。

（撮影会に行きましょう）

古家が返事をすると、川原はまた両手を前に突いた。

（ありがとうございます。先生にご承諾いただいて皆がどのように喜ぶかわかりません。当日の撮影会はさぞ盛会になることと思います。……つきましては、ご謝礼の点でございますが、なにぶんにも小さなグループですので、申しわけございませんが、五十万円でお許しねがえませんでしょうか？）

五十万円！

古家は聞き違えではないかと思った。これまでの最高が二十五万円であった。日本橋の若旦那のグループにしても毎回二十万円であった。

古家は、嬉しさを顔に出さないようにして、けっこうです、とわざと愛想のない声で答えた。

灰皿には、古家の煙草の吸殻が五、六本溜まっていた。

当日の撮影会は朝九時からはじまり午前中に終り、正午から寺の宿坊で昼食会と古家先生のお話という予定にしている。ついては東京出発が早朝では申しわけないので、前日の夕方に鹿野山に上って神野寺の宿坊に泊まっていただく。その往復の交通費と宿泊代は会で負担する、お宅から東京駅までのお車代もさしあげる、という館山写真同好会のフルサービスであった。もちろん古家に異論はなかった。

（連絡はわたしのほうから当日までに数回お電話して、ご用件があればそれを承ります）

川原俊吉は云った。

彼は自分の名刺の電話番号が消してあることで弁明した。会の借りている事務所の商店が目下長期にわたって大改築中なので、電話を局に預けている、それで電話は自分のほうからするが、自分はいま神野寺の宿坊に参籠のため滞在していて、自宅には居ない、したがってご用があれば宿坊へ電話をいただいてもよいが、宿坊は泊り客が多くて呼出しが不便なので、わたしのほうから再三お電話したい、と川原は云うのだった。

話が決まればべつにぼくのほうから電話することもないが、出発する前日に念のために電話連絡してくれればそれでよい、と古家は云った。これまでがその流儀で、なんの故障もなかったのだ。

（あなたは、神野寺の宿坊に滞在しているというが、お寺の信徒ですか）

古家が聞くと、じつはぼくの家業は漁網の製造をしています、祖父の代からその関係で神野寺の信徒なんです、成田山でもそうですが、不動明王の信仰と開運、とくに漁業繁昌に御利益《ごりやく》があるといわれていますので、このへんの漁業関係者に神野寺の信徒は多いのです、と川原は説明した。

それで古家はひそかにうなずいた。館山写真同好会というのは漁業関係のメンバーで占められているらしい、漁業の景気がいいときは業者は荒稼ぎをすると聞いている、五十万円の謝礼もそのようなことからだろうと推察がついた。

三日前に、川原から連絡電話がきた。乗車券・特急券・座席指定券を郵便でお送りしましたから、十一日の「さざなみ11号」でお越しください、わたしは佐貫町駅でお迎えしています、そこからタクシーで鹿野山上までは三十分くらいで、わたしが寺までお供します、と云った。

それまで二回ほど川原から電話があって、何か承ることはありませんか、と伺いを立ててきた。叮寧なことである。そのたびに別に用件はないと古家は答えた。――

佐貫町が近づくにつれ、古家庫之助は撮影会の講師に招かれるいままでのこうしたいきさつを、煙草をふかしながらもう一度想い返していたのだった。

十五時五十二分の定時に列車は佐貫町駅に着いた。乗降客はそれほど多くなかった。ゴルフバッグを肩にした六、七人の一団と海水浴客が十人足らず。あとは付近の人が七、八人だった。ゴルフ場はこれから南へいくつもあるし、海水浴場もこの先の岩井をはじめ外房にかけて散在している。

ホームのグリーン車の停まる位置に川原俊吉の上背のある半袖シャツ姿が立っていた。古家を認めてすばやく寄ってきた。

「先生、お暑い盛りをご苦労さまでございます。ありがとうございました」

おじぎをすると、すぐに両の手を出して古家の旅行カバンとカメラバッグとをうけとった。午後四時でも雲一つない空に太陽はまだ燃えていて、その強い光を顔の半分に受けた川原は逞《たくま》しく見えた。

彼は出口へ先に立って歩き、待たせてあるタクシーへ古家を案内した。

「先生、お忙しいところを、ほんとによくお出でいただきました。お礼の申し上げようもございません」

古家とならんで座席に落ちついた川原はあらためて頭を深くさげた。

「いや、なに」

「会員だけでなく、一般のカメラファンは大よろこびでございます。写真界の大家の古家先生に、ほんとうに講師としておいでいただけるのかと半信半疑でいるのも多かったのですが、それだけに感激一入《ひとしお》でございます。明日の午前九時からの撮影会には、申込みによって八十人以上が集まるはずでございます。これも先生のご声名を慕っている者が、先生の直接のご指導を、たとえ二、三分間でもお受けしたいからでございます。明朝は七時ごろから貸切りバスやマイクロバスでア マ・カメラマンが続々と登山してくる予定になっています」

「世話人さんのあなたは、たいへんでしたね」

さすがに照れて古家は、川原の労をねぎらう言葉にした。

「いいえ、ぼくの労などはちっともありません。先生に即座にお引受けいただいたものですから。ありがとうございます。光栄です」

川原俊吉は言葉に礼を尽した。

「モデルを呼ぶということだったが、そのひとたちも今日から寺に来ているの？」

古家はまた話をかわした。

彼女らは明日の早朝に東京を発って、撮影会に間に合うように来ることになっています。わたしの友人で或るファッション・モデルクラブに関係しているのがいますので、その者に依頼して二人ほど寄越すようになっています」

こうした会話の中でもタクシーは登山道路を上りつづけた。舗装した白い道は青い雑木林の間を《ら》うねうねと螺旋《せん》している。林が切れるたびに平野部と東京湾とが覗き、それが次第に下方に沈んだ。上になるにつれて杉木立が多くなった。

上下線とも車が列をなしてつづく。バスが間に挟まる。三叉路があって、その一方からも車が上ってきていた。

「たいへんな賑わいだね。これ、みな神野寺詣でかね？」

「いや、途中に観光用のマザー牧場という牧場があるんです。子供連れの日帰りにはちょうどいいんです。それと、神野寺の北側にカントリークラブがあるんです。これらの車にはそのゴルファーたちがまじっています。もちろんこの辺でいちばん高い山なので、ちょっとした避暑気分で寺参りする日帰りの者や滞在者もいます」

「滞在者は寺の宿坊に泊まるのかね？」

「いや、山上にはホテルも旅館もあります。門前町ですからレストランも大衆食堂もあります」

「まるで高野山と同じだな。そういえば、この山の登山自動車道路などは橋本から高野山に登る道と似ているよ」

「高野山ほど寺院が多くありませんので規模は小さいですね。……おや、先生はチェーン・スモーカーでいらっしゃるようですね」

座席の灰皿にたまった吸殻を見て川原は云った。古家は日に六十本以上は喫った。

密教の寺

鹿野山への曲りくねった登山自動車道路をすすむタクシーの中で、川原俊吉と古家庫之助との会話はつづいた。

「神野寺は規模は小さいですが、毎月の功徳日《くどくび》には参詣者で寺域が混雑します。三日前の七月八日は四万六千日でしたから、参籠の信徒団体で宿坊はごった返しでした。ぼくも毎年七月には二週間くらい参籠しています。祖父の代からのしきたりですから仕方がありません」

川原は苦笑を洩らした。

「参籠というと、護摩修法《ずほう》などに参列するのかね？」

「そうです。本堂の内陣で僧正が行者となって護摩修法を執行されます。われわれ信徒は外陣《げじん》に畏《かしこ》まってその功徳を受けさせてもらいます」

「話には聞いているが、ぼくはまだ拝観したことがない」

「三日前の四万六千日には、二万人あまりの信徒が集まりましたから、そりゃもうたいへんなものでした。本堂の前にも大きな護摩炉を置きましてね。信者たちはそのまわりに集まって香煙を手に受けて身体に塗りつけます」

「ははあ。浅草の観音さまの前で参詣人がするのと同じだな？」

「そうです。あれのもっと大規模なものです。人波が入れかわり立ちかわり押し寄せますので、警官が出て整理に当りました。そうしないことには怪我人が出ますから。……おや、話しているうちに、もう着きました」

登山自動車道路を上り切ったところが平坦になっていて、神野寺の門前であった。左側の高いところに杉林が茂り、朱塗りの建物がその間に見えた。杉林の向うに竹林が群れていた。

古家は、旅行カバンとカメラバッグを両手に持ってくれる川原につづいてタクシーをおりた。駐車場は車でいっぱいだが、帰り車が多くなっているのは、もう四時半になっているからである。下山するバスの前にも乗客の列ができていた。それでも夏の日はまだ明るく、あたりに人の群が残っていた。門前の大衆食堂や土産物店の中は客で混んでいた。川原はあたりを見回したあと、

「先生、すみません。写真同好会の連中がここでお迎えするはずでしたが、まだ来てないようです。明日は撮影会に一日じゅう時間をとられるので、今日のうちに仕事を片づけるために忙しいのかもしれません。明日は朝早く来て、かならず先生にご挨拶申し上げます」

と、頭をさげて詫びた。

「いいよ。どうせ明日は皆さんに会えるんだから。今日はあなたひとりに案内してもらえば、けっこうです」

古家も出迎え人がないのは少々不満だったが、鷹揚《おうよう》なところを見せた。

「おそれいります」

飛行機の爆音が聞えた。古家が見上げると杉木立の繁りの間を白い機体がかすめて過ぎた。爆

音はすぐに西の方角へ消えた。

「福岡や大阪から来て羽田へ降りる旅客機です。この辺がそのコースになっていて、頻繁に爆音が聞えます。その爆音で、せっかくの神秘的な儀式も読経《どきょう》も妨げられます。密教の儀式は平安時代のはじめからつづいているのですが、そこへいきなり現代のジェット機音が割りこんでくるんですから」

「航空会社に抗議して、コースを変更させられないものかね?」

「さあ、どうですかね。いまは飛行機の騒音被害で航空会社はあちこちから抗議をうけているので、コース変更となるとまた新しい反対にあうことになるでしょうね」

「むつかしいもんだね」

「先生、宿坊はお寺の境内にあるんです。どうせ本堂の前を通らねばなりませんから、本堂をざっと眺めて行かれますか」

石だたみの参道をかなり歩いて赤い楼門をくぐった。石段をあがったところに杉林を背景にした朱塗り重層の本堂があった。高さ十五メートルほどの大屋根は入母屋《いりもや》造り、緑青《ろくしょう》の蒼い銅板瓦棒葺き、正面唐破風造りの向拝《ごはい》の下に擬宝珠《ぎぼし》勾欄《こうらん》の階《きざはし》が付いていて、うす暗い内部がのぞかれた。桁行、梁間とも五間、護摩壇を置く内陣はこのいちばん奥にある、と川原は古家に云った。

「護摩修法は荘厳《そうごん》なものです」

古家とならんだ川原は説明した。

「その執行は僧正がなさいます。軍荼利明王像の前の火炉には乳木《にゅうぼく》の燃える滅業《めつごう》の炎が上がり、香煙が濛々《もうもう》とたちこめた内陣には四隅の蠟燭《ろうそく》の灯がうすぼんやりと光り、なんともいえぬ幽玄さです。その中に瓶の切花と護摩壇の前にならべられた三鈷鈴《さんこれい》や五鈷火舎《かじゃ》、薬種器などの荘厳具《しょうごんぐ》が金色に光ります。この護摩壇には、十二天十二宮七曜二十八宿の天地が凝縮されております。居ならぶ衆僧が梵語で斉唱するなかを、僧正は火中にむかって薬種を投げ入れ、香水《こうずい》を撒《ま》き、それが七度におよびます。それから切花を取って火中に投じると、それが蓮華となり荷葉座《はちすのざ》となり、五智の如来の諸尊を顕現することになっています。このへんが儀式のハイライトです」

「ほう、あなたは信徒だけに詳しいんだね」

「いえ、わたしなどは拝観しているだけで、なにもわかってはいません」

川原は古家に裏向拝を見せた。その軒上に、とぐろを巻いた蛇の彫刻があった。

「あれが甚五郎の作というんですが、もちろんアテにはなりません。どこの社寺でももったいをつけて、彫刻ならたいてい作者は運慶だとか左甚五郎などといいたがります」

「どうして蛇の彫刻なんかが上がっているのかな。まさか弁天さままではあるまいし」

「この寺は十二支に因《ちな》んでいることで有名なんです。十二支は十二天・二十八宿の世界観からきています。この神野寺が虎を飼って騒動を起したのも、寅に因んでいるからです」

「あ、そうか。なるほど」

本堂の前をはなれると、右手に鐘楼があり、それとならんで藁葺《わらぶき》屋根の古風な六角堂造りの観音堂があった。杉木立のほかに竹林が多かった。

この間を通ってすすむと、拝観料を徴収する小屋があり、前を通過するとすぐに表門になった。

「重要文化財指定」の立札があった。

「永正年間、つまり十六世紀のはじめの改築になるものというんですがね。四脚門が特徴なんです。禅宗様式のよく整った秀作だといわれています」

「明日の朝、撮影会までにゆっくり撮影に来よう。本尊の軍荼利明王も、あなたから寺側に口添えしてもらったら撮らせてもらえるだろうね？」

「それはなんとかなると思います」

「たのむよ。そのつもりで交換レンズをひととおり用意してきたんだから」

表門を入ると、客殿と庫裡《くり》になっていて、その横に斜面を利用した庭園があった。手入れの届いた植込みが眼に涼しかった。

「これは江戸城の全景を模して造られた庭園というんです。どこがどんなふうになっているかよくわかりませんが、この裏側に根回り三メートル、樹の高さ十一メートルといわれる桑の木があります。まあそれまで見ることもないでしょうから、ここを出て早く宿坊に入りましょう。先生も入浴されて汗を流してください。そのあと夕食を運ばせます」

「もうそんな時間かね？」

「六時をすぎました」

「夏の日は長いね。それにここは山上だから陽がまだ高いところに上がっている」

「そうですね。けど、下界よりは涼しいでしょう？」

「さすがに空気がひんやりとしているね」

「夜に入ると、もっと涼しくなりますよ。夕食が終ったら、山上からの夜景を眺めに、そのへんをぶらつきましょう」

宿坊は木造二階建てだが、クリーム色に壁を塗り、二階には勾欄をめぐらせて和風ホテルふうであった。ただ一見しただけで旧い建物だった。

川原は古家を案内して玄関から廊下を通っていちばん奥の部屋へ入った。そこは六畳一間で、襖《ふすま》は菊水の紋散らしであった。各部屋とも満員で、廊下には宿泊客が浴衣がけでうろうろしていた。

「この部屋は先生のために予約しておきました。撮影会の指導講師をお引きうけいただいた十日前にすぐに予約したのですが、それでもようやく確保できたくらいです」

「ずいぶん混んでるんだなァ」

「参籠の団体宿泊者が多いからです。門前町の旅館やホテルもいっぱいですが、この宿坊は宿泊料が安いですからね。そのかわり精進料理です」

「精進料理は好きだよ。北鎌倉に、『山鳩亭』という普茶料理屋があるが、そこにはよく飯《めし》を食いに行くよ」

「それはありがたいです。もっとも料理屋さんのようにはおいしくないと思います。お運びの給仕も坊さんですからね。先生、わたしの部屋は二階です。先生がひと風呂浴びられてお部屋へ戻られたころには、わたしもお邪魔をしてお食事をいっしょにさせていただきたいと思いますが……」

「どうぞ、どうぞ」

大浴場も混雑していた。浴客の言葉はさすがに房州から東北にかけての訛《なまり》が多いが、東京の下町言葉もまじっていた。江戸時代にはこの神野寺に四方から参詣人があり、門前町も上町と下町とに分れ、ともに旅籠《はたご》がならぶ宿場だった。いまも登山道路は上総から安房《あわ》にいたる往還となっている。

古家が浴衣着でさっぱりした気持になって部屋へ戻ると、川原俊吉がさきに来て待っていた。

川原も浴衣になっていた。

「おや、もう来ていたの？」

「失礼して、ここでお待ちしていました」

「浴場ではあなたを見かけなかったようだけど」

「なにぶん芋を洗うような混み合いようでしたから。いま、食事を運んでもらうよう頼んでおきました」

風呂上りの古家は、後頭部だけにかたまっている長い髪にポマードを塗り櫛《くし》の目を入れていた。汗まみれで赤かった顔もいまは脂がとれていくぶん白くなっている。浴衣の前がはだけるのは肥っているからで、五十をこしても胸は厚かった。

川原は浴衣の衿を合せてきちんと正座していた。どこまでも大先輩に対する礼を失していなかった。

若い坊さんが黒の法衣を襷《たすき》がけにして膳二つを重ねて部屋に入ってくると、古家と川原の前に高脚食膳を一つずつ置いた。

膳の上には、雲片《うんぺん》（あんかけ）、油餸《ゆじ》（味つけの山菜天ぷら）、澄子《すめ》（すまし汁）、笋羹《しゅんかん》（野菜のたきあわせ）、麻腐《まふ》（ごま豆腐）、和合物（あえもの）などがならんでいる。それに小さな黒塗りの飯桶。

どうもご苦労さまです、と川原は信徒らしくお運びの坊さんに合掌した。

古家の希望で、冷えたビールを持ってきてもらった。これにも川原は手を合せた。

ビールで乾杯したあと、川原は古家に深々と頭をさげた。

「いま、館山写真同好会の会員に電話しましたが、先生にほんとうに来ていただいたというので、みんな大よろこびです。まさかわれわれのような田舎のカメラクラブのために大先生がきて下さるとは思わなかっただけに、その光栄に感激しています。おかげで、わたしも面目をほどこしました。先生、ありがとうございます」

「そう何度も礼を云ってもらわなくてもいいよ。みなさんによろこんでいただければ、わたしもうれしいよ」

「おそれいります」

もちろん五十万円の謝礼は明日の撮影会が終った直後であろう。紅白の水引をかけた包みが渡されるはずだった。

古家は健啖《けんたん》だった。膳部の上のものをどんどん平らげながらビールを傾けた。そのつど、川原がビールを注ぎ足した。

「きみも飲みなさいよ」

「はあ。いただきます。けど、わたしは不調法でして」

「へえ、飲めないの？　ずいぶん飲めそうな、立派な身体をしているのになァ」

古家は川原の上背のある体格を見すえた。肥ってはいないが、筋肉が発達していて、浴衣の前衿からのぞく胸元も、両袖から出ている手も、頑健そのものであった。風呂上りの青い髭の剃りあとも、艶やかな顔によく似合って、古家の眼から見て羨ましいくらい精力的に映った。

「先生、さきほど本堂の護摩修法の話をちょっとしましたが、護摩というのにはなにか夢の中に誘いこまれるような陶酔性があるようですね」

川原は雑談の相手をするように古家に話しかけた。

「そうかねえ。さっきも云ったように、ぼくはまだ本式の護摩修法を拝観したことがないので、わからないが」

古家は、ビールも箸も一時休めて、煙草に代えた。川原がそれにライターの火をつけた。

「そうなんですよ。わたしは外陣に控えているんですが、内陣から漂ってくる香煙を少しずつ吸っているだけでも睡くなるんです。もっともそれには、あの意味のわからない梵語の単調な読経のせいもありますがね。バサラダトバンセンジキヤソワカ、アラタンナウサンバンバヌラキヤソワカ、なんていうのをくりかえしくりかえし、リフレーンで聞かされると、睡気がさすのはあたりまえでしょうがね」

「きみは信徒だけに、よくお経の文句を知っているね」

古家は笑って煙をふかした。

「いえ、わたしのはうろおぼえです。熱心な信徒は坊さんと変らぬくらいお経をよく知っています。その退屈なお経の称《とな》えかたもそうですが、やはり睡気の原因は護摩の煙にあると思うんですよ。先生は、あの煙に何が含まれているかご存知ですか？」

「焚木を燃しているだけじゃないのかね？」

「炎は乳木を燃しているのですが、礼盤《らいばん》に座した行者の僧正が前に置いた薬種をつまんではたびたび火炉に投げ入れるのです」

「薬種というのは？」

「肉桂《にっけい》とか紫蘇《しそ》などのほかに、天門冬《てんもんどう》、地黄《じおう》、枸杞《くこ》、丁字《ちょうじ》などという名の、よくわからないものが薬種になっています。わたしは思うんですが、これらの薬種は、もと麻薬性の植物の葉とか花汁とかがなっていたんじゃないかと思うんですよ。たとえば大麻のようなものですね」

「大麻だって？」

「いや、想像ですよ。根拠はありません。ありませんが、そうでなくてはあんなに護摩の煙を吸ってて、いい心持になって夢の中に引き入れられるようなことにはならないと思います」

「しかし、大麻は禁制だからね。それを使用すると犯罪になるよ」

「ですからいまは大麻を使ってなく、その代用品のようなものじゃないかと思いますよ。わけのわからない名前の薬種の混合物には、大麻に似た陶酔性の効目《ききめ》があるように思うんです」

外は、ようやく暮れかかっていた。上を爆音がまた通りすぎた。

山上の夜

「だいたい密教には呪術性があるからね。信者を夢幻の境に陶酔させるのは、呪術をかけやすいことでもあるだろうからね」

川原俊吉の話をうけて、古家庫之助は云った。喫い尽した煙草の吸殻を灰皿に捨てると、またビールのコップを持った。

「そうなんです」

川原は二本目の瓶を傾けたが、ビールがなくなっているのを知ると、

「先生、坊さんからビールをもらってくるのも面倒ですから、ウイスキーにしましょうか。ウイスキーだったら、ぼくの部屋からとってきますが」

といった。

「へええ、酒の飲めないきみがウイスキーを持ってきているの？」

「先生が召し上がるだろうと思って一本だけ用意してきたんです。ちょっと待ってください、すぐに取ってきます」

川原は浴衣の裾を翻《ひるがえ》して出て行ったが、五分と経たないうちにウイスキー瓶を片手にさげて戻ってきた。

「きみ、これはまだ口を開けてないじゃないか」

古家は瓶を手にとってラベルを眺め、悦に入っていた。

それから彼は栓を抜くと、コップに残ったビールの雫《しずく》を灰皿に落し、ウイスキーを四分の一ほど注いだ。

「先生、水を持ってきましょうか？」

「いや、面倒だからこのままでいい」

コップを川原の顔に挙げて、

「頂戴するよ」

と、口に流し込んだ。

「生《き》で召し上がるんですか、お強いんですね」

「そうでもないけど、ちょっぴりはね。きみが飲めないとは残念だな」

「すみません」

「いや、ぼくのほうこそ申しわけないみたいだ」

「どうぞご遠慮なく召し上がってください。……ところで、さっきの密教の呪術性のことですが、おっしゃるように陶酔性とは非常に関係があるように思われます。施術者が被施術者に催眠術をかけるのと同じ効果ですね。催眠術にかかった者は、施術者の暗示のとおりになるんですね。そのために護摩の香煙には、人を麻酔させるような要素があると思うんですよ。火中に注ぐ薬種がそれじゃないかと想像するのです。こんなことは、この寺の中では大きな声で云えませんがね」

「うむ、面白いね。いったいこの寺で加持祈禱の護摩修法を受ける人の願望はなんだね？」

「大部分が一般的ですよ。商売繁昌、家内安全、無病息災、近ごろは交通安全が入ります」

「普通の現世利益《りやく》だな。そのほか特殊な加持祈禱はないかね？」

「除魔の祈禱、病気快癒の加持、火伏せの加持、丑寅《うしとら》の金神除《こんじんよ》けの祈禱、田の虫除け、盗賊除け、安産の祈禱、昔だったら瘡除《かさよ》け、狐つき落しの加持というのもありました」

「そりゃ、いかにも密教の加持祈禱らしいね」

「瘡除けというのは、瘡呪《かさまじな》いともいうのです。遺っている昔の呪符を先達《せんだつ》の人から見せてもらいましたが、『鬼』という字が九段に積み重ねてあります。いちばん上に『鬼』が横に九字ならび、次段が八字、三段目が七字というふうに、いちばん下が『鬼』字が一つ、全体の形が逆三角形になっています」

「『鬼』の字ばかりの逆ピラミッド形かね。気持が悪いね」

古家はウイスキーを舐《な》めた。

「呪符の字は気持が悪いようにできているんですよ。そのために普通の漢字にはない特別な作字がしてあります。呪いですからね」

「呪いというと、人間の形をこしらえて五寸釘を打ちこむなんてのがあるじゃないか」

「敵を詛《のろ》い殺すやつですね。あれは民間でやってたことですが、寺院でも依頼されると、怨敵《おんてき》調伏《ちょうぶく》の祈禱をやっているそうです。けど、これはめったには引きうけられないということです。奈良に秋篠寺《あきしのでら》という古寺がありますね？」

「うむ、知ってる、知ってる」

「あの寺の秘仏は、大元帥明王《だいげんみょうおう》というんです。不動さまのような忿怒《ふんぬ》相の明王が首にも手足にも蛇をいっぱいまきつけています。頭髪も蛇なら、衣の紐も蛇なんです」

「ぞっとするね」

「それが怨敵調伏の仏だというので、選挙のときには候補者が対立候補を落選させてくれるように頼みにくるので、寺では困っているという話です」

「そりゃいかにも現代的だ」

古家は首を振って笑った。ウイスキーの二杯目をコップに入れて飲む。

「落選くらいならまだいいです。生命には別条がありませんからね」

「生命にかかわるような祈禱もあるのか？」

「怨敵調伏ですね。恨みの深い相手を詛い殺したいというのは人間の衝動じゃないでしょうか」

「そういう奇怪な加持祈禱が現代でもあるのかね？」

「公けにはできないだけで、昔のように今もどこかで行なわれているのじゃないですかね。こういうれっきとした寺院ではやらないですが、修験道《しゅげんどう》となると、ずいぶん奇異な祈禱を行なっているということですから」

「修験道？　山伏のことかね？」

「そうです。だいたい密教の護摩はインドのバラモン教の護摩からきているというのが通説でしてね。バラモン教にはずいぶんとインドの原始宗教が入っています。だから護摩が奇怪なインド的要素を含んでいるのも無理はありません。佐伯興人という密教学者によると、護摩は梵語の〝ホーマ〟の漢訳だそうです。この〝ホーマ〟は古代イランのゾロアスター教にある〝ハオマ〟つまり麻薬酒と関連がある、とわたしは睨んでいます。護摩は仏教家によると、調伏護摩のように恐ろしい目的をもつものでも、怨敵悪人をたんに憎んで調伏するのではなく、その悪人自身が悪事の結果を己れに報いられるのをあわれんで、それをしないようにする、つまり調伏護摩はあわれみの心で悪人を善導してその終局の目的である精神的解脱《げだつ》を得さしめるという考えからだというのですが、それは仏教家一流の云い方で、本来の調伏護摩はそんななまやさしいものではなかったはずです。怨敵に対しては、もっと容赦のない復讐、苛烈な懲罰です」

川原俊吉はそう云って鋭く古家庫之助の顔を見たが、古家の酔った眼は半分閉じかけていた。

どれくらい睡ったか、揺り起されて古家は眼を開けた。上に川原の笑顔があった。

「先生、お起しして済みません」

「お、きみか」

古家は眼をこすった。

「……よく睡ったな」

「それほどでもありません。一時間くらいです」

「きみは、ずっとここに居たの？　失礼したな」

「いいえ、とんでもありません。ご熟睡のところをお起しして、かえって申しわけありません。じつは、思いついたことがあるんです。先生は夜景の撮影はあまりお好きでないですか？」

「べつに嫌いでもないけど。何だね？」

「ここは、上総第一の高所です。東側の下町の近くには白鳥神社というのがあって、その前の展望台から眺めると房総半島の波のようにうねうねとした山なみがひらけ、俗に九十九谷の景観といっています。西側は富津《ふっつ》岬までの海沿いの平野部が俯瞰され、東京湾を越して三浦半島、箱根山塊、富士山が遠望できます。これは昼間の景色ですが、夜景も素晴らしいです。九十九谷は山ばかりで暗すぎますが、西の平野部のほうは、上総湊、佐貫、富津、市原、千葉から船橋、浦安の灯が東京湾に沿ってカーブを描き、東京の灯の塊りにつづいています。そうして、それが川崎、横浜、横須賀とつらなり、三浦半島の三崎から逗子《ずし》の灯まで瞬いて見えるんです。そして、大島の灯までかすかに光っているんですよ」

「そりゃあ、きれいだろうな」

古家は睡気がとれたようだった。

「どうですか、この鹿野山のいちばん高いところに登って、そういう夜景を撮られては。今夜は晴れて星が出ていますから、カメラを三脚に据えて、レンズを七、八分くらい開放にしておかれると、灯だけでなく東京湾の海岸線や航行中の船の灯、それと星の光跡まで写って、夢のような写真になると思うんですがね。いや、これは大家の先生にむかってとんだ釈迦《しゃか》に説法で、失礼しました」

「いやいや、きみの云うとおりだ。じゃ、いちおうそこに行って夜景を見てみようか」

「これからご案内します」

「いま、何時だね？」

「先生は一時間ばかりお睡《やす》みになりましたから、八時二十分ぐらいです。時刻としては、ちょうどいいです。涼みがてらに」

「いちばん高いところというと、山の上だろうが、森林をくぐって行くのかね？」

「とんでもない、われわれが上ってきた自動車道路から東側へちょっと入った台地です。車で行ける道ができています。台地上には立木も草もありません」

「この寺から遠いのかね？」

「歩いて十五分くらいのところです。舗装道路ですから楽ですよ。旅館などがずらっとならんでいますが、その旅館が途中で切れたところから台地へ上るんです」

「そうか。歩いて楽なところなら行ってみるかな」

「先生。どうぞお洋服にお着かえください。浴衣に下駄ばきよりも、洋服に靴のほうがずっと動作がしやすいです。わたしも上で着かえて参りますから」

古家が洋服をきたところに、川原が自分の部屋から引返してきた。

「先生。上着は脱がれたほうが楽でしょう。わたしもシャツだけです」

川原は半袖シャツだった。古家が上着を脱ぎかけると、川原はそれを手伝い、後ろむきになって上着をつくりつけの洋服ダンスに入れた。かいがいしく世話する男だった。

「先生。カメラバッグはわたしがお持ちしましょう」

彼はそれも肩にかついだ。

「その台地上には、涼みにきている人が多いんじゃないかね？」

「それほどでもないでしょう。ここは山の上だけに夜が早いですから。滞在客も、外に出ても何も娯楽設備がないから、冷房のきいた旅館やホテルの中にいて、これも早寝です。撮影なさる先生のお気持を乱すものはありませんよ」

両人は宿坊を出て、本堂の前にきた。ここから石段を下りて楼門をくぐる。あたりの杉木立は黒々とかたまって、薄明が滲《にじ》んでいるような星空に貼りついていた。風はなかった。

境内には十人ばかりの人影がばらばらに散っていた。若い男女ばかりで、浴衣もあり、山行きの恰好のままのもいた。唄をうたっていた。

空から爆音が近づいてきた。真上では金属音を撒《ま》き散らした。見上げると、赤い三つの星が西へ直線に移動していた。機体は見えず、両翼灯と尾翼灯だけが急速に流れてゆく。

門前町に出て右に折れた。むろん店は閉まっている。旅館だけがぽつんぽつんと表をあけて道に明りをこぼしていたが、人影はなかった。

「車で来たのはこの道路です」

川原は古家に教えた。

その自動車道路は、来るときとは反対に下へさがっていた。

「まだ、遠いかね？」

「もうすぐです。この家なみが切れたところです。角が大きな旅館になっています」

川原は肩でカメラバッグを揺すり上げた。

「車が通らないね」

「この時間ですからね、日帰りの車はもちろんですが、泊まりにくる客の車もありません。どの旅館もいっぱいだとわかっていますから。夏場は予約でないと駄目なんです」

「国民宿舎のようなのもあるの？」

「あります。けど、ここからはだいぶん離れています」

四、五人の散歩客に出遇った。

「涼しいね。寒いくらいだ」

古家が呟いた。

「上着をきてこられたほうがよかったかもしれませんね。気が利かなくて、すみません」

「なに、大丈夫だ」

「これで山の上でも蒸し暑い夜があるんです。南風だと暑気を海から運んできますから」

古家はズボンのポケットに手をやって、

「あ、しまった」

といった。

「なんですか？」

「煙草だ。上着に入れておいたもんだから……」

「煙草ならありますよ」

立ちどまって川原はシャツのポケットからセブンスターの函を出して底を指で軽く叩いた。一本がのぞいたのを古家は取って口にくわえる。川原がライターの火をつけた。

「うまい」

古家は吸いこんで、

「煙草好きが煙草を忘れたときは困るよ」

と、煙を吐いた。

「わたしが上着を脱いでくださいといったのがいけなかったのです」

「いや、きみのせいじゃない」

「煙草屋はもう閉まってますし、自動販売機もありません。わたしのを喫ってください。一函しかありませんが、まだ、十二、三本くらいは残っていますから。お喫いになるときは、いつでもそうおっしゃってください」

「ありがとう」

川原は函を自分のシャツのポケットにもどした。

歩き出して五分もすると、

「ここから曲るんです」

と、彼は古家の前に立った。左側にかなり急勾配の坂道が分れていた。角に大きな旅館があったが、表戸は閉まっていた。そのへんには人もいなかった。

舗装された坂道はゆるく曲折していた。かなりの急勾配を川原は先にたってずんずん歩いた。古家は遅れないように追ったが、呼吸《いき》がはずみ、禿げ上がった額が汗ばんできた。

台地の上にさきに着いた川原が立っていて、あたりを見回していた。

そこまで上ってきて、古家は眼を夜景に奪われた。下界がそのまま海底のように青黒かった。彎曲した海岸線を夜光虫のような光の蝟集《いしゅう》がふちどっていた。

「ああ、きれいだ」

古家は思わず云った。

「でしょう？　まるでイルミネーションの俯瞰模型のようでしょう？」

「まったくだ」

「すぐ下が富津や木更津の灯です。それが千葉につづき、そこからぐるりとカーブを描いて、浦安から東京の灯に流れこむ……おや、先生、息が荒いようですね」

「坂道を上ってきたからね。若いきみとは違って、ちょっとしんどかった」

「すみません。じゃ、そのへんにちょっと腰をおろして、一服しましょう。そうして、ゆっくりとカメラの角度を択んでください」

台地上には木立もなく、家もなかった。人影もまったくなかった。

腰をおろす場所をさがす川原を見ている古家の視線が、新しい物につき当った。

櫓《やぐら》に組んだ鉄塔だった。それが二つや三つではなかった。

「なんだ、これは？」

白ペンキ塗りの鉄塔《タワー》を古家は見上げた。

最高所三百五十二メートル

白々と鉄骨タワーの先が星空に突き刺さっていた。

一基、二基、と数えると全部で五基あった。高さはまちまちだが、三十メートルから四、五十メートルはありそうだった。その上には、これも白い金属製のパラボラ・アンテナが四方に朝顔形の口を開いていた。それらは台地上に群がって、脚部を張っていた。先端にはそれぞれ小さな赤い警戒灯が光っていた。

「無線塔のようだな」

首を捻《ね》じ曲げて五基のタワーを見回していた古家庫之助が云った。

「そうです。いちばん端にある低いのは火の見櫓《やぐら》のようですが、ほかの四基は無線塔ですね。ここは鹿野山の頂上、上総第一の最高所三百五十二メートルの場所ですから、このような施設があるんです」

川原俊吉もいっしょに見上げて云った。

「あの鉄塔はずいぶん高いなァ」

「五十メートルはありますね。電電公社が市外の電信電話のマイクロウエーブ送受信に使っているということです」

「その次に高いタワーは？」

「四十五メートルくらいでしょうか。建設省が建てたものです。国道管理をするのに、雨量などの情報を無線連絡するために使っているそうです」

「次に低い二つは？」

「どちらも三十メートルほどですね。一基は千葉県庁のもので、消防・防災・行政などの連絡用の無線です。あとの一つは千葉県警のもので、犯罪など緊急連絡用の無線です」

「なるほどねえ、そういうことか」

古家はあらためて首を回して、

「こんな高い鉄塔が一つところに集まっていると、壮観というよりも何だか威圧感を受けるね」

と、顔をまともな位置に戻し、ほっと一息吐いた。

「なにしろこの山の最高所で、ほかに障害物がありませんからね。館山、勝浦など太平洋岸の都市に、千葉市から無線を送受信するには絶好の場所です。けど、山の裏側は九十九谷の丘陵が起伏してつづいているので、その方面には電波が届きにくくなっています。ですから、放送局では、船橋、君津、富津、上総湊などの東京湾沿いの町には、それぞれ中継用の鉄塔をつくっています」

「きみは、なかなか詳しいんだね」

「館山に居ますからね。ひととおりのことは知っています」

「しかし、いい所へ連れてきてもらった。夜景が素晴らしい」

古家は前面に俯瞰する光の連鎖をうっとりと見ていた。

「先生にご満足いただけてありがたいです。ここは展望台ではないので、ベンチなどの設備もないですが、あそこの石に腰かけて一服しましょうか。そうしている間に、カメラのアングルなどを構想されたらどうでしょう？」

「そうだな、そうしようか」

二人は、別々の石にならんで腰を下ろした。

「いかがですか？」

川原俊吉は、セブンスターを函から一本叩き出して古家にすすめた。

「や、ありがとう」

つまみとった一本を古家が口にくわえるのに、川原はライターの火を近づける。

「どうも煙草喫《の》みが煙草を忘れて来たんじゃあ処置なしだね。きみのをもらってばかりいちゃ申しわけない」

肺の奥まで吸いこんだ煙を、下界の灯にむかって吐き出した。

「ああ、うまい」

思わず云った。

「こういうところでは、かくべつな味ですね」

「きみは喫わないの？」

「いただきます」

函の隅から一本を抜き出した。それは古家にすすめた一本の場所とは違っていた。

「先生、そろそろアングルは決まりましたか？」

川原は自分でも煙を吐いて古家に訊いた。

「まあそう急《せ》かさないでほしい。いま眼で択んでいるところだ」

古家は前方に瞳を動かし、煙草をすぱすぱ喫っていた。

「構想がきまったら、そうおっしゃってください。わたしが助手になって、三脚を組み立てたり、なんでもお手伝いいたします」

「ありがとう」

「やはり、はじめから望遠レンズですか？　望遠レンズだと比較的に写角が広い百五十ミリぐらいからはじめられますか、富津あたりが中心になるような？」

「そうだな。しかし、もう少し考えさせてくれ」

古家は煙草を指の間にはさんだまま、両手を上げて指で輪をつくり眼の前に持ってゆき、その輪をのぞいてはあちらこちらに動かして見ていた。指の輪はファインダー代わりであった。画家が構図を択ぶときにするのと同じである。

「先生、この台地には高いところがないので、角度がみんな平面的な位置になりますね。高低がありません。もっと高い位置から撮るとなると、この鉄塔の上からということになりますが、この鉄塔の上に登られてはいかがですか？」

「えっ、このタワーの上にか」

古家は赤い灯のついている鉄塔の先端を見上げて激しく首を振った。

「駄目だ、駄目だ。ぼくは高所恐怖症だからね。とてもこんなタワーなんかには登れないよ」

「鉄塔には昇降用の梯子が付いています。わたしが先生を庇《かば》っていっしょに登りますが」

「駄目だよ、そんなことをしてもらっても」

古家はつづけざまに煙草を喫った。

「そうですか。残念ですね。鉄塔の上だとまた一段と高所俯瞰写真になって効果が上がると思いますがねえ」

川原は実際に残念そうに云って、古家を横目で見た。

「おや、煙草が短くなりましたよ。どうぞ」

彼はまた函から一本を叩き出して古家にすすめた。前と同じところに入れていた煙草だった。

「川原俊吉」を名乗ってきた沼井正平は、古家庫之助の様子をひそかに観察していた。

古家の口から赤い火が息づき、煙が流れていた。

《幻視、幻覚の症状は、感受性の高い人の場合、たとえば大麻煙草一本という少量でも出現する》

沼井正平が読んだ「大麻」の本にはそのように書いてあった。

古家庫之助は、大麻煙草の三本目を吸っている。それでも彼の様子にはまだ変化が見られなかった。

(古家は感受性の鈍い男なのか)

最初の一本を吸い終ってからでも三十分は経っていた。

沼井は、セブンスターの函に大麻煙草六本と、普通の煙草四本とを分けて入れておいた。間にうすい黒色の紙を入れて仕切りにした。沼井が函から一本ずつ叩き出すのは大麻煙草のほうであり、古家はそれを指で抜き取って吸い、沼井自身は無害のほうを口にくわえる。

——古家が吸う煙草には、乾燥させた大麻の花穂と葉を粉にして入れてあった。フィルター付きのシガレットを手で揉んで中の煙草を出して空洞にし、そこに大麻と煙草とをまぜて詰めておいたのだ。混ぜものがあるので匂いの強い外国煙草の粉を入れておいた。セブンスターもバージニア煙草を多少は混入しているのである。巻きはいくらかゆるいけれど、古家は気がつかなかった。暗いところだし、酔っているので分らないのだろう。

この大麻を、沼井は三週間前に栃木県の鹿沼の田舎へ自分の車で行き、盗ってきた。それにはその五日前の昼間に下見をしてきた。山あいの畑に大麻が背丈以上に伸びていた。そのあたりでは警戒のきびしいことを知った。

道路を走っている車のフロントガラスにステッカーが貼ってあるのを見た。地域住民の証明票であった。簡単な図案なので、色と形とをその場で手帖にメモし、家に帰ってから一枚を造った。実行はもちろん夜だった。難儀なのは車体番号であった。これを目撃されたら、たちどころに逮捕につながる。

新聞に出ている銀行強盗などは、駐車している他人の車を盗んで犯行に使用するが、沼井にはそこまでの勇気はなかった。

暗い田舎道だから、車のナンバープレートを見られても数字はさだかに分るまいと思った。外灯の少ないところである。真夜中だと通行人はいない。

問題は、警戒員だった。保健所員や警官、それに村民の自警団のようなのがパトロールしている。かれらの眼に備えて偽造の住民ステッカーを車のフロントガラスに貼った。こうすれば警戒の眼はゆるむ。

彼らの前を車は疾走する。怪しまれるから先方にナンバーを凝視されるのであって、疑われなければ見られることもない。

計画どおり実行は成功した。二メートルくらい伸びている大麻畑の中にひそみ、三十分くらいかかって大麻十本分くらいの葉と花穂とを摘みとって、それを持ってきたビニール袋の中に詰めこんだ。ふくらんだビニール袋は後部のトランクの中に入れた。夜九時ごろであった。大麻畑のそばに農家が一軒あったが、だれも出てこなかった。

村道から国道に出て走っているときに、車で見回りの自警団員らしい村民二人と出遇った。すれ違う前に、先方は短くクラクションを鳴らした。停まれ、という合図だと思ったが、向うはそのまま走りすぎた。こちらのフロントガラスに貼ってある住民ステッカーをヘッドライトで見たのである。バックミラーをのぞいたが、追ってくる様子はなかった。国道から右へ折れて六キロの道を走った。

鹿沼のインターチェンジに入る前にステッカーをはずした。これがあると料金所で注目される。高速道路は、あんがいに車が多かった。東北方面から東京や関西へ行く深夜便トラックがつづいている。日光や鬼怒川《きぬがわ》温泉からの帰りの車も多い。沼井正平はその中にまぎれて入り、快速で運転した。――

轟音《ごうおん》が落ちてきた。

煙草を指に挟んでじっとしていた古家庫之助が上を仰いだ。星空を三角形に三つの赤い灯が航行していた。非常に近い。すぐ頭の上を過ぎていた。

「飛行機か」

古家が云った。突然といっていいほど大きな声になっていた。

「そうです。羽田へ着く旅客機です」

沼井は答えた。

「ロンドンから北回りのアンカレッジ経由で来た飛行機だな」

「いいえ。国際線はみんな成田空港に降ります。羽田に着くのは国内線だけです」

「いや、あれはロンドンからきた飛行機だ」

爆音と赤い灯が遠ざかるのを見送りながら古家は主張した。

「違いますよ」

「違う？　きみ、ばかなことを云うな。だって、あの飛行機はぼくがロンドンから乗ってきたんだもの。見おぼえがあるよ」

古家は高い声で断乎として云った。

翼の赤い灯だけで、もちろん機体が見えたわけではなかった。

「どうして、それとわかりますか？」

「翼に番号が書いてあったろう？　ええと、No.124だったな。ぼくがヨーロッパを歩いて、ロンドンのヒースロー空港から乗ったのがJALの124だったからね」

「それじゃ、そうかもしれませんね」

沼井は古家の様子を見い見いしていった。

「間違いはない。乗った本人のぼくが云うんだからね」

「………」

『それにさ、操縦席の窓からパイロットの顔が見えたじゃないか。飛行機が低いところを飛んでいたから、はっきりとその顔が見えたよ。あれは機長の横山だ。六年前に、ぼくが乗ったときの同じ機の機長だ。どうだい、これでもまだきみは疑うかね？」

『いや、そこまではっきりおっしゃるなら間違いないでしょう」

「やっとわかったか。は、ははは」

古家は愉快そうに高笑いした。

——ようやく大麻が効いた。古家庫之助に幻覚が起っていた。

「きみはヨーロッパに行ったことがあるかね？」

「いや、まだです」

「ぜひ行ってみたまえ。視野がひろくなる。ぼくは、過去五回ほど行っている。最後のが六年前だ。エジプト、トルコ、ギリシャ、イタリー、フランス各国の、都市といわず田舎といわず回ってね。撮りまくったものだ。その現像したフィルムをパリの有名な写真家シャルル・ガルニエに見せたら、たいへんな激賞さ。ぜひ、フォト・サロン・ド・パリの会員に推薦するというんだ。知ってるかい、世界的権威のフランスの写真団体だよ」

「先生は、その会員になられましたか？」

「いやいや、断わったね。そんな団体の会員になってみろ、やれ展覧会に作品を出せの審査をしろのといわれて、いちいちパリに出かけて行かなきゃならん。むろん一切の旅費、滞在費はむこう持ちだが、こちらは面倒でかなわん。ああ断わったね、きっぱりと」

「先生は国際的にも大家として認められていらっしゃるんですね？」

「そりゃそうさ。パリに行ったら、むこうの写真家に教えてやりたいのだがね。は、ははは」

古家は肩を揺るがし、明るい声で笑った。

《大麻を摂取すると、なんとも形容し難い幸福な感じが起る。また、饒舌となり、衝動的な哄笑が起る》

「大麻による精神症状」が古家にはじまっていた。沼井が図書館で調べた関係書の中に出ている特徴だった。

「それが六年前ですね。そのときにはパリから帰国の飛行機に乗られたんですか？」

「パリ？　パリだとオルリ空港だな。いや、ヒースローだ、ロンドンからだった」

「ＪＡＬの機種番号は何番でしたか？」

「ええと、２１６だった。うんそうだ、２１６だったよ」

つい先刻は１２４と云っていたのに、こんどは２１６だと断言する。大麻による症状の一つに、数字に弱くなり、前に云ったことをすぐに忘れてしまうのがある。

「なにしろ国際的権威のフォト・サロン・ド・パリの会員に推薦されたぼくだからね、Ａ新聞社の写真顧問であり、公募ニュース写真の審査委員長を頼まれるのは当然だ。ほかの審査員なんかぼくの選定に従うだけだ。みんな後輩だし、みんなぼくが面倒を見てきたやつばかりだからね。ニュース写真なんかぼくがひとりで決めるようなものさ」

「昨年度の年間最高賞になった山鹿恭介さんの『激突』も、先生の選定ですか？」

『もちろんだよ。ぼくが一目見ていっぺんに決めてしまったのさ。あんな傑作は、あと半世紀間は出てこないよ」

古家の大きな声であった。気持も大きくなっているようだ。

幻視幻聴

「きみ、もう一本くれるかい？」

古家庫之助は、あとの煙草を要求した。

「さ、どうぞ。いくらでも」

沼井は、セブンスターの函を叩いた。仕切りの片方から大麻煙草が頭を出した。

古家はうまそうに煙を吐いた。香りの強い外国煙草の粉を混ぜているので、気づかれはしなかった。それに、古家はこれでもう四本目で、味も分らなくなっていた。

「きみ、もう十二時を過ぎたかね？」

古家がふと訊いた。

「いえ、まだ九時すぎです」

沼井は腕時計を遠い灯にすかして見た。

「そんなに早い時刻かね？　ぼくはまた十二時を回っていると思ったが」

「あたりが暗やみで、しんと静まり返っていますからね。無理もありません」

沼井は答えて、古家の様子をじろじろ眺めた。

《大麻摂取（吸煙）の場合、時間の感覚に変容が起り、実際に時計が示す時間よりも長く感じる》

その徴候が古家庫之助に出たのである。もし、その眼に光を当てたら、瞳孔の大きさに変化はないが、眼球結膜は充血しているだろう。眼の下もたるんできているかもしれない。

「先生、上を見てください」

「うん」

古家は太い首をうしろに捻《ね》じ曲げた。

「星か？　きれいだな」

「いえ、鉄塔ですよ。三番目に高い塔のあれです。約三十メートルのが二基あります。さっきも云ったように、手前の一基が千葉県警の無線塔です。毎週、土曜日、日曜日になると、あの無線塔のまわりが夜までたいへんな騒ぎになります」

「どうしてだね？」

「成田空港反対運動の活動家が大挙して押し寄せてくるんです。あの無線塔を破壊するためですよ」

「成田空港とここととはどう関係があるんだ？」

「空港の警備と関連があるんです。千葉県警から出す空港警備の指令はこの無線塔で中継して空港の警察へ届いているわけです。もしこの中継塔が破壊されたら、指令の無線がとまって警備体制も機動隊の行動も滅茶滅茶になって大混乱が起ります。活動家はその警備隊の混乱を狙って、ここへ押しかけてくるのです」

「なるほどなァ、そういうことか。成田空港とこの山とがそんな関係とは知らなかったなァ」

「毎土曜、日曜日には、そういう活動家の破壊から無線塔を守るために、機動隊が五、六十人ぐらいここに出動します。そうして活動家グループと睨み合いになったり揉み合いになったりするんです。罵声と怒声、投石と棍棒《こんぼう》の乱舞です」

「そりゃ、たいへんだ」

「この無線塔が破壊されたり故障が生じたりすると、空港の警備指令だけではなく、県下の重要犯罪事件発生についての緊急手配も沈黙せざるを得ません。そのほか交通情報、災害情報などもこの無線塔を中継しているんですからねえ。県警が成田空港反対の活動家の実力行使からこの無線塔を必死で守っているのは無理もありません」

「そりゃ初耳だ。まさかこんな山中の夜にそんな大騒動が起っているとはなァ。知らなんだよ」

「ねえ、先生」

沼井は声の調子を風のように変えた。

「もし山鹿恭介さんがこのことを聞いたら、大いに勇んでここへ上ってきたでしょうね？」

「なに、死んだ山鹿君がか？」

「そうです。あの優秀なカメラマンにとっては絶好の報道写真の材料じゃありませんか」

「そういえば、そうだな」

「先生は、山鹿さんが大井埠頭の高い荷役クレーンの上に危険を冒して、土曜日の夜、なぜ登っていたかご存知でしょう？」

「ええと、なんでも土曜日の夜にあの下の道路にやってくる暴走族を撮るためだったらしい、ということだが」

「それなんですよ。山鹿さんは暴走族の生態をカメラに収めたいために、あのクレーンに登って待らかまえていたのです。あわよくば対立する暴走族の乱闘を撮りたいとね。その報道カメラマン魂のようなものが、足を踏みすべらして転落死するという不幸につながったのです」

「気の毒だった。惜しい」

「惜しいです。しかもその晩には暴走族はあそこに来なかったんですからね」

「来るかもしれないという確率を山鹿君は信じたんだな」

「確率？　そうです、確率をね」

沼井の声は瞬間重い響きを帯びた。

「確率といえば、ここくらい確率の高いものはありませんよ。なにしろ、毎週の土、日にはきまって成田空港反対の活動家群と機動隊との紛争が、この県警の無線塔をめぐって起るんですからね。大井埠頭で暴走族を待つよりもっと確実です。しかも、成田空港反対運動を撮るんですから、それこそ、先生が山鹿さんの『激突』評で云われたように、現代の記録ですよ」

「そうだ、ニュース写真は時代の記録だ。まさに時代の証言だ」

古家は酩酊した人間のように大声で浮かれた調子で云いだした。

「山鹿恭介には、カメラマンとしてのその感覚があった。あいつにはその鋭い感覚による目的意識があった。目的意識とは狙いだ。企画性だ。ほかのカメラマンのように行きあたりばったりではなかったぞ。うむ、その場の思いつきで撮っていなかった。だから『激突』のような傑作ができたんだよ」

「企画性といわれましたね。それは計画性と云いかえてもいいですか？」

沼井は弟子のように古家に訊いた。

「どっちでも同じだ。狙いを定め、その狙いを効果的に準備することだからね」

古家は面倒臭そうに答えた。

「狙いを効果的に準備するというのは、たとえば『激突』の場合ですが、東名高速道路で、大事故が起るように人為的に仕掛けられていたのでしょうか？」

「人為的な仕掛けだって？　それじゃ、まるで山鹿君があの事故を仕掛けたように聞えるじゃないか？」

「そうはっきりとは云いませんが、いくらかはその可能性があるんじゃないですか？」

「そんなことはないよ、いくらなんでも。あれだけの大事故を、どうして仕掛けられるかね？」

「しかし、あんまり撮影がうまくゆきすぎていますからね。先生は一万に一つか、十万に一つの偶然を美事に捉えた報道写真だと、選評で賞めておられましたね？」

「そのとおりだ」

「その偶然がうまく捉えられすぎていると思うんですよ。疑ぐり深いかもしれないけど」

「人間にはラッキーということがあるよ」

「近ごろA社の応募作品のなかに、その偶然のチャンスをつかまえた、これはという作品がありますか？」

「ないね。『激突』に十分の一も及ぶものがない。不作だね」

古家審査委員長は煙草をつづけてふかした。

「それじゃA社の写真部長は困るでしょう？」

「ああ、困っている。A社だけではない、B社もC社も、報道写真を公募する新聞社は、みんな弱っている」

「その場合ですがね、演出写真だと審査員に判っていても、それは入選させるんですか？」

「多少は大目に見なけりゃならん。そんなにうまいことシャッターチャンスに恵まれることはないからね。そこまで厳密にすると、当選作は一枚もないことになる。でなければ、発表紙面に凡作ばかりならぶことになる。それじゃ読者から見捨てられることになるよ」

「先生は、演出写真もやむなしと云っておられるそうですね？」

「どこから、そんなことを聞いた？」

「われわれカメラ仲間はみんなよそから聞いて知っていますよ。なにしろ報道写真で一発当てようと狙っている連中ばかりですからね。とくにA社のは権威があるというので、審査委員長の先生の言葉には耳を澄ませていますよ」

「困るなァ、あれはオフレコで、一部の者に云っただけなんだがね。あ、は、ははは」

古家はアマチュアからそんなに自分が注目の的になっているとわかって、悪い気がしないようだった。むしろうれしそうに笑い声を上げた。

「そうですか」

「もしその言葉が一部に流れていても、それはジョークとしておいてほしいな。ははは」

「そうします。しかし、先生、わたしにだけは内密に聞かせてください。こうしてご縁ができたことだし、だれにもしゃべりませんから。先生は山鹿さんに演出写真をおすすめになったんですか？」

「いや、すすめはしない。若干の演出は仕方がないとは云っておいたがね」

「先生は、『激突』の写真を見られて、これは演出臭いと思われませんでしたか？」

「思わなかった。あんな追突大事故がどうして演出できるかね？　東名高速道路上でだよ。どんな方法の演出がある？」

「わかりません。しかしですね、十万に一つの偶然があのように得られるものでしょうか？　この鹿野山上の無線塔なら、土、日ごとに、成田空港反対の活動家が押しよせてくることは確実ですが。山鹿さんはげんに大井埠頭で暴走族を待っていても暴走族はやってこなかったじゃありませんか。まして長い距離の東名高速道路のあの地点で、大事故が起るという予想は、神さまでもできません。その特定の地点に山鹿さんが、ただの一回きりカメラを持って待ちうけていて、ちゃんとそれを撮影したというのは、十万に一つの偶然とばかりは云っておられないと思いますよ。先生、いかがですか？」

沼井は暗い中ですぐ横の古家の横顔をじっと見つめた。

「うむ。その点は、ぼくも気になった。選考の段階じゃなくて、その後になってね。心配になったから、山鹿君に鎌倉の普茶料理屋『山鳩亭』へ来てもらって、『激突』は大丈夫だろうね、と念を押したんだ」

「大丈夫、というのは？」

「つまり、演出はないだろうな、ということさ」

「山鹿さんの返事は？」

「もちろん、そういうことは一切ないときっぱり否定したよ」

「しかし……はたしてその返答のとおりでしょうか？」

「何だって？」

「先生のおっしゃる十万分の一の偶然というのが、山鹿さんにはあまりにうまくゆきすぎていると思われませんか？　あれは奇蹟というほかはありません」

「世の中には、奇蹟がまったくないとはいえまい」

「奇蹟は、作ることだってできますからね」

「それじゃ、きみは、あの奇蹟に疑いを持っているのか？」

「先生だって疑ってらしたのでしょう？　山鹿さんを呼んで、あの写真は大丈夫かとこっそり訊かれたんですから。先生にもその不審が起って、心配になったのです」

「だが、山鹿君はぼくの前で否定した」

「しかし、本人が否定したからといって、疑惑が解消するというものでもありません」

古家庫之助は黙って、ニヤリと笑った。その点を考えるのではなく、自身の満ち満ちた多幸感に陶酔し、まったく別なことを思ってほくそ笑《え》んでいるのだった。

「まわりに高山植物の花がいっぱい咲いている。闇の中でも、ぼくの眼には見えるよ」

「……………」

「カメラで撮っておきたいね。闇の花、いや、夜の花かな。そういう題のほうがエロチックでいい」

「どんな花ですか？」

沼井正平は、古家の急激な変化を観察した。

「ツツジだ。真赤だよ。サクラソウもある。ミヤマキンポウゲもある。赤と黄色の原色だから夜目にもはっきり浮び出ている。そのほかシャクナゲ、クロユリ、ミヤマリンドウなどがある。ぼくはこうみえても、若いときは高山植物の写真に凝ったものさ。それで名前と種類とをよく知っている。は、ははは」

その笑い声が、はたととまると、古家は小手をかざして前方に見入った。

「おや、あそこに寺がある」

「寺なんかありませんよ。神野寺は反対側で、ここからは見えませんからね」

「神野寺ではない。別な寺だ。しかも古い。多宝塔がそびえているよ。あれは古い寺だ。平安時代までゆきそうだな。ぼくはこのごろ古寺をおもに撮っているからね。一目見たらその時代が分るんだ。ここから眺めても素晴らしいよ。あれは撮っておかなくちゃあね。きみ、カメラバッグを持ってきてくれ」

いまや古家庫之助には完全に幻覚が襲ってきていた。

「古家さん」

沼井は、正気を喪った写真の大家にかなしそうに云った。

「報道写真家志望の山鹿恭介に、演出写真を示唆したのはあんただ。山鹿の功名心がそれにそそのかされた。あんたは、もっとも権威あるA社の公募ニュース写真の審査委員長だ。その自慢があった。いい作品が集まらないと、あんたも面目を失う。A社から審査委員長を交替させられるかもしれない。写真界であんたの面目が失われ、勢力の失墜となるかもしれない。そういう心配があった。山鹿恭介に功名心があったように、あんたにも栄誉欲の執着があった。功名心と栄誉欲との合体で、あの追突事故の大惨事が起された。……」

「こんなところに平安時代の古寺があるとは知らなかった。あの多宝塔は重要文化財どころか、国宝ものだ。撮りたいな、ここからあの形を」

「その功名心と栄誉欲のために、犠牲にされた者はたまったものじゃないよ。山内明子がその一人だった。わたしのフィアンセだ。去年の秋に挙式の予定だった。彼女があんたたちに殺されたあとのわたしには、希望のない、灰色の荒地がひろがっているだけだ。口惜しがる明子の声が、わたしの耳からはなれずにいる。……」

「人の声が聞えるよ。何か話している。耳もとでがやがやとね。いけない、あの古寺の写真を撮りに行くと云っているよ。下手糞な、素人のアマ・カメラマンめ、あっちへ行け、山を下りろ」

古家庫之助は両手を激しくふりまわした。

「うるさい、しっ、しっ」

追払うしぐさをした。

その横に四十五メートルの無線塔があった。沼井の眼がその高さを仰いだ。

最後の灯

「古家さん」

沼井正平は、古家のまるい肩を叩いた。

「この無線塔の上に登って、あの多宝塔を撮影されたらどうですか。すてきなアングルになりますよ」

暗い中だし、古家の幻視にある「古寺」がどの辺にあるのか沼井にはわからなかった。が、沼井は古家の眼の方向に合せて指さした。

「うん、そうか」

古家は視線を鉄塔の上へむけた。斜めの支柱《ブレース》を組み合せたほの白い鉄骨が夜空に高々と伸びているのに瞳を凝らし、大きくうなずいた。

「できるだけ高い位置がいいな。俯瞰撮影になるからね」

鹿野山の三百五十二メートルの頂上部だが、平坦な台地になっているため、どこから撮っても変化がないと沼井正平に煽《あお》られた古家は、三十メートル以上の無線塔の高さを仰いで、俄然、意欲が湧いたようだった。大麻煙草を喫いすぎて精神錯乱状態になった古家庫之助だが、さすがに写真作家の根性は本能的に働いていた。

《大麻を吸煙した場合、その主観的作用は非常に早く、経験を積んだ者では数分以内に現れ、持続時間は三～四時間と比較的に短い》

いわんや未経験者の古家が四本も大麻煙草を吸ったことだ。神経系に急速な狂いが生じるのは当然だった。

しかも大麻吸煙による症状は三時間ないし四時間で消滅する。検屍でも、解剖でもその症状のあとは判明しない。注射による麻薬常習患者とは違うところだ。

古家は、カメラバッグの紐を伸ばすと、重いバッグを背に負い、やにわに両手を鉄塔の梯子段にかけて登りはじめた。バッグが腰に揺れて音を立てた。

「古家さん。大丈夫ですか、こんな高い塔に上がって？」

沼井の眼は、古家の動作へ科学者のように注がれていた。

「大丈夫だよ」

「でも、さっきは高所恐怖症だと云ったじゃありませんか？」

「そんなことをおれが云ったかな。けど、この塔はけっして高くはないよ。低いよ。怕《こわ》いことなんかないよ。平気、平気」

手と脚とを動かして鉄梯子を古家は一歩一歩高みへと登って行く。五十を出ているし、かなり肥っているので、軽々という動作ではなかった。

《大麻を吸いすぎると、恐怖心がうすれ、大胆になる。さらに、距離の感覚が狂う》

登攀《とうはん》の後ろ姿は、大井埠頭の荷役クレーンにとりついた山鹿恭介と同じであった。

「古家さん。ぼくがあとから登って、あなたをサポートしなくてもいいですか？」

沼井は上を見て声をかけた。

「いや、来なくてもいいよ。おれひとりで大丈夫だ」

十五メートル上から古家の応答がある。鉄梯子の途中でも相当な高さだ。古家の声は快活であった。

「いい気持だよ、きみ。五井あたりだろうな、高炉など工場の灯が一面にちらばっている。東京の灯もすぐそこだ」

「多宝塔などの古寺が見えますか？」

「うん。よく見える。いいぞ、いいぞ。もっと上だと素晴らしい写真になりそうだ。あ、ははは」

古家は愉しそうな笑い声を上から響かせた。

「けど、やはり夜だから暗いでしょう。ぼくがここでスポット・ライトを点けます」

「きみ、そんなものを持ってきたのか？」

「たぶん要るだろうと思って、用意していたのです」

「じゃ、たのむかな」

大仕掛けなスポット・ライトの準備があると聞いても疑問を起さない。すでに思考の働きを失っていた。

沼井は、台地からはなれた杉林の中に入った。繁茂した笹藪《ささやぶ》の間に匿《かく》しておいた長い布袋を拾い出した。今日の午前中に運んでおいたもので、こんな杉林の中に入ってくる者はなく、見つけられる気づかいはなかった。

もどってみると、古家の白いシャツ姿は鉄塔の三分の二以上を登っていた。鉄塔に取りつけられた赤い警戒灯に、彼の小さな姿はかぼそく照らされていた。

沼井は、ポールキャットとストロボ二個、バッテリー二個、それにコードなどを袋から取り出し、それらを地面にしゃがんで組み立てた。背中をみせて、鉄梯子を上へ上へと登っている古家には、暗い下での沼井の動作がわからなかった。

腕時計を見た。九時三十一分だった。

「ひぇっ、ひぇっ」

上から古家の奇妙な叫びが聞えた。遂に、無線塔のてっぺんにあるテラスへ古家は達したのだ。四囲の警戒灯が豆粒のような彼を赤く染めていた。――大井埠頭クレーンの山鹿恭介と見紛《みまご》うばかりだった。

「古家さァん」

その姿の下から沼井は呼んだ。

「よく見えますかァ？」

沼井が片手を挙げて大きく振った。

「見える、見える、よおく見えるぞ。すばらしい。素敵な角度だ、こりゃあいい」

上では古家が歓声をあげた。

「そんなにいいですかァ？」

「最高だ。きみもここへ上がってこいよ」

「いや、ぼくはここでライトを設置していますからね。だから、早くカメラを三脚にセットして、撮る準備にかかってくださいよ」

「わかった、わかった」

バッグから三脚などを出す音が上から聞えていた。

「いやァ、まったく、申しぶんのない構図だ。黒々とした杉の山林の中から多宝塔が蜃気楼《しんきろう》のように浮び上がっている。塔の上の相輪も、上層の方形屋根も、下の真白い円形部も、張り出した下層の大屋根も、ことごとくはっきりと見えるよ。形のよく整った堂々たる偉容だ。朱塗りの色が、じつに鮮やかだ。炎のようだよ」

古家庫之助に起っている幻覚は申しぶんなかった。

上でポンポンポンと手が鳴った。

「どうしたんですか？」

「うれしくてたまらないんだ。こんな素晴らしい風景写真を、いままで撮った奴がいるかい？　居やしない。しかもだ、全景の右側に山中の古寺、左側に東京湾側の工場地帯の灯が入るんだからなァ。コントラストの妙だ。は、ははは」

《大麻吸煙による神経障害は、空間が実際よりも広く感じる》

「じゃ、撮りはじめますか？」

「撮るよ。撮るけど、ちょっと待ってくれ。アングルを慎重に定めないとなァ」

指先でまるいかたちをつくり、それをファインダー代りにのぞき、あちこちに動かして構図をさがしていた。狂ってはいても、ベテラン写真家だった。

「どこを見ても画になるよ。傑作が出来る。間違いなく。おれの代表作の一つになるぞ。まだまだ若い奴らの青臭い写真には負けないぞ」

「山鹿恭介の写真以上の作品になりますか？」

沼井はまた大声で訊いた。

家のある通りから遙かに離れている台地の頂上だった。高い声を出しても聞きつける者はいなかった。

「山鹿の写真？」

『激突』ですよ。東名高速道路の玉突き衝突を撮った写真ですよ」

「ああ、あれか。あいつは運がよかっただけだ。十万に一つの偶然を山鹿がつかんだだけだ。おれのこの写真は、そんな偶然にたよっていないのだからなァ。あ、は、ははは」

愉快げに高笑《わら》いした。

「山鹿恭介の偶然の仕掛けを、いま見せてあげますよ」

沼井はポールキャットを竿《さお》のように横に持って、二つのストロボを交互に点滅させた。ストロボには赤色のセロハン紙を貼ってある。それが闇の中で、まるで踏切の赤い信号灯のように閃光した。

「これですよ、古家さん。山鹿恭介はこの赤い光の点滅を、夜の東名高速道路に突き出したのです。そのため先頭を百二十キロで走っていたトラックの運転手が急ブレーキをかけて転倒したんです。そのトラックに、あとにつづく乗用車が次々と追突し、犠牲者を出したんです」

「うわァ、おもしろい」

古家ははるかな下を見て奇声をあげた。

「まるで、ディスコの照明のようじゃないか。こりゃあいい。ぱっ、ぱっ、ぱっ、と、もっとロック音楽的にやれ。こりゃ、おもしろい」

三十メートル上の燥《はしや》いだ声だった。調子をとって足を踏み鳴らしていた。

何を云って聞かせても、古家は理解できない頭脳になっていた。沼井は絶望に陥った。どのような恨みや復讐の言葉を云っても、相手はいっさい受けつけない状態になっているのだ……。

このとき、夜ふけの上空から金属音が近づいてきた。古家は全身を動かして踊りはじめた。

「バンドよ、もっと高い音を出せ、痺《しび》れるように鳴らせ。照明もいいぞ。その調子、その調子。は、ははは」

ジェット音が強烈なビートのきいたロックに聞えるようだった。

《大麻の吸煙者は音感が鋭くなる》

エレキベース、キーボード、ホーン、ドラムス、ありとあらゆる楽器がいっしょに合したディスコの炸裂音のようにひびくらしかった。

旅客機は、すぐ頭の上をかすめて通った。古家の熱狂は頂点に達した。彼の身ぶりは、ロックミュージックの最高潮に揺れていた。せまいテラスで両手を振りまわし、腰を動かし、脚を挙げて旋舞した。

「アップサイドダウンだ。あ、は、ははは」

ロックの曲目を叫んで、幸福の絶頂にあるような哄笑だった。大麻に酔った全身が左右に揺れる。

「演奏」は遠くへ消え去った。三十メートルの無線塔上から鉛のように墜落した古家庫之助の身体は、地にめりこんで、破壊されていた。

哀しそうに、沼井正平は二つの赤いストロボをポールキャットからはずし、ポールキャットも縮めて布袋の中に片づけた。

旅客機のパイロットが七月十二日の夕刊を持って、品川区大井の××署にやってきた。近くに住んでいるという。十三日の昼ごろで、小池捜査係長が彼に会った。

『十二日の朝、千葉県の鹿野山で無線塔の上から転落した有名な写真家の死体が発見された、と昨日の夕刊に出ていましたが、その事故があったのは、前夜の十一日の晩ですか？」

パイロットは夕刊の見出しを小池に見せながら云った。

「そうですね。十一日の晩に無線塔から転落死した遺体が、翌十二日の朝に発見されたのです」

小池は転落死したのがまたも写真家だと知って衝撃を受けていた。新聞を読んで早速千葉県警の所轄署に問い合せたところ、転落の時間は正確には分らないが、検屍の結果、十一日の午後九時から十一時の間ということであった。「過失死」となっていた。

「無線塔から墜ちたのは何時ごろだったのですか？」

「正確にはわかりませんが、夜の九時から十一時の間だということです」

「本人は無線塔の上になぜ登っていたのですか？」

「カメラマンですから、あの上から東京湾沿岸の夜景を撮るためだったのでしょうね。カメラや撮影道具もいっしょに地上に落ちていたということですから」

「その撮影道具に、赤い灯が二秒置きくらいに光る照明がありますか？」

「赤い灯が？」

「踏切の警報灯のように、ぴか、ぴか、と光っていたんです」

おい、ちょっと中田を呼んでくれ、と小池はまわりの者に云いつけた。鑑識の撮影係がきた。

「そんな照明はありませんよ」

中田は即座に首を振った。

「おかしいですなァ」

操縦士はふしぎそうに呟いた。

「何がですか？」

「十一日の晩、ぼくは福岡・東京間の最終376便に乗っていました。板付空港を定時の二十時三十分に離陸したんです。大島を通過して、Spencer を北上したのが二十一時二十八分でした」

「なんですか、そのスペンサーというのは？」

「ごめんなさい、われわれパイロットの専門用語で、大島を通過したあと東にとっていた針路を北東へ転換するチェンジ・ポイントです。だいたい北緯三十四度四十三分、東経百三十九度二十分の位置にあたります。ここから北東に直進すると外房州の御宿《おんじゅく》の南十キロに出ます。このチェンジ・ポイントをまたわれわれは Weston と呼んでいます。その Weston から針路を北西に変えて房総半島を横断し、木更津の上に出て、東京湾を越えて羽田空港に着陸するのです」

「なるほどね。羽田が混んでいるときは、よく木更津の上空をぐるぐると旋回して待たされますね」

「成田国際空港ができてからは、もうそういうことも少なくなりました。で、勝浦・木更津の直線コース上に標高三百五十二メートルの鹿野山がありますから、われわれは一つの目標にしているわけです。で、十一日の夜は、向い風で予定よりは少し遅くなり、鹿野山の上空にさしかかったのが二十一時四十分でした」

「午後九時四十分ですね？」

「そうです。そのとき、下を見ていました。すると、鹿野山の頂上あたりに赤い光が、ぴか、ぴか、と点滅しているのが眼に入ったんです」

「それがさっき云われた踏切の警報灯のような光だったのですね」

「そうです。これまであの地点でそんな灯を一度も見たことがなかったものですから。そのとき、機は着陸態勢に入っていて、高度千百五十メートルでした。鹿野山が三百五十二メートル、高度差八百メートルですから、それだけ下に接近していて、よく見えたんです。赤い灯も夜間には案外に強く光ります。車のテールランプだって、十ワットくらいの小さな燭光ですが、停止や左折・右折のサインのときは二十ワットになります。しかし、実際の燭光よりはよく光って見えるでしょう？　そんなわけで、鹿野山上の赤い灯の点滅がじつにはっきりと操縦席から見えたんです」

「……………」

「それだけだと、こんなことを届けに来ませんが、以前にも同じ赤い光の点滅を見たんです。勤務手帳を繰ってみると、それは五月二十四日の土曜日、やはり板付発の最終376便でした。大井埠頭には荷役クレーンがたくさんならんでいるでしょう？　その北側のクレーンの上で、赤い灯が、ぴか、ぴか、と断続的に光っていました。着陸寸前の態勢で、五百メートルの高度ですからトがよく見えたんです。ははあ、クレーンの警戒灯は点滅式に変ったのかなァと思っていたくらいです。すると、翌々日の五月二十六日の朝刊に、二十四日の夜カメラマンがクレーンの上から落ちて、その死体が二十五日早朝に発見されたとあったんです。……大井埠頭といい、こんどの鹿野山のことといい、赤い灯の点滅、高所からのカメラマンの転落死などあまりに似ているので、お届けに来たんです」

――警視庁と千葉県警の合同捜査がはじまった。

パイロットが警察に届け出た日の夜、沼井正平は外房州の白浜に泊まっていた。旅館の窓からは点滅する野島崎灯台の灯が見える。二十秒毎に一回、回転するその灯がこちらの正面にむかったとき、眼もくらむような眩しさであった。

白浜海岸は岩礁が多く、おしよせる太平洋の荒波が、岩礁の間を滝となって流れ落ちる。切り立った断崖もあった。

沼井正平は午後十時に出発すると宿に云ってある。タクシーを呼びましょうかと宿の女中が云ったが、要らないと断わった。十一時ごろにはどこかの岩礁の上に立つことになるだろう。午後十一時は、去年の十月三日、東名高速道路の「交通事故」による山内明子の死亡時刻であった。それは「激突」の撮影時でもあった。

野島崎灯台の回転明滅は永久運動であった。

単行本　昭和56年7月文藝春秋刊

文春文庫　106—66

十万分の一の偶然

定価はカバーに
表示してあります

1984年9月25日　第1刷
1988年1月15日　第9刷

著　者　松本清張
発行者　西永達夫
発行所　株式会社文藝春秋
東京都千代田区紀尾井町3—23　〒102
TEL　03・265・1211

落丁、乱丁本は、お手数ですが小社営業部宛お送り下さい。送料小社負担でお取替致します。

印刷・凸版印刷　製本・加藤製本

Printed in Japan
ISBN4-16-710666-3

文春文庫 フィクション

星々の悲しみ　宮本輝
青が散る　宮本輝
聖少女　三好徹
三億円事件の謎　三好徹
悪人への貢物　三好徹
閃光の遺産　三好徹
狙撃者たちの夏 サミット・コンフィデンシャル　三好徹
夕陽と怒濤 小説・松岡洋右　三好徹
子育てごっこ　三好京三
分校日記　三好京三
娘はばたけ　三好京三
俺は先生 上・下　三好京三
キャンパスの雨　三好京三
あ・うん　向田邦子
隣りの女　向田邦子
次郎長三国志 上・下　村上元三
七人のトーゴー　村松友視
月山・鳥海山　森敦
ホロスコープ物語　森瑤子
東京空港殺人事件　森村誠一

誘鬼燈　森村誠一
カリスマの宴　森村誠一
死紋様　森村誠一
致死家庭　森村誠一
暗渠の連鎖　森村誠一
人殺し 上・下　山口瞳
小説・吉野秀雄先生　山口瞳
血族　山口瞳
家族　山口瞳
老《おい》つばめ　山口洋子
姦の忍法帖　山田風太郎
警視庁草紙 上・下　山田風太郎
明治断頭台　山田風太郎
エドの舞踏会　山田風太郎
火神《アグニ》を盗め　山田正紀
ふしぎの国の犯罪者たち　山田正紀
少女と武者人形　山田正紀
裏切りの果実　山田正紀
黒の環状線　山村美紗
死体はクーラーが好き　山村美紗

花の棺　山村美紗
殺意のまつり　山村美紗
幻の指定席　山村美紗
振られた刑事　結城昌治
深海の使者　吉村昭
逃亡　吉村昭
亭主の家出　吉村昭
総員起シ　吉村昭
海軍乙事件　吉村昭
虹の翼　吉村昭
神々の沈黙　吉村昭
磔（はりつけ）　吉村昭
砧をうつ女　李恢成
桜子は帰ってきたか　麗羅
運命の八分休符　連城三紀彦
悪を駆け抜ける男　和久峻三

＊　＊　＊

文春文庫　ノンフィクション

文藝春秋編　巻頭随筆I〜IV
文藝春秋編　読書と私
文藝春秋編　読ませる話
文藝春秋編　ビッグトーク
文藝春秋編　東京たべもの探険
文藝春秋編　不滅なり！長島茂雄
文藝春秋編　プレス・アイ
文藝春秋編　マンガ黄金時代　'60年代傑作集　1ザ・ワールド　2ザ・セレブ　3ザ・スポーツ　4ライフ&ピープル
文藝春秋編　向田邦子ふたたび
文藝春秋編　おしまいのページで
文藝春秋編　スーパーガイド東京B級グルメ
文藝春秋編　東西ミステリーベスト100
文藝春秋編　幻の貸本マンガ大全集
本田靖春　誘拐
本田靖春　私のなかの朝鮮人
本田靖春　K2に憑かれた男たち
本田靖春　疵〈花形敬とその時代〉
本間千枝子　アメリカの食卓
牧羊子　あなたはどのメビウスの輪

牧羊子　めんどり歌いなさい
牧野茂　巨人軍かく勝てり
松下幸之助　な　ぜ
マッド・アマノ　パロディって何なのさ。
松本清張　日本の黒い霧 上・下
松本清張　昭和史発掘 全十三冊
松本清張　史観宰相論
松本清張　形影 菊池寛と佐佐木茂索
丸元淑生　丸元淑生のシステム料理学
丸谷才一　女性対男性
丸谷才一　大きなお世話
丸谷才一　食通知つたかぶり
丸谷才一　好きな背広
丸山健二　イヌワシ讃歌
三浦朱門　オヤジ学入門
三島由紀夫　行動学入門
宮尾登美子　母のたもと
宮尾登美子　美しきものへの巡礼
宮野澄　最後の海軍大将・井上成美
宮本美智子　ニューヨーク女三代記

宮本美智子　アメリカが嫌いだった父へ
文 宮本美智子 イラスト 永沢まこと　スーパーガイド I LOVE NEW YORK
宮脇俊三　時刻表おくのほそ道
三好徹　戦後人物誌
三輪和雄　騎手福永洋一の生還 脳障害との闘い
向田邦子　父の詫び状
向田邦子　無名仮名人名簿
向田邦子　霊長類ヒト科動物図鑑
向田邦子　女の人差し指
向田邦子　向田邦子全対談
森田誠吾　いろはかるたの本
森本哲郎編　目でみる世界七不思議の旅
森本哲郎編　黄金帝国の謎 驚異の世界史
安岡章太郎　犬と歩けば
安岡章太郎編　私の文章作法

＊　＊　＊

200

文春文庫　最新刊

風の果て 上・下　藤沢周平
首席家老・又左衛門のもとに、かつての同じ軽輩の部屋住み仲間から果し状が届く（解説・狩川博子）

野ざらし百鬼行　赤江瀑
摩訶不思議な事象が人間を蠱惑の世界に誘い夢幻の虜にする。赤江瀑の悪魔的世界（解説・和気元）

ラスプーチンが来た　山田風太郎
怪僧の来日で驚天動地の大事件が勃発！　多彩な人物の登場で展開する明治意外史（解説・縄田一男）

剣客物語　子母澤寛
落日の幕府と運命をともにし、徳川家に殉じた名剣士たちに寄せる鎮魂の作品集（解説・磯貝勝太郎）

綾の鼓——いすぱにやの土　中里恒子
あらゆる絆を断ち切り人妻をスペインに伴った外交官の愛の献身。香り高い長篇（解説・高橋英夫）

女の中年かるた　田辺聖子
新作いろはかるたの極めつきを披露するユーモアとパロディ満載の好評エッセイ（解説・青木雨彦）

わたしの乳房再建　千葉敦子
乳ガンで失った乳房をどのように再建したか。生きることの意味を問う感動の闘病記（解説・藤原作弥）

食の地平線　玉村豊男
京都のニラミダイ、パリジャンの日常食、エジプトの鳩料理…etc、ユニークな食エッセイ

長らえしとき　早瀬圭一
全国の自治体が注目する〝武蔵野市有料福祉公社〟を舞台に新しい老後を模索する（解説・三國一朗）

賑々しき死者たち　森本忠夫
遠き異国の貿易戦線に全てを捧げて戦ったわが朋友よ。本格的国際ビジネス小説（解説・深田祐介）

痩せゆく男　R・バックマン 実はS・キング　真野明裕訳
誰も書かなかった〝痩せてゆく恐怖〟。轢き殺されたジプシーの呪いが事故関係者達を襲う

驚異の世界史 古代地中海 **血ぬられた神話**　森本哲郎編
噴火に埋もれた町ポンペイ、半獣身の怪物が潜むクレタの迷宮etc、伝説に歴史の真実を探る